沖縄国際大学公開講座 33

DX時代における地域活性化

はしがき

一九七二年に沖縄が日本へ復帰し五〇年が経った。節目となる二〇二二年には経済・産業、社会・文化、観光・自然など様々な分野にわたり、復帰を記念した四〇の事業が行われている。これら沖縄本土復帰五〇周年記念事業は、復帰以降の歴史を思い起こし、そしてこれから豊かな社会を思い描く上で重要な契機になったと言える。

私たちはその回顧を通して将来を展望するにあたり、社会経済の様々な課題を改めて確認する必要がある。課題を明示することが効果的な解決をもたらし、そしてより豊かな展望につながると考えられるからである。

沖縄経済は基地依存に伴う課題を多く抱えてきたが、中には那覇新都心開発事業のように新たな賑わいを創出し、発展的に解決された課題も見られる。二〇二三年時点では、ロシアによるウクライナ侵攻の長期化や物価高騰といった課題に関心が集まっている。加えて、少子高齢化、都市圏の人口集中・地方の転出超過、および経済格差に関する諸問題は、喫緊の課題だが残されたままである。このような社会経済の環境において私たちが将来を展望する際、顕在的・潜在的な課題を認識することは極めて重要であろう。その課題と解決の理解に資するのが、うまんちゅ定例講座『DX時代における地域活性化』である。

沖縄国際大学はこれまで県民向けに、うまんちゅ定例講座を開講してきた。二〇二三年度のうまんちゅ定例講座は『ＤＸ時代における地域活性化』と題し、全一〇回の講座を産業情報学部の教員が担当した。一〇名の講師が「ＤＸ（デジタル・トランスフォーメーション）」と「地域活性化」の論点を共有した上で、各専門分野の知見をもとに開講したものである。第一回の講座が六月一〇日に行われ、一〇月二八日に最後の回を無事終えることができた。

二〇二〇年、二〇二一年の定例講座がオンライン配信型であったのに対して、今年度は昨年に引き続き、来場型（対面形式）となった。コロナ感染の懸念はあったものの、講座終了後の質疑応答や講師と受講生の名刺交換は毎回のように行われ、来場型の開講には大きな意義があったと考えている。

各講師が担当講座の内容に追記し、上梓したのが本書である。この本を繙《ひもと》き、沖縄を取り巻く社会経済の課題とその解決に関する知見を是非共有して欲しい。

最後に、多忙を極めるなか開講に加えて原稿執筆にご尽力を賜った教員各位、コロナ感染がくすぶる二〇二二年末から定例講座の実施とその書籍化に向けて多大なご協力をいただいた本学広報課職員そして編集工房 東洋企画ご担当の方々に対し、この場を借りて深く感謝の意を表したい。

二〇二三年度沖縄国際大学公開講座委員長　城　間　康　文

２０２３年度 沖縄国際大学公開講座（うまんちゅ定例講座）

回	日程	講座名	講師
第1回	6月10日(土)	地域活性化に向けた観光資源の活用方法	中野　謙（産業情報学部産業情報学科 教授）
第2回	6月24日(土)	データでみる日本・沖縄・アジア地域	比嘉　一仁（産業情報学部産業情報学科 准教授）
第3回	7月8日(土)	スポーツによる地域活性化	慶田花英太（産業情報学部企業システム学科 准教授）
第4回	7月22日(土)	地域経済のデジタル化と金融 ―コロナ後の行方―	池宮城尚也（産業情報学部産業情報学科 教授）
第5回	8月26日(土)	域学連携の実践から考える地域活性化の方向性	髭白　晃宜（産業情報学部企業システム学科 准教授）
第6回	9月23日(土)	ＤＸ時代における行政の対応	前村　昌健（産業情報学部産業情報学科 教授）
第7回	9月30日(土)	ＤＸ時代における観光ビジネスの課題	李　相典（産業情報学部企業システム学科 准教授）
第8回	10月14日(土)	中国国営企業のマーケティング管理	天野　敦央（産業情報学部企業システム学科 講師）
第9回	10月21日(土)	Ｚ世代の沖縄デジタル観光 ―ＤＸとＳＮＳマーケティングの影響―	原田　優也（産業情報学部企業システム学科 教授）
第10回	10月28日(土)	インバウンド観光と「地域の食」	兪　炳強（産業情報学部産業情報学科 教授）

※役職肩書等は講座開催当時
※第5回は台風のため8月5日(土)より日程変更

ＤＸ時代における地域活性化　――　目次

データで見る日本・沖縄・アジア地域

比嘉一仁

スポーツによる地域活性化

慶田花英太

DX時代における行政の対応　前村昌健

DX時代における沖縄観光ビジネスの課題　李　相典

中国企業のマーケティング管理

天野敦央

Z世代のデジタル観光消費行動
―DXとSNSマーケティングの影響―

原田優也

インバウンド観光と「地域の食」　兪　炳強

※本文は講座開催の順序で編集

地域活性化に向けた観光資源の活用方法

—グリーンツーリズムにおける観光と教育の融合—

中野　謙

中野　謙・なかの　けん

【所属】産業情報学部産業情報学科　教授

【主要学歴】立命館大学大学院博士後期課程修了

【所属学会】政治経済学経済史学会、日本農業市場学会、アジア市場経済学会、The Japan Association for Self-Access Learning

【主要著書・論文等】

・「第10章　食肉ビジネス：国内鶏肉産業におけるアグリビジネスの新展開」冬木勝仁、岩佐和幸、関根佳恵編『アグリビジネスと現代社会』一六七―一八一頁（二〇二一年）

・「子ども食堂の現状と課題」立命館大学食マネジメント学会・立命館大学経済学会『立命館食科学研究』Vol.3, pp. 189-198（二〇二一年）

・「シャンパン生産における醸造業者の関連とブランド維持のしくみに関する考察：ジャニソン・バラドンの事例より」沖縄国際大学総合研究機構産業総合研究所『産業総合研究』第28号、一―一四頁（二〇二〇年）

・「アクティブラーニング型授業における能力変化の分析：経済学Ⅰの授業例より」沖縄国際大学産業情報学部『産業情報論集』第16巻第1・2号合併号、二三―四一頁（二〇二〇年）

・「中山間地域におけるまちおこしの課題：大学と農村の共創を目指すサービスラーニングの事例より」沖縄国際大学産業情報学部『産業情報論集』第16巻第1・2号合併号、一―一三頁（二〇二〇年）

・「自律学習の誘発を目的とした複数教員による討論型授業：大規模授業におけるアクティブラーニングの手法と効果の考察」The Japan Association for Self-Access Learning, SiSAL Journal Special Issue on JASAL 2017, Volume 9, Number 2, pp. 217-233（二〇一八年）

※役職肩書等は講座開催当時

はじめに

農林水産省は農林漁村の振興支援策としてグリーンツーリズムを推進している。グリーンツーリズムとは、従来の団体ツアーとは異なり、地域での滞在と体験に重点を置き、訪問者に農林漁村の魅力を実感してもらうことを目的とする。したがってグリーンツーリズムの推進においては、こうした魅力を実感して繰り返し訪れる「リピーター」の獲得が重要であり、特に過疎地においては、これをさらに進展させて移住者の獲得につなげていく取り組みが不可欠である。

地域経済の維持・発展において、これらの重要性は十分に理解されており、そのための努力や工夫が見られる一方で、グリーンツーリズムにおける滞在や体験は企画合戦、価格競争に陥りがちであり、運営と利用の両面において継続性に課題があるとの指摘もある。

このような状況に新型コロナウイルスによる感染症の拡大（以下「コロナ禍」とする）が重なり、観光需要が激減する中で、観光形態は「個」と滞在を重視する方向へと変化した。その結果、感染症を避けるための個人旅行や、滞在先で業務を行うテレワークなどの需要が増加した一方、コロナ禍の収束に伴う都心回帰も生じており、今後のグリーンツーリズムの推進においては、ポストコロナ時代を見据えた持続性のある対応が必要である。

またこうした対応は少子高齢化が進む過疎地においては特に重要性が高いことに鑑み、本稿では移住者の獲得につながる、持続可能性のあるグリーンツーリズムの在り方に焦点を当てた。その分析のために、島嶼部における条件不利地で活動する対馬グリーン・ブルーツーリズム協会（以下「ツーリズム協会」と略す）を対象とし、地域資源を観光と教育の双方に活用することで持続可能な地域発展を目指す取り組みの有用性を検討する。

一　ポストコロナ時代におけるグリーンツーリズムの在り方

1　観光形態の推移とコロナ禍による変化

戦後の観光旅行は、添乗員が団体客を案内するツアー形式で拡大した。こうしたマスツーリズムを主とした観光は小規模なグループ旅行へと推移し、旅行目的も名所旧跡をめぐる物見遊山から個別テーマを重視した体験型・交流型の「ニューツーリズム」へと転換した。

上山ほか（二〇二一）は、こうした観光形態の変化を次のように整理する。観光地開発は一九六二年に制定された「全国総合開発計画」で強調され、従来の工業地域開発から取り残された地域へも広がった。その潮流が、プラザ合意による円高不況への対応として一九八七年に制定された「総合保養地域整備法（リゾート法）」によって増強され、全国にリゾート施設を乱立させた。これが土地、株式、ゴルフ会員権などの暴騰による資産バブルと、その崩壊による景気低迷を引き起こした。このような開発型のマスツーリズムに対する批判と反省が地域による内発的な観光創出の重視へとつながり、観光政策は発地型観光から着地型観光へと支援の重点を移した。こうしてマスツーリズムからニューツーリズムへの転換が生じた（上山ほか二〇二一：一九—二四）。

こうしたニューツーリズムへの転換について青木（二〇一〇）は、日本の国際観光戦略の脆弱さも影響したと指摘する。マスツーリズム政策下においては、海外へ渡航する国内客は国内にやって来る外国客よりもはるかに多く、外国客を誘致できない「出超型」の観光に留まっていた。そのためバブル経済の崩壊によって新たな観光政策（オルタナティブツーリズム）が求められるようになり、それがニューツーリズムへの転換を促したと捉える。その際、西欧でオルタナティブツーリズムとして定着しつつあったルーラルツーリズムやエコツーリズムが参考例となったが、日本では農林水産省の諮問会議が一九九二年に提起した「グリーンツーリズム」という用語が普及した（青木二〇一〇：一二）。

一方、コロナ禍に見舞われた二〇一九年末以降、世界的に観光需要が激減する中で、国内の観光形態は感染症を避けるために「個」を重視する方向へと変化した。外出自粛や外食の個食化が奨励されたことでグループ単位での行動機会が減り、旅行需要そのものが抑制された。その反動で個人旅行が注目を集めるようになり、旅行目的も個々の興味関心に特化した個別性・テーマ性の強いものへと多様化した。

またコロナ禍で生じた働き方の変化は、観光地における滞在の目的と期間を変化させた。コロナ禍前のグリーンツーリズムは余暇における体験や交流を目的とした短期的な滞在が中心であったが、コロナ禍後は情報通信技術（ＩＴ）を用いて滞在先で業務を行うテレワークや、業務と余暇を兼ねたワーケーションなどへと滞在目的が変化し、それに応じて滞在期間も長期化するようになった。またこうした働き方が様々な企業や業種に取り入れられたことで、都市部から生活コストが安い地方への移住も増加した。

ところが二〇二三年頃からコロナ禍の収束に伴う都心回帰が生じるようになり、今後のグリーンツーリズムの推進においては、ポストコロナ時代を見据えた持続性のある対応がより重要性を増している。こうした観点から、本稿では移住者の獲得につながる、持続可能性のあるグリーンツーリズムの在り方に焦点を当てた。

2　グリーンツーリズムの定義

農林水産省によるグリーンツーリズムの定義は「緑豊かな農山漁村地域において自然、文化、人々との交流を楽しむ滞在型の余暇活動（農林水産省構造改善局一九九七：一）」であり、その推進のために「農山漁村余暇法[(1)]」を一九九四年に制定した。この農山漁村余暇法は、農村滞在型余暇活動の拠点となる農林漁業体験民宿（以下「農家民宿」とする）の整備とグリーンツーリズムの普及を通じた農林漁村の振興支援について定めており、農家民宿の定義を「施設を設けて人を宿泊させ、農林水産省令で定める農村滞在型余暇活動又は山村・漁村滞在型余暇活動に必要な役務を提供する営業（農山漁村余暇法、第二条五）」としている。

一方、国土交通省はグリーンツーリズムを、ニューツーリズムを形成する要素の一つに位置づけており、ニューツーリズムは他にも長期滞在型観光、エコツーリズム、ヘルスツーリズム、日本型ロングステイ、文化観光などを含むとする（国土交通省二〇〇七：一七二）。

これに対して観光庁は、ニューツーリズムについて「厳密な定義づけは出来ない」としたうえで「従来の物見遊山的な観光旅行に対して、テーマ性が強く、体験型・交流型の要素を取り入れた新しい形態の旅行」であるとする（観光庁観光産業課二〇一〇：二）。

他方、菊池（二〇〇八）は、日本におけるグリーンツーリズムの参考例となったルーラルツーリズムについて「農村という領域で行われる観光行為や観光アトラクションのすべてを含む概念で、アグリツーリズムやファームツーリズム、およびグリーンツーリズムやエコツーリズムを内包している（同：三二）」と整理する。

このように、マスツーリズムに対置するオルタナティブツーリズム（代替的な観光政策）は多様であり、それぞれの定義や範囲は論者によって異なる。しかしこれらは個別に独立したものというよりは、学際的なものと捉えるべきである。そのため本稿では、「グリーンツーリズム」という用語を「オルタナティブツーリズムが包含する各種のツーリズムの総称」として用いる。

また農林水産省にならい、グリーンツーリズムのために「農山漁村地域に宿泊し、滞在中に豊かな地域資源を活用した食事や体験等を楽しむ『農山漁村滞在型旅行』」を「農泊」とする（農林水産省、参照二〇二三年四月二七日）。

3　農家民宿の現状

前述のとおり、農林水産省はグリーンツーリズムの活動拠点として農家民宿の設置を奨励し、その普及を支援してきた。しかし農家民宿は旅館業法をはじめとする様々な法規の適用を受けるため、普及に弾みがついたのは主に旅館業法が緩和された二〇〇三年以降であった。坊安ほか(二〇二〇：一三六―一三七)は、この規制緩和後の農家民宿（農家だけでなく、林漁家による民宿も含む）の新規開業数を調べ、二〇〇三年から二〇一二年における年間平均が四二二・六軒であったことと、そのうちの九五%が旅館業法の緩和措置を利用したことを指摘している。このことから、旅館業法などの緩和が農家民宿の普及に弾みをつけたことが見て取れる。

一方、山田（二〇二二）の整理によると、林漁家民宿を除く農家民宿(2)の数は二〇〇五年の一四九二軒から二〇一〇年の二〇〇六軒へと増加したが、それ以後は二〇一五年の一七五〇軒、二〇二〇年の一二一五軒へと減少している。またピークとなった二〇一〇年と二〇二〇年を地域別に比較すると、中国地方が増加している以外は、総じて減少している(3)（図1参照）。この結果から、農家民宿の減少はコロナ禍による影響もあると考えられるが、それ以前から生じていたことが確認できる。

行政が農家民宿に関する規制の緩和を行い、参入を奨励してグリーンツーリズムの推進を継続しているにもかかわらず、こうした状況に陥っているのは、グリーンツーリズムに特有の課題が未解決のまま残されていることに由来する。

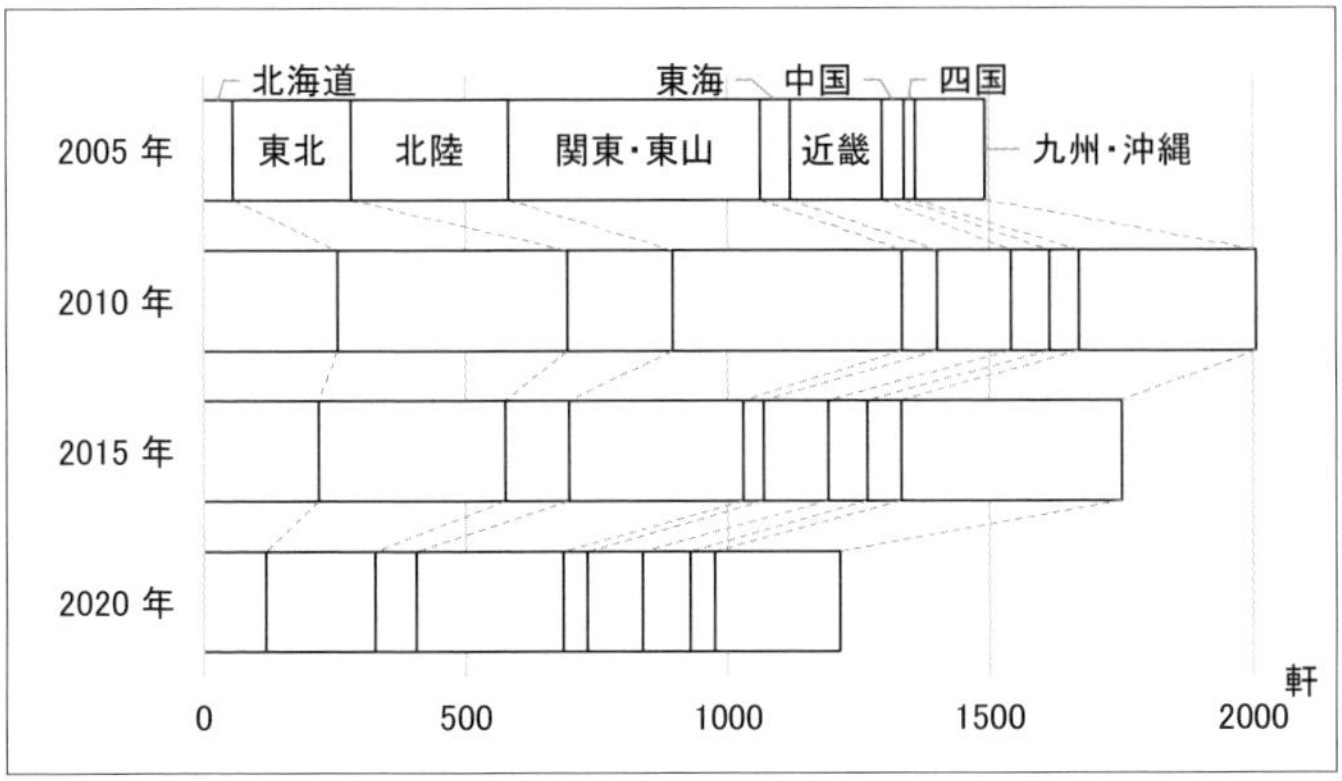

図１　農家民宿の分布と推移

注　東山は山梨県と長野県が該当する
出所　山田（2022）表１より作成

4　本稿の問題意識

本稿はグリーンツーリズムの課題として青木（二〇一〇）が指摘するもののうち、次の三つに焦点を当てた。

指摘⑴は体験主義の浸透と画一化であり、これはグリーンツーリズムの「体験主義」が企画合戦と価格競争に陥り、短期的な事業に終わりがちであることが認識されていないことを問題視している。そのため「一過性の体験から継続的な交流」への転換が必要だとする。

指摘⑵は市場の未形成とわが村意識の強化であり、これはグリーンツーリズムに対して需要側が求めるものが明確でない一方で、供給側は「『主観的評価』に依存した、『わが村一番』の実践が大半であること」を問題視している。こうした自己満足的なＰＲでは交流人口の拡大が望めないため、「断続的交流から定住」に向けた政策的な展望と実践が必要だとする。

指摘(3)は人材育成と中間支援機構の確立であり、これは小規模でも質の高い事業と地域内部での事業連携（ネットワーク化）の不足や、これらの創出と運営を担う人材の不足を問題視している。その対応策として行政による「質の高い支援」と、中間支援機構の設立による「専門的な連携化」が必要だとする（青木二〇一〇：二一―二二）。

本稿はグリーンツーリズムの最終的な目標を「体験を契機とした移住者の獲得」と捉えることから、特に過疎地においては、青木が指摘するこの三つの課題への対応が重要であると考える。

他方、多方（二〇一三）はグリーンツーリズムの展開段階を五つに分け、その中で農家民宿の難易度が最も高いことを指摘している。(4) その理由は農家民宿の存在意義にあり、本稿ではその一つである「農業理解・教育の場としての拠点」に焦点を当てた。(5) これを整理すると、農家民宿の存在意義は将来的に広い意味での農業理解を促すことにあり、その「機能」（原文は「場」）は①農業や農村文化を実感する機会の提供と、②農業や農村が抱える問題を実感する機会の提供に分けられる（同上：一三七）。すなわち、この機能①と②を担うことが農家民宿の存在意義である。

こうした農家民宿の機能は、前掲の青木による指摘と密接に関連している。青木の指摘(1)は、多方による二つの機能が十分に発揮されていないことを示唆している。例えば農泊の提供によってリピーターを獲得する場合、訪問者に地域の魅力を実感してもらう必要があるため、機能①（農業や農村文化を実感する機会の提供）が特に重要となる。そのため「手を替え、品を替え」の企画合戦が生じ、こうした企画の乱立が地域内外の農家民宿との価格競争を生み出す。

また機能②（農業や農村が抱える問題を実感する機会の提供）は機能①と相反するため、これを強く印象づけるとリピーターの獲得が困難になる。これは青木の指摘(2)に関連しており、供給側は「需要側が求めるものが明確でない」ことから、リピーターの獲得につながるか否かを「主観的評価」に依存せざるをえない。そのため青木は、手前味噌な評価に基づく「わが村一番の実践が大半」という結果に陥ると評している。

こうしたことから青木は指摘(3)において、これらの課題の解決につながる質の高い企画の立案、その事業化、地域内連携などを担う人材が必要であり、さらにこうした事業者を支援するための政策が必要であるとする。だがこうした課題への対応が進まないことから農家民宿は二〇一〇年をピークに減少に転じ、そこにコロナ禍が重なったことで減少に拍車がかかったと考えられる。

本稿が分析対象とするツーリズム協会の事例は、青木が指摘する(3)の課題への対応となりうる。しかしツーリズム協会は島嶼部の中山間地域に立地しており、多方による機能①を担う農業が衰退の一途をたどっていた。そのため機能②に焦点を当て、これを観光に付随した「視察的な体験」に留まらず、「教育のための商品」として活用することで、グリーンツーリズムによる持続可能な地域発展に取り組んでいる。以下ではこの事例の分析を通じて、地域資源を観光と教育の双方に活用することの有用性を検討する。

二　地域資源の教育利用

1　グリーン・ブルーツーリズム協会の概要

ツーリズム協会は六軒の農家民宿をとりまとめる事務局として二〇〇五年に発足した。だが創設者の急逝によって事業が停滞したことで、市のグリーンツーリズム推進を担う対馬市農林水産部が二〇〇九年度に事務局を引き継いだ。しかし専従者を配置する財源がなく、厚生労働省による緊急雇用対策事業によって事務員を雇用していた。これにより二〇一二年度までは体制を維持できたものの、緊急雇用対策の適用は最長一年であることから事務員を毎年入れ替えざるをえず、活動の展開に必要な知識や技能、人脈などの蓄積が進まなかった。

一方、現在のツーリズム協会・事務局長である川口氏は二〇一一年に対馬市島おこし協働隊（地域おこし協力隊）の「生物多様性保全担当」として対馬を訪れ、島の固有種であるツシマヤマネコ（以下「ヤマネコ」と略す）の保護活動に携わっていた。その過程で人とヤマネコの共生関係を見出し、生物多様性を保護するために過疎化の抑止と地域農業の復興に取り組むようになった。この活動を通じて二〇一三年に農林水産部が運営するツーリズム協会と出会い、二〇一五年度から同協会の運営を担うに至った。

こうして再び民営化したツーリズム協会は、生物多様性の保全と地域の活性化を題材とした体験企画の提供を始めた。以下ツーリズム協会に関する内容は、特に断らない限り川口氏に対して二〇二二年一一月に行った聞き取り調査に基づく。

2　条件不利を逆手に取った再生策

対馬の人口は一九六〇年に七万人近くでピークとなり、高度経済成長に伴う離島者の増加が生じて以来、減少が現在まで続いている（長崎県対馬振興局二〇一六：七二）。また当時、第一次産業は島内最大の産業であったが、人口の減少に伴って衰退の一途をたどっており、二〇一六年には島内産業全体の五・四％（全産業従事者九五三二人中五一〇人）になっている（対馬市二〇二三年二月二八日）。これにヤマネコの個体数の推移を重ねると、その変化は第一次産業従事者の減少に類似する。人とヤマネコの関係は次のとおりである。

対馬は島の九割が山であるため、農業はその斜面を活用した「木庭作（こばさく）」という焼き畑農業で行っていた。木庭作で開墾した畑で数年間転作を行い、土地が痩せると休耕地にして、新たな畑を開墾する。休耕地には炭の原料となる木を植え、二〇年ほどの周期で再び木庭作に利用し、同時に燃料となる木炭も得ていた。こうした循環型農業が山の極相林（木が密集して光がほとんど差し込まない原生林）化を防ぐことで、そこを生息地とする小動物が多様化し、それを餌とするヤマネコが繁殖した。また島内にわずかしかない平地は大半が水田に利用されたため、そこに水生生物や渡り鳥が集まるようになったことで、ヤマネコの狩り場となった。こうした人間の営みが、図らずもヤマネコに好適生育環境をもたらし、共生が成り立っていた。

川口氏はこうしたしくみを知るにつれ、生物の多様性を保全するためには地域資源を域内で適切に循環させる必要があり、それが地域の持続性につながると考えるようになった。しかし川口氏が活動拠点とする志多留地区は過疎化が進んでおり、それに伴って主要産業であった農業が廃れていた。また圃場整備が行われていないため、農業の機械化や大規模化が行えず、効率や収益性も乏しい。そのうえ離島の中山間地域であるため、資材や産品の輸送コストがかさむ条件不利地でもある。こうしたことから地域住民は、この地で農業を続けることを諦めてきた。

だが川口氏は、圃場整備は陸と海をつなぐ生態系を分断してしまい、地域資源の多様化を損なうと捉える。圃場整備が行われていない志多留地区には、山から海にいたる生態系の有機的なつながりが昔のままの形で残されており、それが多様な地域資源を温存することにつながっている。こうしたことから農業で生計を立てるのではなく、地域資源を学習教材として「学び」を売り、それを地域再生の原動力とすることを思い立ち、「島おこし実践塾」（以下「実践塾」と略す）を二〇一二年に立ち上げた。

3　教育を目的とした体験

実践塾の対象者は大学生であり、五泊六日の合宿型セミナーによって学びの機会を提供する。セミナーでは、人とヤマネコの共生に焦点を当てて地域資源の域内循環や生物多様性保全の重要性を解説し、地域や環境の持続性に関する課題の発見とその解決策を議論してもらう。また大学教員を講師に招き、参加者を耕作放棄地に連れ出して、農地が失われることで生じる問題への理解を促したりもしている。こうして農業が生物多様性だけでなく、地域の自然や環境を維持する機能を担うことを参加者に実感してもらう。そのうえで地域資源を維持しながら活用するために自分に何ができるのか、行政に何を求めるのかについて連日議論を重ね、最終日に市長を招き、提案を行ってもらう。

この合宿型セミナーは、前掲の多方による機能②「農業や農村が抱える問題を実感する機会の提供」に相当するが、その軸足が観光に付随した「視察的な体験」ではなく、教育を目的とした「思考と発案のための体験」に置かれている点が他の事例と大きく異なる。またこうした独自性が、前掲の青木による指摘(1)の「体験主義」との差別化につながっている。

一方、実践塾の運営においては、カリキュラムの学習効果を高めるための試行錯誤を重ねており、その効果を参加者にアンケートで評価してもらっている。このアンケートの結果は、学びの一環として行っていた地域住民宅でのホームステイの評価が、どの年度においても非常に高いことを示していた。このホームステイの目的は受け入れ農家との交流に留まらず、それぞれの家庭の日々の営みを協働しながら体験するものであった。これが域外の人に「非日常的な体験」と受け止められ、学びの機会として高く評価されていた。こうしたことから川口氏は、この企画を事業化するために必要な旅行業登録を行い、農家民宿の拡充を通じて本格的に観光業へと乗り出した。

この農家民宿による観光業は、前掲の多方による機能①「農業や農村文化を実感する機会の提供」

に相当し、全国の農家民宿で広く取り入れられている。そのため青木による指摘(1)の「体験主義」による企画合戦と価格競争を避け、短期的な事業に終わらないための工夫が必要となる。次章では、こうした工夫に焦点を当てる。

ちなみに青木による指摘(2)の「『主観的評価』に依存した、『わが村一番』の実践」については、アンケート調査とその結果を踏まえたカリキュラムの改善によって、一定程度回避できていると考えられる。

三　観光と教育の融合

1　農家民宿の変化とコロナ禍における転換

現在ツーリズム協会は会員である農家民宿の事務局を担っており、二〇二二年一一月現在の会員は三六軒である。この農家民宿は農林漁業や共同料理などの体験を提供することを条件に、自宅で旅館業を行う許可を得た宿である。ツーリズム協会はこれらの農家民宿を通じて、対馬の自然や生活、食文化を伝え、同時に地域が抱える問題を実感する機会を提供している。

農家民宿における体験で利用者の評価が最も高いのは、受け入れ農家と共に料理をしたり食卓を囲んだりすることである。例えば対馬で農業を営む家庭は豆腐やこんにゃくを自ら作るだけでなく、その原料である大豆やこんにゃく芋も自家栽培している。狩猟や漁業を営む林漁家では、自ら獲った肉（鹿、猪、鴨など）や山菜、魚介類が食卓に並ぶ。島の郷土料理は、そのすべてが各家庭の生産物によって成り立っており、季節によって旬の食材も異なる。農家民宿の利用者は「食べ物を自らの力で得ることができる環境がある」ということに新鮮味を感じたり感動を覚えたりしており、こうした非日常的な体験を通じた学びが高く評価されている。しかし受け入れ農家の高齢化とそれに伴う農家民宿の廃業により、こうした体験を提供することが困難になりつつある。

高齢者にとって郷土料理は古来の日常食であり、それを農泊の利用者に提供したり共同料理の手ほどきをしたりすることに支障はない。だが島の若い世代は食品の多くを購入して生活することが慣習となっており、対馬の自然を利用した素朴な郷土料理の提供は困難である。こうしたことから郷土料理を提供できる農家民宿は一〇年ほどでなくなることが予想され、次世代の農家民宿はこれに代わる新たな体験の提供が不可避となっている。

一方、対馬では二〇一一年から韓国人観光客（以下「韓国客」とする）が増加しはじめ、二〇一八年には島の人口三万人を大きく上回る四一万人が訪れるようになった。だが同年の日韓関係の悪化[6]によって韓国客は二〇一九年に二六万人に減少し、さらに二〇二〇年はコロナ禍によって釜山からの航路が閉ざされたことで一万人に落ち込んだ。これらの影響で二〇二一年は韓国客の訪問がゼロになり、その影響は農家民宿にも及んだ。

川口氏はツーリズム協会の事務局を引き継いだ二〇一五年度から農家民宿の利用拡大に取り組んできた。初年度の利用者は合宿型セミナーの参加学生（以下「研修生」とする）二一人であったが、二〇一六年度からは研修生以外の国内客にも利用が広がった。さらに二〇一七年度からは外国客にも利用が広がり、二〇一八年度の利用者は合計一八五八人に増加した。だが二〇一九年度は日韓関係の悪化によって外国客の九割以上を占める韓国客が減少し、そこに二〇二〇年からのコロナ禍が重なったことで、外国客が皆減しただけでなく、国内客も減少した（図2参照）。

これらの変化に対応するために、ツーリズム協会は事務局体制の見直しを行った。これまでツーリズム協会は農家民宿の広報や旅行商品の企画を行い、その情報発信や問い合わせの窓口を担っていた。また宿泊プランと価格を統一して、予約の受付業務を行っていた。

しかしコロナ禍によってリモートワークやワーケーションが普及したことにより、旅行需要が一層多様化した。従来は意識しなかった「密

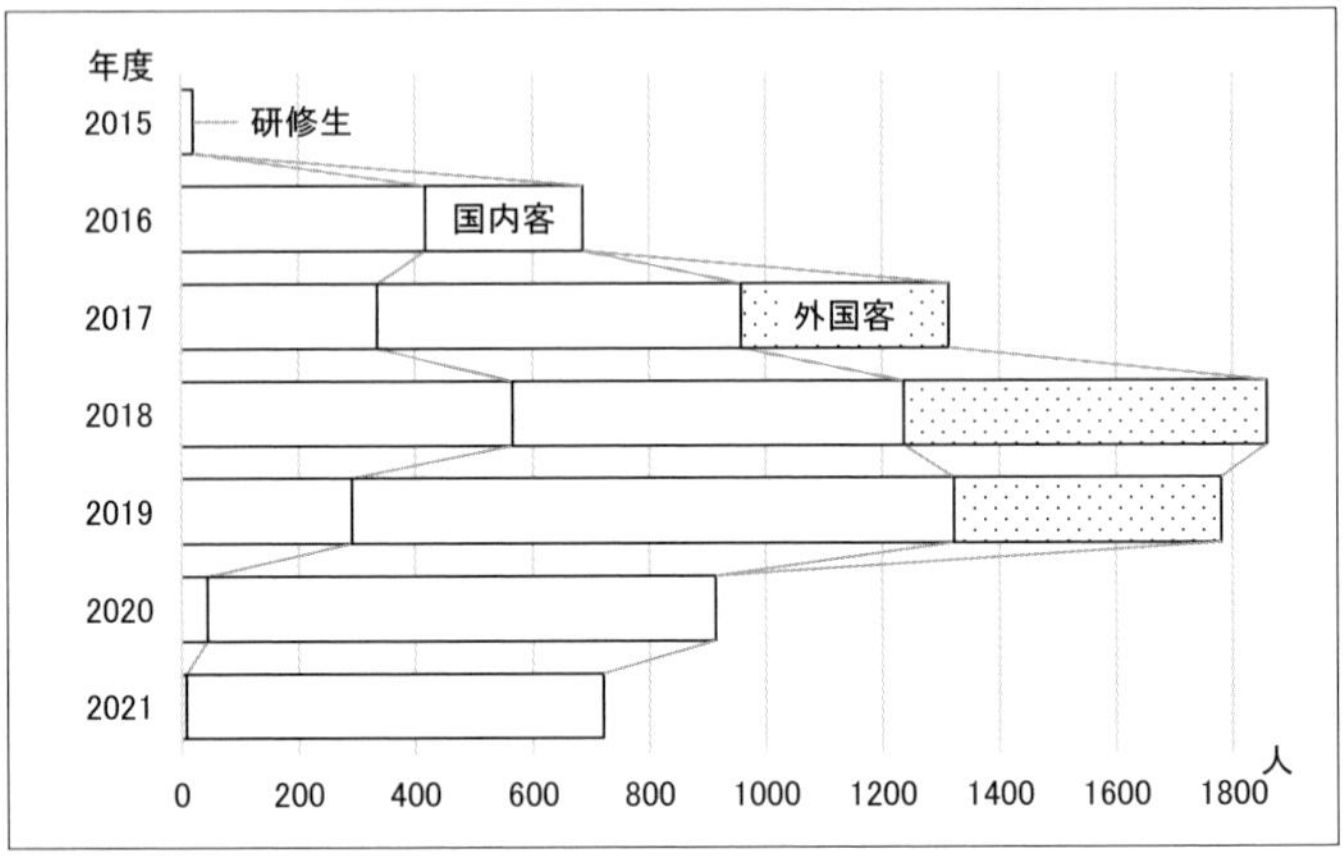

図2　農家民宿利用者の推移

出所　対馬グリーン・ブルーツーリズム協会提供資料より

を避ける」という変化によって個人旅行が主流となり、求められる環境が「個」を重視したものへと変化したため、統一料金・統一サービスではこうした需要への対応ができなくなった。そこで農家民宿ごとに個々の特徴を生かすプランへと企画を変更した。例えば別棟のある農家民宿であれば、それをリモートワーク用に一棟貸しする長期滞在プランを企画したり、食事プランを素泊まり、朝食付き、朝夕二食付きへと多様化したりした。従来の宿泊プランは一泊二食付きが原則であったため、繁忙期は利用者を受け入れられない農家民宿もあったが、食事プランの多様化によって利用者だけでなく、受け入れ側の利便性も高まった。

だが宿泊を売るだけの企画では他地域の農家民宿との差別化が図りにくく、集客が限定的となることから、競合を避けるために、ここでも地域資源の教育利用に重点を置いた企画立案を行っている。例えば宿泊プランにヤマネコ観察のナイトツアーを組み合わせた企画は、ヤマネコを観察するという「観光体験の提供」に留まらず、人と自然の共生を考えることをテーマとした「学びの提供」に重点を置いている。そのため実践塾のセミナーと同様に、ガイドによるヤマネコの好適生育環境に関する解説や、その環境を生み出す農家による講話なども組み合わせ、地域資源を教材として活用している。

このようにツーリズム協会は農家民宿における体験の軸足を観光から教育に移すことで両者の融合を試み、失われつつある郷土料理に代わる新たな体験の提供に取り組んでいる。さらにコロナ禍後の観光回復を見据えて、こうした企画による修学旅行の誘致にも取り組んでいる。対馬には離島ならではの自然や文化があり、同時に離島ならではの問題がある。これらを「教育に重点を置いた旅行」として組み合わせた「教育旅行(7)」を商品化し、学校や旅行会社への提案を行っている。

こうした取り組みは、前掲の青木による指摘(1)の「体験主義」による企画合戦と価格競争を避けるための差別化になると同時に、ポストコロナ時代の観光復興に向けた参考例ともなるだろう。

2　行政との連携による教育活動の強化

これらの取り組みと並行して、ツーリズム協会は対馬で「持続可能な開発目標（Sustainable Development Goals：以下「ＳＤＧｓ」と略す(8)）」を学ぶ機会を提供するための活動も行っている。

対馬では過疎化と少子高齢化が進行しており、地域の持続可能性に関する課題が他地域よりも早く顕在化している。例えばＳＤＧｓが提唱された二〇一五年の対馬市の人口は三万一四五七人であり、限界集落は一二五集落中二〇であった（対馬グリーン・ブルーツーリズム協会提供資料）。これが対馬市（二〇二〇：五）の推計では、ＳＤＧｓの達成時期に定められた二〇三〇年には人口が二万一八一三人に減少し、限界集落が九一に増加する。

こうした問題への対応として市は「ＳＤＧｓアクションプラン」を策定し、これを推進するために「持続可能な開発のための教育（以下「ＳＤＧｓ教育」と略す(9)）」を実施している（対馬市二〇二二：八四）。このプランは対馬を「ＳＤＧｓの実践の場」として大学や企業に提供し、ＳＤＧｓ教育に関連する支援を行うものであり、その教育の成果によってＳＤＧｓの推進を目指す。またその成果を「対馬モデル」として発信し、他地域の課題解決にもつなげることで、広くＳＤＧｓが達成されることを目的とする。ツーリズム協会は域学連携を通じて、このＳＤＧｓ教育を担っている。

ＳＤＧｓと環境・社会・経済の関連は、初学者にはわかりにくい面がある。そのためＳＤＧｓは「遠い国の発展を支援するために政府や企業が取り組む活動」だと捉えられがちだが、実際は身近な生活を維持するために不可欠な事柄が多く含まれている。例えば対馬では海岸への漂着ごみが問題になっており、これ一つを取り上げるだけでも多彩なＳＤＧｓ教育の題材となる。

対馬では海岸線の至る所にペットボトルが漂着しており、これはＳＤＧｓの一二番目の目標である「つくる責任、つかう責任」に関連する。ＳＤＧｓ教育においては、使用したペットボトルの処分は各自が責任を持たなければならないことや、ごみを減らすために何ができるかを考えてもらうための題材となる。

また漂着ごみで最も多いのは漁具であり、台風や経年劣化で意図せずに流出したものがほとんどである。これはＳＤＧｓの九番目の目標である「産業と技術革新の基盤をつくろう」に関連する。漁具の必要性と流出が避けられない理由を知り、自然に還りやすい素材や生態系に影響の少ない素材の開発が必要であることを実感してもらうための題材となる。

さらに外国からの漂着ごみへの対応も課題であり、これはＳＤＧｓの一七番目の目標である「パートナーシップで目標を達成しよう」に関連する。漂着したごみを地域住民が片づけるだけでは根本的な解決にはならないため、流出させた国に対する働きかけや、解決に向けた協力体制の在り方などを検討するための題材となる。

このように、対馬の海岸を歩けば、漂着ごみの問題を通して、島の日常生活が地域だけでなく海外とも密接に関連していることが見出せる。対馬には他にも様々な問題があり、これらがＳＤＧｓ教育や教育旅行の題材となる。こうしたことからツーリズム協会は、前掲の木庭作とヤマネコの好適生育環境の関連を図式化した教材を用いた導入教育を行っている。木庭作による地域資源の利用と再生が地域産業と暮らしの持続性を支え、また木庭作によって形成された里山が多様な生物を育み、その生物の営みが地域資源の再生と維持につながる。対馬にはこうした古来の資源循環があり、このしくみをＳＤＧｓになぞらえることで、持続可能な開発の諸課題を身近なものとして捉えてもらうことに努めている。

このようにツーリズム協会は地域資源を観光だけでなく教育にも活用することによって地域の持続性とＳＤＧｓに関する教育を担っており、同時に、これらの問題に関心を持つ人々を対馬に誘致するコーディネーターの役割も担っていることがうかがえる。こうしたツーリズム協会の特徴は、対馬に移住者を引き寄せる原動力となりうる。

過疎地にとって移住者の獲得は重要な課題だが、「田舎暮らし」の実情を知らない移住者が増えると、受入側と移住側の思惑が異なる「ミスマッチ」が生じる。これに対してツーリズム協会は、受入側である地域社会が抱える問題をテーマとした教育を提供することによって、移住者となる可能性のある人々の地域理解を促している。これが受入側と移住側の相互理解を促すことにつながり、ミスマッチを緩和する。こうしたツーリズム協会の事例は、他地域におけるミスマッチの緩和にとっても有益な参考例となるだろう。

3 ポストコロナ時代に向けた三つの課題

一方、地域資源を教育に活用するためには、講師となるツアーガイドの養成が不可欠であり、これが最大の課題の一つでもある。観光ガイドやバスガイドには観光案内と接客の両方のスキルが求められるが、地域資源を教育に活用するためには、端的な観光案内を超えた「通訳」が必要となる。この「通訳」とは、案内する対象（観光対象）とそれを取り巻く環境との関係性を「翻訳して伝える」ことを意味する。前掲のヤマネコ観察のナイトツアーを例に取ると、観光案内とは、観光客にヤマネコの特徴や生態などの情報を伝え、ヤマネコを観察できる場所へ連れて行くことを意味する。これに対して「通訳」とは、観光案内に加えて、ヤマネコが人間と共生関係にある理由やヤマネコにとっての里山の重要性、環境や生物多様性の保護・保全の必要性などを解説し、観察を「学び」につなげることを意味する。

またツアーガイドに求められる接客スキルは、顧客満足度を高めるだけでなく、その結果としてリピーターが獲得できる水準のものであり、過疎地においては特にこれが重要である。だが観光客の中には地域の文化や人々との交流に関心の薄い人やリピーターになりそうにない人もおり、ガイドとしての意欲や熱意を維持し続けることは容易でない。バスガイドを兼務するツーリズム協会のスタッフはこうした経験から「また来てくれると思って接する」ことを意識し、そのために前掲の「通訳」を重視している。単なる観光案内に留まらず、観光対象の「通訳」によって他のガイドとは異なる独自の「メッセージを伝える」ことにより、「自分のファン（リピーター）になってもらう」という目標を掲げている。

ツーリズム協会はこのスタッフの経験を踏まえてバスガイドの養成プログラムを組み立て、観光対象の「通訳」ができる人材の育成を目指している。その実現のために対馬市と対馬観光物産協会と連携し、観光対象の「通訳」ができるガイドを対馬市の認定資格とすることに取り組んでいる。またこの資格はバスガイドや観光ガイドだけでなく、空港の地上スタッフや、土産物屋・飲食店の店員など、観光客に接する人に広く取得してもらい、対馬全体の観光発展につなげることを目標としている。

二つ目の課題はオーバーツーリズム(10)からの脱却である。韓国客が急速に増加した時期はその対応に追われ、一部で「安かろう、悪かろう」という状態が生じた。またより多くの客を獲得するために価格競争が生じた一方で、観光客と地域住民の間では文化や慣習の違いによるトラブルが頻発するようになった。そこに日韓関係の悪化とコロナ禍が重なったことでオーバーツーリズムが消失し、入域客の急減によって地域経済は苦境に立たされたが、これがオーバーツーリズムを省みる機会となった。

こうして観光と地域の環境や生活を両立させることの重要性が再認識され、観光の持続可能性が議論されるようになった。これを受けてツーリズム協会は、北海道の弟子屈町が実施するエコツーリズムの手法を参考に、住民参加型のエコツーリズム計画の作成に取り組んでいる。

三つ目の課題は地域ネットワークの形成である。対馬では少子高齢化と過疎化によって事業者の多くが後継者問題を抱えており、そのために適切な投資が行われにくいことがある。特に観光業においては、観光客の増加や客層の変化に応じて設備投資や商品開発を行っても、将来的に事業を受け継ぐ人材がおらず、また日韓関係の変化によって韓国客の客足が流動的になりがちであることからも、先を見据えた投資が困難となる。こうした理由により、当代での廃業を前提としたかのような薄利多売が生じ、前述の「安かろう、悪かろう」という状態が生じた。

一方、このような経営には持続性がないため、子世代が家業を継ぐために島に戻ったり、後継者に適した移住者がいたりしても、事業の継承は実現しにくい。対馬ではこうしたミスマッチも生じており、地域の活性化に取り組んでいる人々の活動が進展しにくいという問題がある。

ツーリズム協会による前掲のエコツーリズム計画は、こうした問題への対応策でもある。コロナ禍後の観光の在り方に対する島内の考え方は一様でなく、廃業を考えている現役世代と、持続性のある事業で地域活性化を目指す次世代の溝は埋めがたい。そのため保守的な集落では先進的なアイデアが受け入れられにくく、集落の垣根を越えた議論が必要となる。こうしたことからツーリズム協会は、住民参加を基本とする弟子屈町のエコツーリズムの手法を取り入れ、集落横断的な議論の機会を提供している。

対馬では地域資源を観光と教育の両面で活用し、またそれを原動力として持続可能な地域発展を目指す取り組みが進められているが、そのさらなる発展のためには、これら三つの課題への対応が必要である。そのための取り組みはすでに始まっているが、コロナ禍の収束に伴って観光需要が回復しはじめていることから、その重要性と緊急度も高まっている。

一方、観光需要が回復傾向にあることは他の多くの地域も同様であるため、これらの事例はポストコロナ時代に向けた観光復興のための「対馬モデル」となるだろう。

おわりに

これまで見てきたように、ツーリズム協会は各種の教育プログラムと農家民宿によって観光と教育を融合し、なおかつ教育に軸足を置いたグリーンツーリズムを推進することにより、他地域との差別化に成功している。これは前掲の青木による指摘(1)の「体験主義」による企画合戦と価格競争の回避につながっており、なおかつ高評価だが失われつつある「郷土料理体験」の代替にもなっている。

また地域が抱える問題を教育プログラムの題材とすることで、地域住民と潜在的な移住者の相互理解を促し、移住に際したミスマッチを緩和している点は、多方による農家民宿の存在意義である機能②の「農業や農村が抱える問題を実感する機会の提供」に相当するものであり、これが青木の指摘⑵の「『主観的評価』に依存した、『わが村一番』の実践」に陥ることによるミスマッチの発生を抑制することにつながっている。

さらにツーリズム協会そのものが、青木による指摘⑶の「中間的支援機構」に相当し、対馬におけるグリーンツーリズムの活動主体と域外の大学や企業をつなぐ「専門的な連携化」を担っているといえる。

これらのことから本稿は、以上で紹介したツーリズム協会の事例は持続可能な地域発展に資するものであり、その屋台骨となっているのが「地域資源の観光と教育の双方での活用」であると結論する。こうした観光と教育を融合させたグリーンツーリズムは、少子高齢化にポストコロナが重なった時代における観光の在り方を考える上で、有用な参考例となるだろう。

註

⑴　正式名称は「農山漁村滞在型余暇活動のための基盤整備の促進に関する法律」である。

⑵　本稿の略語である「農家民宿」は農林漁家民宿のすべてを含む。これに対して山田（二〇二二）は「農林業センサス」を用いて農家による農家民宿のみを抽出しているため、これには林家と漁家が営む「農家民宿」は含まれない。

⑶　各地域の農家民宿数の変化（二〇一〇〜二〇二〇年）は、北海道一三八減、東北二三〇減、北陸一二〇減、関東・

東山一六一減、東海二一減、近畿三五減、中国一九増、四国九減、九州・沖縄九六減である。

(4) 多方(二〇一三)による展開段階は昇順に「農村景観・環境整備」「農産物の直売所」「農業・農村体験や農産物加工・販売」「農家レストラン」「農家民宿」の五つである(同:一三六)。

(5) 多方(二〇一三)は他にも「農家経済の助長」「交流・情報交換の場」「グリーン・ツーリズムとしての拠点」「農家民宿における女性の役割」を挙げているが、本稿では捨象した(同:一三七—一三八)。

(6) これは韓国の大法院が二〇一八年一〇月に朝鮮半島出身の徴用工を働かせた日本企業に対して賠償を命じる判決を出したことに端を発する日韓関係の悪化(箱田二〇二〇)を指す。

(7) ツーリズム協会による教育旅行は二〇二二年一一月時点で「豊かな海を体験し漂着ごみの現状を考える:浅茅湾シーカヤック体験」「獣害から獣財へ:鳥獣被害対策と環境保護」などの五つがある。

(8) 外務省によるSDGsの目的は「二〇三〇年までに持続可能でよりよい世界を目指す国際目標」であり、そのために達成すべき一七のゴールを設定している(外務省、参照二〇二三年五月六日)。

(9) 原典における「持続可能な開発のための教育」の略称はESD(Education for Sustainable Development)(対馬市二〇二二:八四)だが、本稿では「SDGs教育」とした。

(10) 観光庁(二〇一九)によるオーバーツーリズムの定義は「観光地やその観光地に暮らす住民の生活の質、及び/或いは訪れる旅行者の体験の質に対して、観光が過度に与えるネガティブな影響(同:一四)」であり、本稿はこれを援用している。

参考文献

青木辰司（二〇一〇）『転換するグリーン・ツーリズム：広域連携と自立を目指して』学芸出版社

上山肇、須藤廣、増淵敏之編（二〇二一）『ポストマスツーリズムの地域観光政策：新型コロナ危機以降の観光まちづくりの再生へ向けて』公人の友社

外務省「ＳＤＧｓとは?」https://www.mofa.go.jp/mofaj/gaiko/oda/sdgs/about/index.html（参照二〇二三年五月六日）

観光庁（二〇一九）「持続可能な観光先進国に向けて　付録［持続可能な観光の実現に向けた先進事例集］」https://www.mlit.go.jp/common/001293012.pdf（参照二〇二三年五月一〇日）

観光庁観光産業課（二〇一〇）『ニューツーリズム旅行商品　創出・流通促進ポイント集（平成二一年度版）』

菊池俊夫（二〇〇八）「地理学におけるルーラルツーリズム研究の展開と可能性」地域空間学会編『地域空間』Vol. 1-1, pp.32-52

国土交通省（二〇〇七）『観光白書二〇〇七年版』

多方一成（二〇一三）『グリーンライフ・ツーリズムへの創造』芙蓉書房出版

対馬市（二〇二〇）「対馬市　ＳＤＧｓ未来都市計画　令和二年八月二六日」https://www.city.tsushima.nagasaki.jp/material/files/group/6/tsushima-SDGs.pdf（参照二〇二三年三月一四日）

対馬市（二〇二二）「対馬市ＳＤＧｓアクションプラン」https://www.city.tsushima.nagasaki.jp/material/files/group/69/SDGs_actionplan.pdf（参照二〇二三年五月六日）

対馬市（二〇二三年二月二八日）「産業別民営事業所数、従業者数」https://www.city.tsushima.nagasaki.jp/gyousei/soshiki/shimadukuri/seisakukikakuka/tokei/377.html（参照二〇二三年四月二四日）
長崎県対馬振興局（二〇一六）『つしま百科』電子書籍https://static.nagasaki-ebooks.jp/actibook_data/n01_1604210l353_tsushima_hyakka/HTML5/pc.html#/page/1（参照二〇二三年四月二四日）
農林水産省「『農泊』とは」https://www.maff.go.jp/j/nousin/kouryu/nouhakusuishin/nouhaku_top.html#nouhaku（参照二〇二三年四月二七日）
農林水産省構造改善局編（一九九七）『日本型グリーン・ツーリズムのあり方について〈農山漁村での長期滞在型をめざして〉グリーン・ツーリズム研究会報告書』農林水産省
箱田哲也（二〇二〇）「さらなる関係悪化を招いた日韓両政権の過ち」https://www.ritsumei.ac.jp/research/ceapc/insight/detail/?id=79（参照二〇二三年三月一三日）
坊安恵、中村貴子（二〇二〇）「農林漁業体験民宿の開業時における開業者の意向と特徴の分析」関西農業経済学会編『農林業問題研究』第五六巻、第四号、一三五―一四二頁
山田耕生（二〇二二）「個人旅行客の受け入れを主とした農泊の特徴と課題」千葉商科大学国府台学会編『千葉商大論叢』第六〇巻、第二号、一四三―一五三頁

データで見る日本・沖縄・アジア地域

比嘉一仁

比嘉　一仁・ひが　かずひと

【所属】産業情報学部産業情報学科　准教授

【主要学歴】一橋大学大学院経済学研究科博士後期課程修了

【所属学会】日本経済学会

【主要著書・論文等】

- Izumi Yokoyama, Kazuhito Higa, and Daiji Kawaguchi "Employment Adjustments of Regular and Non-Regular Workers to Exogenous Shocks: Evidence from Exchange-Rate Fluctuation,"Industrial and Labor Relations Review, ILR Review, 74(2), 470–510, 2021.
- Kazuhito Higa, Ryota Nonaka, Tetsuya Tsurumi, Shunsuke Managi "Migration and human capital:Evidence from japan," Journal of the Japanese and International Economies, 54, 2019,
- Yann Algan, Fabrice Murtin, Elizabeth Beasley, Kazuhito Higa, and Claudia Senik "Well-being through the lens of the internet,"PLOS ONE, 14(1), 2019

※役職肩書等は講座開催当時

一　はじめに

本章ではデータで見る日本・沖縄・アジア地域というテーマで地域活性化を考える。まず、メインテーマである「ＤＸ時代における地域活性化」について考えてみる。読者はメインテーマについてそれぞれのキーワードの意味をしっかり理解しているだろうか。筆者はあまり理解をしていなかったので、そこで今回それぞれの単語について確認する。まずＤＸという言葉について、デジタル大辞泉によると、

ＩＴ（情報技術）が社会のあらゆる領域に浸透することによってもたらされる変革。二〇〇四年にスウェーデンのＥ＝ストルターマンが提唱した概念で、ビジネス分野だけでなく、広く産業構造や社会基盤にまで影響が及ぶとされる。デジタル変革。デジタル改革。ＤＸ。

と書かれている。そこでＥ＝ストルターマンが実際にどのように論文で記述したかを確認する。

The digital transformation can be understood as the changes that the digital technology causes or influences in all aspects of human life. (Stolterman E. and

Croon Fors 2004, P689)

論文自体はそこまで長くなくて、読みやすい論文だった。上記の記述を要約すると、デジタルトランスフォーメーションは、デジタルテクノロジーが人間の生活のすべての面に影響を与える変化と考えられる、となる。このようにE=ストルターマンは議論した。単純にデジタルテクノロジーが広がるというだけでなく、デジタルテクノロジーが広がることによって、人間の全ての生活面に影響を与えるという概念で提唱したと考えられる。

それでは、読者の皆さんはデジタルテクノロジーと言われてピンとくるだろうか？私にはあまりしっかりとしたイメージは持てなかった。私のデジタルテクノロジーのイメージはスマートスピーカーとかスマホというような抽象的なものなので、改めてデジタルテクノロジーについても確認する。まずデジタルという言葉について、デジタル大辞泉によると、

連続的な量を、段階的に区切って数字で表すこと。計器の測定値やコンピューターの計算結果を、数字で表示すること。数字表示。⇔アナログ。

と書かれている。つまり数字を使って何かの物事を表すことと考えられる。次にテクノロジーは、

科学技術。科学的知識を各個別領域における実際的目的のために工学的に応用する方法論
と記されている。
加えて、今回のテーマである地域活性化についても意味を確認する。まず地域とは、
1 区画された土地の区域。一定の範囲の土地。「―の代表」「防火―」
2 （日本、または国際社会が）独立国として承認していない領域。また、ある国の領土の一部であるが、本国とは別の体制を認められている区域、自治領、植民地などをいう。台湾、パレスチナ、プエルトリコなど。
と記されている。本章では地域とは一定の範囲の土地という意味で議論を進めることにする。次に活性化という言葉は、
1 特定の機能が活発になること。反応性が高まること。
2 組織などの活動を活発にすること。「地域社会を―する」
と記されている。つまり何かしらの活動を活発にすることが活性化と考えることにする。

そこで本章のテーマである「データで見る日本・沖縄・アジア地域」について、先ほどの言葉を当てはめて考える。まず「デジタル」という言葉についてはデータを使い、「地域」については日本・沖縄・アジア地域を対象として、活性化については活動を活性化すると考える。

ところで、本章では、地域の何の活動を活発にしたらよいのだろうか?例えば、地域のエイサーに参加することも地域活性化の一つになるし、青年会の活動に参加するとか、老人会の活動に参加するとか、ボランティア活動に参加するとかも地域活性化と考えることができる。本章では、経済の活動を活性化するとしておく。

二　経済とは?

これから経済を活性化していくことを議論していくが、読者はこれまでに「経済」という言葉についてなんとなく聞いたことがあるかなと思う。例えばテレビや新聞・ネットニュース、または高校の政治・経済の授業等で経済という言葉を聞いたことがあると思う。そこで改めて読者にいくつか質問したい。一つ目はこれまでに経済もしくは経済学について考えたことがあるだろうか?「経済」と言う言葉を聞いたときに、読者はどういったイメージを持つだろうか?簡単そう?難しそう?そういった印象もあるかと思う。二つ目は、日本の現在(二〇二三年時点)の経済状況は良いと思う?悪いと思う?三つ目は世界全体の現在(二〇二三年時点)の経済状況は良いと思う?

上記の質問を通して、「経済」という言葉にいろんなイメージを持っているかと思うが、そもそも「経済」って何でしょうか？読者は何をもって経済をイメージしているだろうか？

授業で「経済とか経済学を理解するコツはあるのか」とよく学生に聞かれることがあるが、コツはないと筆者は考える。残念ながら。ただし理解するための方法はある。まず方法の一つとして**感覚を身につけること**が大事だろう。経済や経済学の感覚というイメージを持つのは難しいと思う。例えば趣味について考えてみよう。自分の趣味について正確に楽しさを伝えることができるだろうか？正確に趣味の楽しさ・面白さについて伝えるのは難しいのではないかと筆者は思う。理由としては、人によって楽しい・面白いと思う点に違いがあるからである。しかし、どういう点が楽しいとか、ここが良いからお勧めとか、そういったことは伝えられるかもしれない。だいたいこの趣味はこんな感じというのが感覚のイメージと理解してほしい。その感覚と呼ばれるものは趣味だけの話だけじゃなくて、実は勉強でも非常に大切だと思う。しかもそれは経済や経済学に限った話ではなく、他の学問分野についても感覚は大事であろう。じゃあ、どうしたら感覚を身につけられるのだろうか。それにはコツがある。そのコツとは、なんとなく理解するということである。なんとなくと言われても困ると思うが、ここでいうなんとなくというのは適当にとかいい加減にと言う意味ではなく、だいたいこんな感じとわかることである。経済や経済学についての感覚を身につけるにはその**サイズ感（経済のだいたいの数字）**が分かれば、最初は充分である。[(1)] そこで本章では、まず日本全体のサイズ感について話をして、その次に沖縄県のサイズ感について話をする。

三　日本全体編

まず経済のサイズ感について、改めて考えてみるとそもそも経済とは何だろうか？経済と聞いた時に何となくのイメージできるのはお金であろう。実際に授業で学生に経済のイメージを聞くと、経済＝お金と答える人が多い。そのイメージは間違いではないと思うが、ではそのお金を使うのは誰だろうか？もちろん人がお金を使う。じゃあ、人はどこでお金を使うかというと、お店とかコンビニエンスストアとかであろう。それを抽象的な場所という意味でその辺ということにする。じゃあ、その辺でどう使うかというと、財・サービス(2)を購入する。なぜ財・サービスがその辺にあるかというと、誰かが作っている（生産する）からである。そのため本章では、生産されるという点と人にフォーカスを当てて議論をする。

一国において一年間にどれぐらいの財・サービスが生産されたかは、国内総生産（ＧＤＰ）を見るとわかる。それは、読者は日本の現在（二〇二一年時点）の国内総生産（ＧＤＰ）がいくらかわかるだろうか？内閣府「国民経済計算（ＧＤＰ統計）」によると、日本の二〇二一年度の国内総生産は約五四〇兆円である。国内総生産には実質とか名目とか四半期とか年次など、細かい点はいろいろあるが、最初は細かい点は無視して五四〇兆円という数字をぜひ覚えて欲しい。理由は、経済の感覚をつかむため・サイズ感を知ることが大事だからである。ただ、五四〇兆円をどれくらいかと理解できる人は少ないだろう。そこで経済の感覚をつかむためのヒントとして、身近なもので置き換えるとわかりやすい。例えば三、〇〇〇万円の高級車で考えると一、八〇〇万台買えるなどである。ポイントは高級車が何台買えるかではなく、日本のＧＤＰ（経済規模）がどれぐらいかを知ることが最初の第一歩である。ぜひ読者にも自分の身近なもので五四〇兆円置き換えて考えて欲しい。国内総生産の推移を表すグラフが図１である。一九九四年から二〇二一年までの日本の国内総生産（実質ＧＤＰ、基準年＝二〇一五年）の推移を表したものである。グラフを見ると全体的に右上がりの傾向が見て取れる。一九九四年には国内総生産は四五〇兆円ほどだが、順調に増加して、二〇〇四年には初めて五〇〇兆円を上回った。二〇〇九年にはリーマンショックの影響があり五〇〇兆円を少し下回った。それ以降も増加して、二〇一七年には五五〇兆円を上回った。

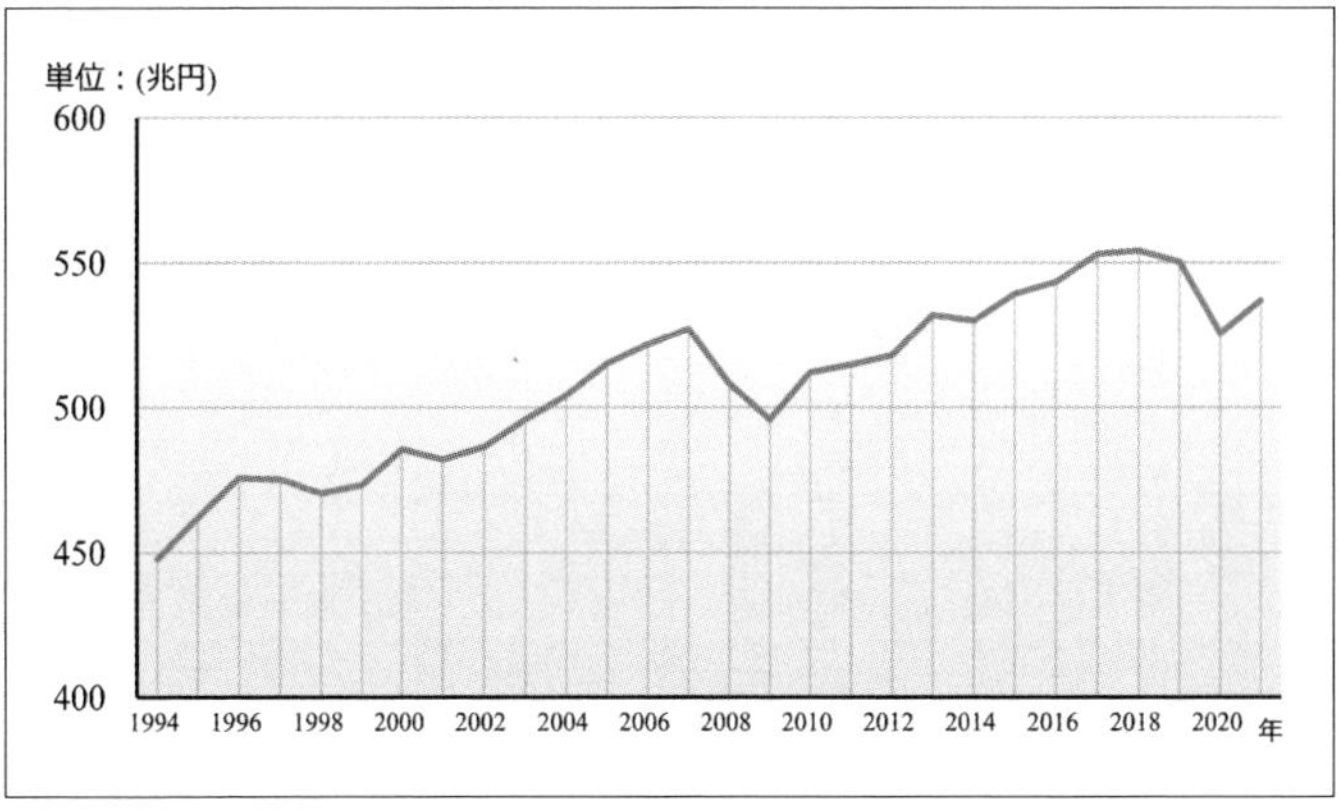

図１　日本の国内総生産（実質GDP、基準年=2015年）

出典：内閣府「国民経済計算（GDP統計）」より筆者作成。

二〇二〇年には新型コロナウイルス拡大の影響により減少したが、二〇二一年には少し回復していることが見て取れる。

諸外国の経済規模のサイズ感も持つと日本の経済の感覚も分かりやすいかなと思う。世界銀行の国別の国内総生産（current US$）によると、米国は二〇・九五兆ドル（二〇二〇年）、日本円で約二、五〇〇兆円となっている。中国は一四・七二兆ドル（二〇二〇年）、約一、八〇〇兆円である。日本のGDPは五・〇六兆ドル（二〇二〇年、約五四〇兆円）で、世界第三位の国内総生産である。四位以降はドイツ（三・八五兆ドル）、イギリス（二・七六兆ドル）、インド（二・六六兆ドル）、フランス（二・六三兆ドル）と続く。(3)

次に、人について考える。人が財・サービスを購入するので、人についてのサイズ感も知っておきたい。総務省が行う国勢調査と呼ばれる調査で日本の人口を計っている。国勢調査は五年に一度数字の後ろに〇または五がつく年に調査が行われる。この国勢調査は日本においてとても貴重な調査で、全数調査である。二〇二〇年の国勢調査によると、日本の人口は一二六、一四六、〇九九人となっている。この数字は思ったよりも多いだろうか？少ないだろうか？日本の人口の変化について、グラフを見ながら推移を見てみる（図2）。一九六〇年には約九、三〇〇万人だったが日本の経済成長期を通して、人口が増加した。一九六六年には一億人に到達した。その後人口は増加して、二〇一〇年まで人口の増加が見られた。一方で、二〇一五年に行われた国勢調査で初めて人口の減少が確認された。その後の二〇二〇年には更なる人口の減少が確認されている。このように日本の

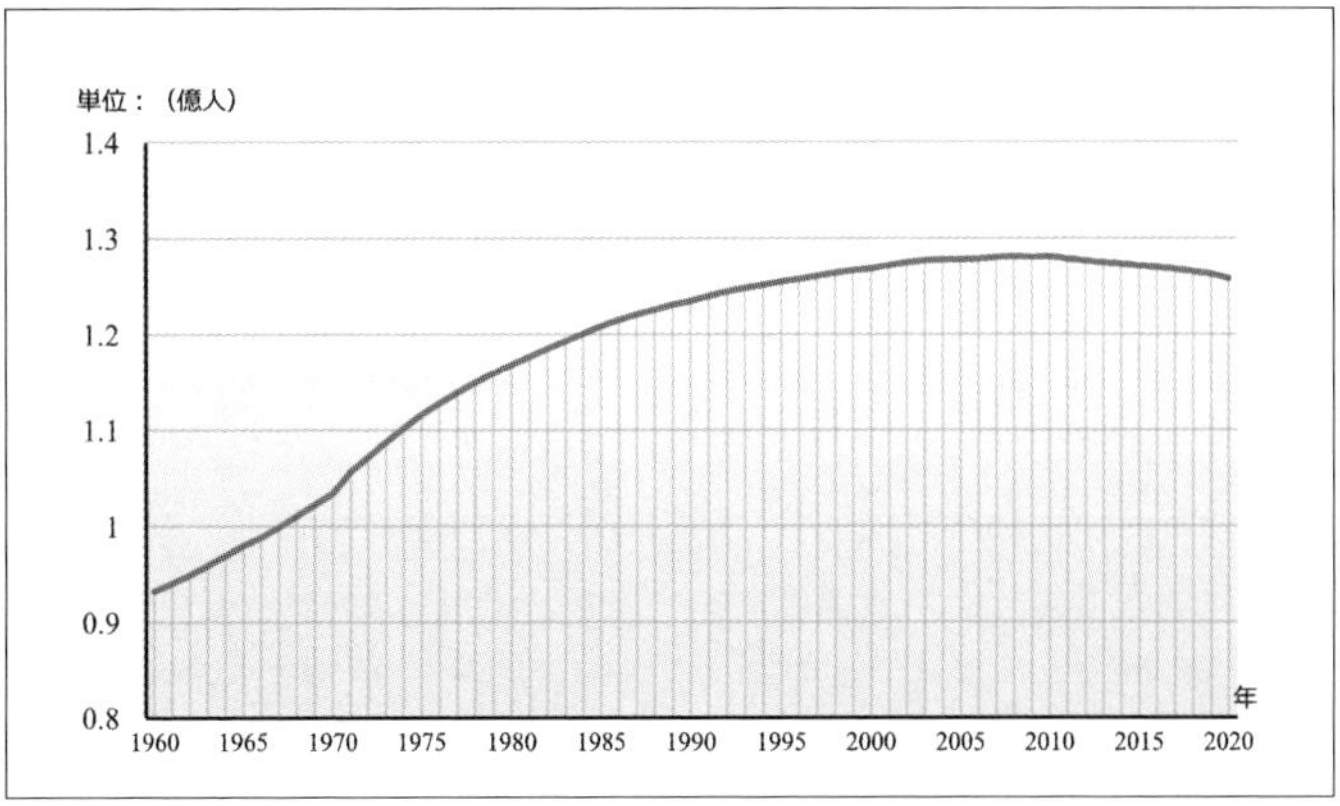

図２　日本の人口の推移

出典：The World Bank　Population, total -Japanより筆者作成。

人口についても感覚を持っておくと良いだろう。

世界における人口の順位を見ると、日本は世界第一一位である（表1）。一位は中国で約一四億三、九〇〇万人（二〇二〇年）である。その次にインド約一三億八、〇〇〇万人（二〇二二年）、米国三億三、一〇〇万人（二〇二二年）となっている。表一の右側には人口の増減率（二〇一〇年から二〇一五年の人口増減率、二〇一五年から二〇二〇年の人口増減率）が記載されている。人口増減率を見ると、世界の人口の上位二〇カ国のうち日本だけが唯一人口減少率がマイナスとなっている。つまり、この二〇カ国の中で日本だけが人口減少に直面していることがわかる。

続いて、人はその辺で財・サービスを購入するので、その辺についても議論する。日本の国土面積は三六四、五〇〇㎢となっている。この

表１　世界の人口

順位	国名	人口（百万人） 2010年	2015年	2020年	世界人口に占める割合(%)	人口増減率 (%) ( )内は年平均 2010年～2015年		2015年～2020年	
	世界	6,957	7,380	7,795	100.0	6.1	(1.19)	5.6	(1.10)
1	中国 2)	1,369	1,407	1,439	18.5	2.8	(0.55)	2.3	(0.46)
2	インド	1,234	1,310	1,380	17.7	6.1	(1.20)	5.3	(1.04)
3	アメリカ 3)	309	321	331	4.2	3.8	(0.76)	3.2	(0.62)
4	インドネシア	242	258	274	3.5	6.8	(1.33)	5.9	(1.15)
5	パキスタン	179	199	221	2.8	11.1	(2.14)	10.8	(2.07)
6	ブラジル	196	204	213	2.7	4.5	(0.88)	4.0	(0.78)
7	ナイジェリア	159	181	206	2.6	14.3	(2.71)	13.8	(2.62)
8	バングラデシュ	148	156	165	2.1	5.9	(1.15)	5.4	(1.06)
9	ロシア	143	145	146	1.9	1.0	(0.21)	0.7	(0.13)
10	メキシコ	114	122	129	1.7	6.8	(1.33)	5.8	(1.14)
11	**日本**	**128**	**127**	**126**	**1.6**	**-0.8**	**(-0.15)**	**-0.7**	**(-0.15)**
12	エチオピア	88	101	115	1.5	15.1	(2.84)	14.0	(2.66)
13	フィリピン	94	102	110	1.4	8.7	(1.68)	7.3	(1.42)
14	エジプト	83	92	102	1.3	11.7	(2.24)	10.7	(2.05)
15	ベトナム	88	93	97	1.2	5.4	(1.05)	5.0	(0.99)
16	コンゴ民主共和国	65	76	90	1.1	18.1	(3.38)	17.5	(3.27)
17	トルコ	72	79	84	1.1	8.6	(1.66)	7.4	(1.44)
18	イラン	74	78	84	1.1	6.4	(1.25)	7.0	(1.36)
19	ドイツ	81	82	84	1.1	1.2	(0.24)	2.4	(0.48)
20	タイ	67	69	70	0.9	2.3	(0.45)	1.6	(0.31)

出典：総務省統計局　令和2年国勢調査　人口等基本集計結果

数字を聞いてもピンとくる人はいないと思うので、各国の国土面積を見てみる。世界で一番広い国はロシア連邦（一、六三七万㎢）、続いて米国（九一五万㎢）、カナダ（八九七万㎢）、ブラジル（八三六万㎢）、オーストラリア（七六九万㎢）、中国（七四二万㎢）、インド（二九七万㎢）と続いている。日本は二〇二一年の時点では世界で第六三位との国土面積となっている。また、日本に近い国土面積を持つ国を挙げると、ＥＵ周辺ではスウェーデン（四一万㎢）、ノルウェー（三七万㎢）、ドイツ（三五万㎢）、ポーランド（三一万㎢）となっている。

四　沖縄県編

沖縄県の経済のサイズ感を経済規模・人口・面積から見てみる。

まず、沖縄県で一年間にどれぐらいの財サービスが生産されているかは、沖縄県の県内総生産を見るとわかる。二〇二〇年度の沖縄県の県内総生産は約四兆一、三六五億円となっている。これは思ったより多いだろうか？少ないだろうか？先述した日本の国内総生産（ＧＤＰ）が約五四〇兆円だったので、沖縄県は日本全体の一％未満（約〇・七七％）の生産しか出来ていないということになる。この状況はしょうがないと思う？それとも沖縄県はもっと頑張れると思う？図３には沖縄県の県内総生産の推移が描かれている。二〇〇六年度から二〇一〇年度にかけては三兆六、〇〇〇億円ぐらいで推移していたが、二〇一〇年度から上昇して、二〇一三年度には四兆円を突破し、二〇一九年度には四兆四、〇〇〇億円まで増

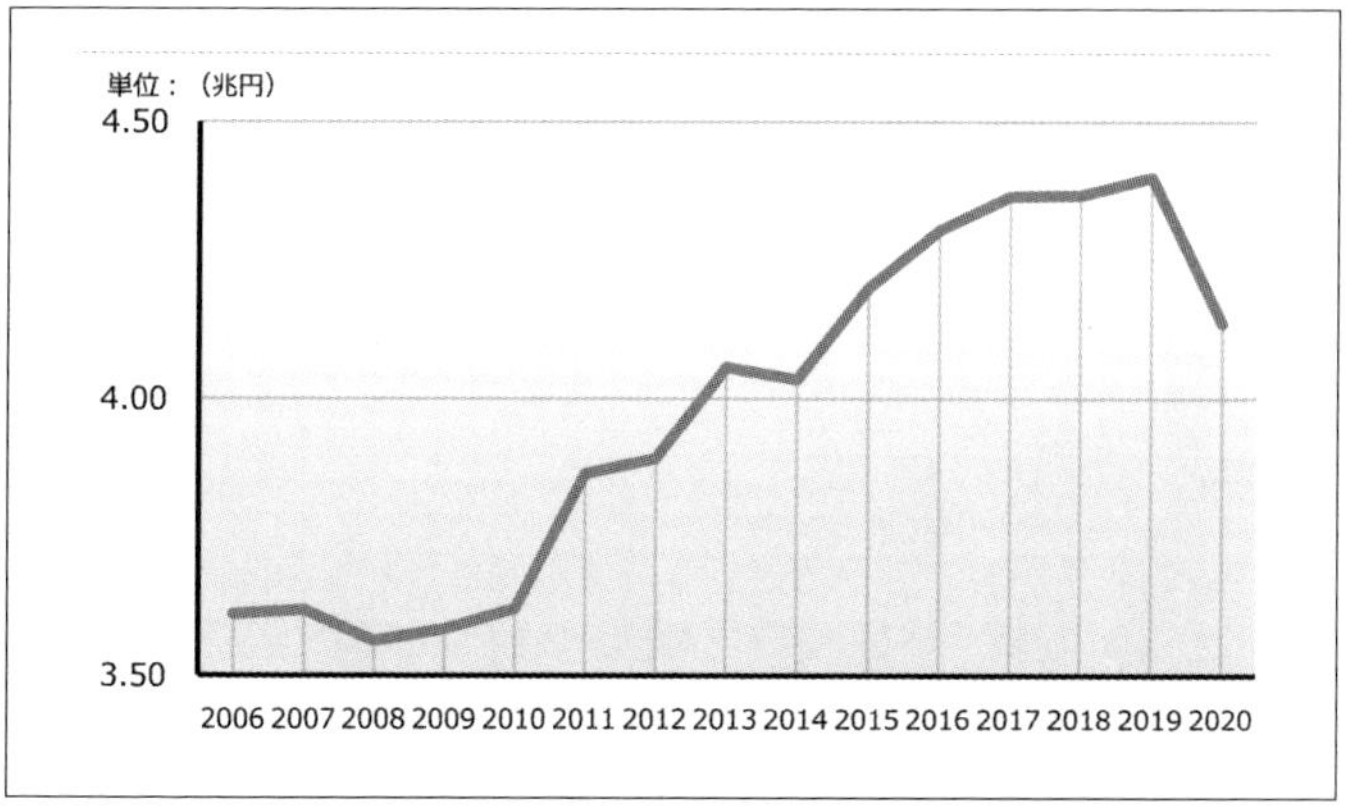

図３　沖縄県の県内総生産（生産者側、実質）推移

出典：内閣府「県民経済計算（平成18年度 - 平成30年度）（2008SNA、平成23年基準計数）」及び沖縄県「県民経済計算」より筆者作成。県内総生産は生産側、実質連鎖方式で、2010年まではH23連鎖価格、2011年以降はH27連鎖価格のもの。

加した。しかし、新型コロナウイルス拡大の影響で、二〇二〇年度には四兆一、三六五億円となっている。他の都道府県の県内総生産と比較すると、一位は東京都（一〇五・八兆円）、二位は愛知県（三九・四兆円）であり、大阪府、神奈川県と続く。日本において県内総生産が一〇兆円以上の都道府県は全部で一三都道府県である。沖縄県は四七都道府県のうち第三三位の経済規模となっている。

次に、沖縄県における人口について、読者は沖縄県にどれぐらいの人がいるか分かるだろうか?二〇二〇年の国勢調査によると、沖縄県の人口は一、四六八、四一〇人となっている。この数字は全国で第二五位の順位である。思ってより多いでだろうか?少ないだろうか?都道府県別の人口増減率（二〇一五年から二〇二〇年）見ると、一位は東京都（三・九％）、二位は

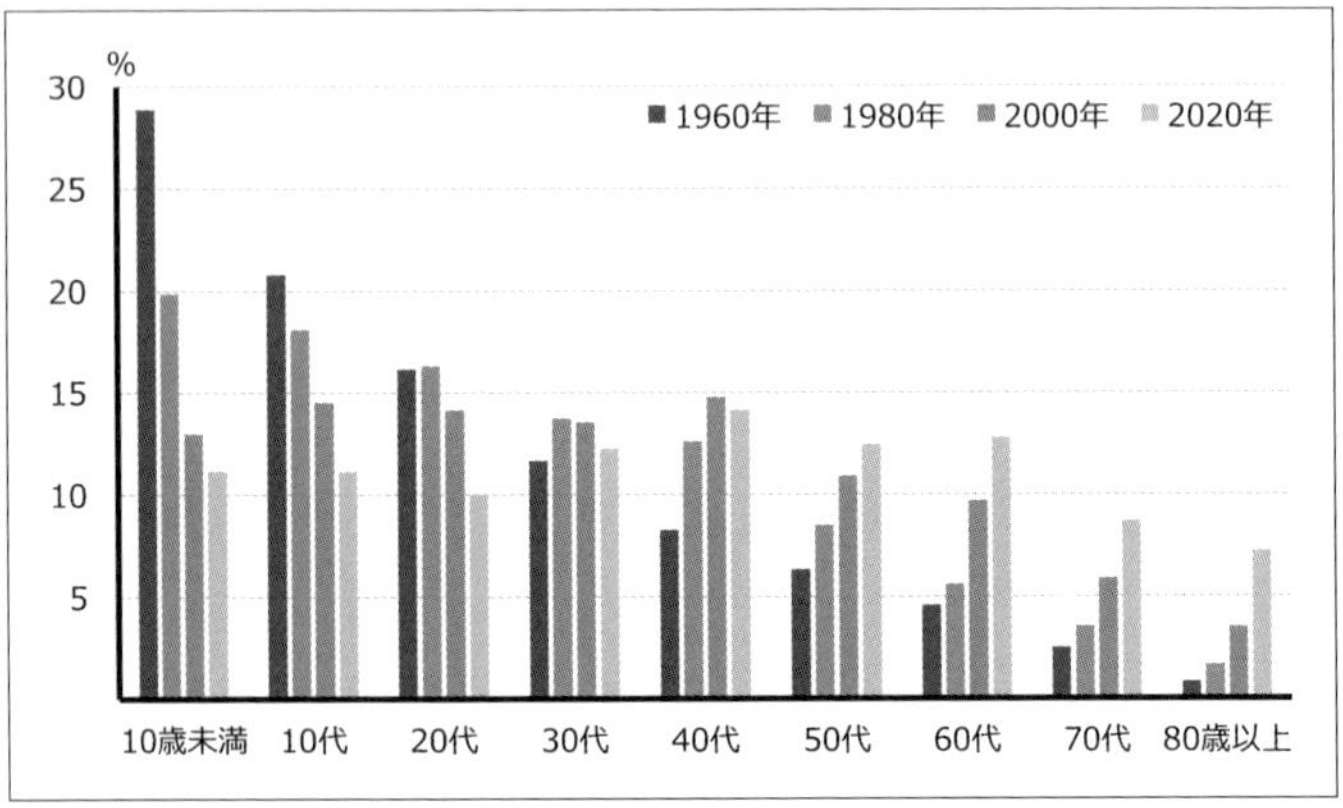

図４　沖縄県の年齢別人口割合の推移

出典：総務省　国勢調査　時系列データ　男女、年齢、配偶関係をもとに筆者作成。

沖縄県（二・四％）となっている。四七都道府県のうち人口増加率がプラスになっているのは、他に神奈川県、埼玉県、千葉県、愛知県、福岡県、滋賀県の全部で八都県である。図４は沖縄の年齢別の人口割合の推移を表している。一九六〇年のグラフを見ると一〇歳未満が約三〇％、一〇代が二〇％、と年齢が上がるにつれて人口割合が減少していた。八〇代以降は一パーセント未満だった。しかし、一九八〇年には一〇歳未満の割合は二〇％まで減少し、三〇代以降の割合が一九六〇年の割合よりも増えてきた。二〇二〇年には一〇歳未満・一〇代・二〇代の割合よりも三〇代から六〇代の割合のほうが高くなっている。また、八〇歳以上の割合は七％まで上昇している。このように沖縄県において、少子高齢化が進んでいることが見て取れる。

続いて沖縄県の広さを見る。沖縄県によると、沖縄県の面積は二、二八一㎢となっている。日本において一番広い都道府県は北海道（八三、四二四㎢）である。沖縄県は第四四番目で神奈川県（二、四一六㎢）と東京（二、一九四㎢）の間となっている。ちなみに一番狭いのは香川県（一、八七七㎢）である。

ここまで日本及び沖縄県の経済規模（ＧＤＰ、県民総生産）・人口・国土面積を見てきたが、経済規模と人口については、ぜひ覚えて欲しい。

五　アジア地域と沖縄県

ここではアジア地域について考える。アジアといっても広いので、沖縄県を中心にして考える。沖縄県から飛行機で四時間の圏内には日本全国及び韓国・中国・香港・タイ・フィリピンなどの国がある（図5）。

表2には日本及び沖縄県と沖縄県から四時間圏内にある国の経済規模（国内総生産・県内総生産）・人口・一人当たりの経済規模・面積が示されている。経済規模が一番大きいのは中国で、その次に日本、韓国と続く。人口は中国、日本、ベトナム、タイと続く。一人当たりの経済規模を見ると一番大きいのはシンガポールとなっている。シンガポールの一人当たりの経済規模は日本の約二倍、沖縄県の約二・九倍となっている。表2の人口を合計すると

図5　沖縄を中心とした4時間圏内の国

出典：沖縄県商工労働部アジア経済戦略課（2017 年）「沖縄県アジア経済戦略構想とその実現に向けて -沖縄を日本とアジアの架け橋に-」より筆者編集。

約一八億三千人となり、巨大マーケットが沖縄県の周辺にあることが沖縄県商工労働部アジア経済戦略課(二〇一七)で議論されている。

そのような巨大なマーケットへの立地を活かすため、沖縄県商工労働部アジア経済戦略課(二〇一七)では沖縄県アジア経済戦略構想として下記の五つの重点戦略を掲げている。

①アジアをつなぐ、国際競争力のある物流拠点の形成
②世界水準の観光リゾート地の実現
③航空産業関連クラスターの形成
④アジア有数の国際情報通信拠点〝スマートハブ〟の形成
⑤沖縄県からアジアへとつながる新たなものづくり産業の推進

表２　沖縄県から4時間圏内の国の経済規模・人口・面積

	GDP・県内総生産（名目、兆円）	人口（万人）	一人当たり名目GDP・県内総生産（万円）	面積（㎢）
日本	541.6	12,615	429.3	364,500
沖縄	4.5	147	306.1	2,281
中国	2172.0	140,000	153.8	9,600,000
韓国	215.7	5,163	417.9	100,000
台湾	92.7	2,340	396.0	36,000
香港	41.9	747	560.5	1,110
フィリピン	47.2	1,904	42.9	298,170
ベトナム	49.7	9,946	49.3	329,241
タイ	59.4	6,609	85.1	514,000
マレーシア	47.9	3,260	136.5	330,000
シンガポール	49.7	569	874.5	720

出典：日本は内閣府ホームページ、中国・韓国・台湾・香港・フィリピン・ベトナム・タイ・マレーシア・シンガポールは外務省ホームページ、沖縄県は沖縄県ホームページをもとに筆者作成。為替は1ドル=120円、1シンガポールドル＝106円、1リンギット＝31円で計算。中国・台湾・香港・フィリピン・ベトナム・タイ・マレーシア・シンガポールの一人当たり名目GDPは名目GDPを人口で割って計算。

本章では、その③航空産業関連クラスターの形成について焦点を絞り沖縄県の経済活動の活性化について議論する。

まず、クラスター（cluster）という意味は群れ・集団という意味である。つまり、沖縄県は航空関連産業を中心として様々な周辺産業の育成や活性化を図り、沖縄県の経済活性化を目指している。特に、沖縄県（二〇一九）は航空機の機体・エンジン・装備品のＭＲＯ（整備 Maintenance、修理 Repair、整備・分解修理 Overhaul）を中心として、航空産業の周辺産業（部品の物流、人材育成、情報通信、観光等）を含めたクラスターの形成と産業の発展を目指している。二〇一九年にはクラスターの中心となるMRO Japan株式会社が那覇空港で事業を開始している。クラスターを形成して経済活性化を目指すので、航空機の整備・修理だけではなく、周辺産業の育成・貢献も重要である。航空機は数多くの部品が使われているため、それらの部品の製造を担う製造業の起業・育成が必要である。また部品だけではなく、通信技術についても同様である。一方で、クラスターを築くためには、各分野における人材育成がクラスター形成の根本を担うのではないかと筆者は考える。部品製造はもちろんだが、情報通信技術についても、技術者の育成なしには産業の育成は難しいだろう。さらに、クラスター形成に波及して、航空機の整備・修理や部品の製造・情報通信技術などの分野の技術者の育成とともに、それらの分野で培われる技術をさらに応用する技術革新や開発についての支援・企業の育成も必要になってくるだろう。そのような複合的な波及効果により、重点政策⑤の「沖縄からアジアへとつながる新たなものづくり産業の推進」にもつながることが期待できる。

加えて、観光立県を目指す沖縄県において、重点政策②の「世界水準の観光リゾート地の実現」についても言及する。沖縄県は世界水準の観光リゾート地実現に向けて、沖縄MICE振興戦略《二〇一七年度~二〇二六年度》を策定した。MICEとは、Meeting、Incentive Travel、Convention、Exhibition/Eventの頭文字をとったものである。沖縄MICE振興戦略ではMeetingを「企業が目的に応じて関係者を集めて行う会議」、Incentive Travelは「企業が従業員や代理店等の表彰、研修、顧客の招待等を目的で実施する旅行」、Conventionは「国際機関・団体、学会等が主催または後援する会議」、Exhibition/Eventは「国際機関・団体、学会、民間企業等が主催または後援する展示会、見本市、イベント」とそれぞれ定義している。この振興戦略は、これまでの観光に加えて、アジア地域との懸け橋となる沖縄県の立地に着目して、企業や国際機関・団体等が行うビジネスや研究・学会活動等による「人の集積及び交流から派生する付加価値」を生み出す機会として期待される。

六　おわりに

本章では、データを用いて日本・沖縄・アジア地域の現状について確認し、沖縄県の政策としてアジア地域の巨大なマーケットへの立地を活かした沖縄県の経済活性化について議論した。その中で、沖縄国際大学が地域活性化、特に重点政策③「航空産業関連クラスターの形成」に関連する取り組みを述べて、本章を閉じたい。

沖縄国際大学では、二〇一九年に日本トランスオーシャン航空株式会社及び琉球エアーコミューター株式会社と人的・知的資源の交流と活用を目指した包括連携協定を結んだ。その協定の下で、産業情報学部産業情報学科にて寄付講座「沖縄の航空事業と地域振興」が開講されている。講義では沖縄を取り巻く航空事業・観光戦略等について、日本トランスオーシャン航空株式会社の名渡山秋彦氏をはじめとして、実際の現場で働くパイロットや整備士、客室乗務員の方が講義を行っている。また、講義内で実際の現場の様子を学ぶため、那覇空港等の施設の見学も行われている。さらに筆者が所属する産業情報学科ではグローバルな視点を取り入れた経済・ビジネスや情報技術等の知識を習得したスペシャリストの育成を目指している。

上記でも述べたが、地域活性化・経済活性化においては、政府の支援を通した産業の育成の元となる人材育成が重要であると考える。教育現場だけでなく、個々の会社や社会生活においても人材育成が行われ、沖縄県をはじめとした地域が活性化に貢献できることを期待する。

注

(1) 川口（二〇一七）は、「経済学の議論で頻繁に登場する数字については、その実感を常につかんでおくようにしたい。」「これらの数字を覚えておかなければ、正しいサイズ感のある経済論議を行うことはできない」

（一五頁）と述べている。

（2） 経済学では有形の商品・物について財、無形の便利さについてサービスとよぶ。

（3） 数字はいずれも二〇二〇年のものである。

参考文献

沖縄県「沖縄県航空関連産業クラスター形成 アクションプラン【二〇一八（平成三〇）年度～二〇二七（平成三九）年度】」「https://www.pref.okinawa.jp/site/shoko/kigyoritchi/seibi/documents/1actionplanavationcluster.pdf」閲覧二〇二三年一〇月一日

沖縄県「沖縄ＭＩＣＥ振興戦略《二〇一七年度～二〇二六年度》」「https://www.pref.okinawa.jp/site/bunka-sports/mice/documents/01_okinawamiceshinkousenrryaku.pdf」閲覧二〇二三年一〇月一日

沖縄県「県民経済計算」「https://www.pref.okinawa.jp/toukeika/accounts/r2hyou.html」閲覧二〇二三年一〇月一日

沖縄県商工労働部アジア経済戦略課「沖縄県アジア経済戦略構想とその実現に向けて―沖縄を日本とアジアの架け橋に―」「https://www.pref.okinawa.jp/site/shoko/asia/senryaku/documents/201711_brochure.pdf」閲覧二〇二三年一〇月一日

沖縄国際大学「ニュース ＪＴＡ・ＲＡＣと包括連携協定を結びました」「https://www.okiu.ac.jp/news/32489」閲覧二〇二三年一〇月一日

川口大司『労働経済学　理論と実証をつなぐ』有斐閣　二〇一七年

外務省　シンガポール共和国（Republic of Singapore）基礎データ「https://www.mofa.go.jp/mofaj/area/singapore/data.html」閲覧二〇二三年一〇月一日

外務省　タイ王国（Kingdom of Thailand）基礎データ「https://www.mofa.go.jp/mofaj/area/thailand/data.html」閲覧二〇二三年一〇月一日

外務省　台湾（Taiwan）基礎データ「https://www.mofa.go.jp/mofaj/area/taiwan/data.html」閲覧二〇二三年一〇月一日

外務省　大韓民国（Republic of Korea）基礎データ「https://www.mofa.go.jp/mofaj/area/korea/data.html」閲覧二〇二三年一〇月一日

外務省　中華人民共和国（People's Republic of China）基礎データ「https://www.mofa.go.jp/mofaj/area/china/data.html」閲覧二〇二三年一〇月一日

外務省　フィリピン共和国（Republic of the Philippines）「https://www.mofa.go.jp/mofaj/area/philippines/data.html」閲覧二〇二三年一〇月一日

外務省　ベトナム社会主義共和国（Socialist Republic of Viet Nam）「https://www.mofa.go.jp/mofaj/area/vietnam/data.html」閲覧二〇二三年一〇月一日

外務省　香港（Hong Kong）基礎データ「https://www.mofa.go.jp/mofaj/area/hongkong/data.html」閲覧二〇二三年一〇月一日

外務省　マレーシア（Malaysia）基礎データ「https://www.mofa.go.jp/mofaj/area/malaysia/data.html」閲覧二〇二三年一〇月一日

航空機産業ポータル「https://www.atengineer.com/pr/portal_aeronautics/20150117002.html」閲覧二〇二三年一〇月一日

総務省統計局「国勢調査　時系列データ」「https://www.estat.go.jp/dbview?sid=0003410381」閲覧二〇二三年一〇月一日

総務省統計局「令和二年国勢調査　人口等基本集計結果」「https://www.stat.go.jp/data/kokusei/2020/kekka/pdf/outline_01.pdf」閲覧二〇二三年一〇月一日

内閣府「県民経済計算（平成一八年度―平成三〇年度）（2008SNA、平成二三年基準計数）」「https://www.esri.cao.go.jp/jp/sna/data/data_list/kenmin/files/contents/main_2018.html」閲覧二〇二三年一〇月一日

内閣府「国民経済計算（ＧＤＰ統計）」「https://www.esri.cao.go.jp/jp/sna/menu.html」閲覧二〇二三年一〇月一日

MRO Japan ホームページ「https://www.mrojpn.co.jp/」閲覧二〇二三年一〇月一日

The World Bank「GDP (current US$)」「https://data.worldbank.org/indicator/NY.GDP.MKTP.CD?most_recent_value_desc=true」閲覧二〇二三年一〇月一日

The World Bank「Population, total -Japan」「https://data.worldbank.org/indicator/SP.POP.

TOTL?end=2020&locations=JP&most_recent_value_desc=true&start=1960&view=chart」閲覧
二〇二三年一〇月一日

スポーツによる地域活性化

慶田花　英　太

慶田花　英太・けだはな　えいた

【所属】産業情報学部企業システム学科　准教授

【主要学歴】琉球大学大学院教育学研究科保健体育専修

【所属学会】日本体育・スポーツ・健康学会、九州体育・スポーツ学会、日本スポーツ社会学会、日本スポーツ産業学会、日本スポーツマネジメント学会、日本栄養士会、沖縄県栄養士会、日本スポーツ栄養学会

【主要著書・論文等】

〈著書（共著）〉

・「産業と情報の科学」（沖縄県におけるスポーツツーリズム再考、一七三―二〇六頁）、二〇二〇年

・「スポーツツーリズム概論」（国内事例　沖縄のスポーツツーリズム、一七七―一八八頁）、二〇一八年

・「産業情報学への招待」（沖縄県におけるスポーツの果たす可能性を探る、七一―一〇三頁）、二〇一六年

〈論文〉

・「沖縄県における総合型地域スポーツクラブ推進の変遷」沖縄国際大学総合学術紀要第二二巻第一号、二〇二〇年、単著

・「総合型地域スポーツクラブの支援方策に関する一考察」沖縄国際大学産業情報論集Vol.一六、二〇二〇年、単著

・「沖縄観光の国際化―新しい観光資源の戦略と比較研究―」（スポーツツーリズムとしての九州オルレ、二〇九―二二二頁）沖縄国際大学産業総合研究第二七号、二〇一九年、共著

・「生涯スポーツ社会の実現に向けて～沖縄県の総合型地域スポーツクラブの育成状況と課題～」琉球大学生涯学習教育センター研究紀要No.六、二〇一二年、共著　他

※役職肩書等は講座開催当時

一　はじめに

二〇二〇東京オリンピック・パラリンピックや二〇二三（令和五）年三月に開催された野球のワールドベースボールクラシック、そして二〇二三（令和五）年八月のＦＩＢＡバスケットボールワールドカップにおける日本チームの活躍には多くの人が応援し、感動したのではないだろうか。また、プロ野球やＪリーグ、Ｂリーグやその他のスポーツ選手の活躍も連日ニュースで見ることが日常となっており、スポーツの存在が身近になっていることを実感することができる。このことは、スポーツそのものの価値はもちろん、スポーツ選手・スポーツ競技団体等の努力が背景にあり、その結果、多くの国民のスポーツに対する興味・関心の高まりを示している。そして昨今では、それらのスポーツの普及・拡大が多くの経済効果や社会効果を生み出していることが明らかになってきており、スポーツを活用して地域の活性化を図る事例が増えてきている。

そこで本稿では、国や沖縄県におけるスポーツによる地域活性化に関する方針を概観し、沖縄県の事例を通してスポーツによる地域活性化の現状を整理していきたい。

二　日本におけるスポーツによる地域活性化に関する方針

日本におけるスポーツによる地域活性化に関する方針について、スポーツ基本法に基づいて策定された「第三期スポーツ基本計画」と少子高齢化等の社会の変化に伴い策定された「第二期ひと・まち・しごと創生総合戦略」を概観する。

1　第三期スポーツ基本計画

二〇二二（令和四）年三月に二〇二二（令和四）年度から二〇二六（令和八）年度の五年間を対象期間とする「第三期スポーツ基本計画」が策定された。「第三期スポーツ基本計画」は、スポーツそのものが有する価値に加えて、スポーツを通じた地域活性化、健康増進による健康長寿社会の実現、経済発展、国際理解の促進などの『スポーツが社会活性化等に寄与する価値』という観点も含められている。そして、「第二期スポーツ基本計画」において、〝中長期的なスポーツ政策の基本方針〟としてすべての人々がスポーツを「する」「みる」「ささえる」という様々な立場でスポーツに関わることにより、①スポーツで「人生」が変わる、②スポーツで「社会」を変える、③スポーツで「世界」とつながる、④スポーツで「未来」を創る、という四つの目標の実現に向けて取り組むことを踏襲しながら、新たに三つの視点を加えている。

〈三つの新たな視点〉
①社会の変化や状況に応じて、既存の仕組みにとらわれずに柔軟に対応するというスポーツを「つくる／はぐくむ」という視点
②様々な立場・背景・特性を有した人・組織が「あつまり」、「ともに」活動し、「つながり」を感じながらスポーツに取り組める社会の実現を目指すという視点
③性別、年齢、障害の有無、経済的事情、地域事情等にかかわらず、全ての人がスポーツにアクセスできるような社会の実現・機運の醸成を目指すという視点

これらの中長期的な基本方針と新たな視点のもとに、「第二部　今後取り組むべきスポーツ施策と目標」の「第一章　東京大会のスポーツ・レガシーの継承・発展に向けて、特に重点的に取り組むべき施策」として六つの施策が示されており、その四つ目に「東京大会で高まった地域住民等のスポーツへの関心をいかした地方創生、まちづくり」が示されている。そこでは、「新型コロナウイルスの影響による入国制限等のため、有観客での開催やホストタウンとの交流等は十分に実施できなかったところではあるものの、東京大会を契機としたかつてない地域住民等のスポーツへの関心の高まりを、『スポーツ・レガシー』として各地域におけるスポーツによる地方創生、まちづくりの取組に転化させ、それらを将来にわたって継続させ、各地に定着させる。また、東京大会において会場として使用された国立競技場の運営管理や、新秩父宮ラグビー場（仮称）の整備・運営に

ついて、民間活力を活用した周辺地域のまちづくりと一体となった取組を推進していくとともに、国としては、そうした知見や情報等を地方公共団体に提供し、スタジアム・アリーナ等の地域スポーツ施設の整備を含む官民一体となったまちづくりを推進していく」と記されており、東京オリンピック・パラリンピックを契機として高まったスポーツへの関心を地域活性化に活用していこうという姿勢を示している。

〈東京大会のスポーツ・レガシーの継承・発展に向けて、特に重点的に取り組むべき施策〉

一）東京大会の成果を一過性のものとしない持続可能な国際競技力の向上

二）安全・安心に大規模大会を開催できる運営ノウハウの継承

三）東京大会を契機とした共生社会の実現、多様な主体によるスポーツ参画の促進

四）東京大会で高まった地域住民等のスポーツへの関心をいかした地方創生、まちづくり

五）東京大会に向けて培われた官民ネットワーク等を活用したスポーツを通じた国際交流・協力

六）東京大会の開催時に生じたスポーツに関わる者の心身の安全・安心確保に関する課題を踏まえた取組の実施

「第二部　今後取り組むべきスポーツ施策と目標」の「第三章　今後五年間に総合的かつ計画的に取り組む施策」において、スポーツによる社会活性化・社会課題の解決を図るための施策として

(五)「スポーツによる健康増進」、(六)「スポーツの成長産業化」、(七)「スポーツによる地方創生、まちづくり」が提示されている。

(五)「スポーツによる健康増進」では、スポーツによる健康増進に関する科学的知見を活用できる体制を整え、医療・介護、民間事業者・保険者と連携しながら、健康長寿社会を目指すことが示されている。健康増進が図られることは、地域社会の活力の前提条件であり、医療費の増加は大きな社会課題であるため、スポーツによって健康増進を図ることが地域活性化に求められている。

(六)「スポーツの成長産業化」においては、新型コロナウイルスの感染拡大により影響を受けたスポーツ産業を再び活性化させることが重要であり、そのために収益を上げることができる新たなアリーナ・スタジアム建設や修繕、新たなスポーツビジネスの創出、スポーツマネジメント人材の育成、デジタル技術を活用した新たなスポーツ観戦など、様々な施策を通してスポーツ市場の拡大を目指している。

(七)「スポーツによる地方創生、まちづくり」においては、これまでのスポーツによる地域振興政策の中心であったスポーツツーリズムだけでなく、東京オリンピックのスポーツレガシーとして、スポーツによる地方創生、まちづくりを進めることを目指している。

取り組む施策	政策目標
スポーツによる健康増進	地域住民の多様な健康状態やニーズに応じて、関係省庁で連携しつつ、スポーツを通じた健康増進により健康長寿社会の実現を目指す。また、厚生労働省の策定する「健康日本二一」に掲げる健康寿命の延伸に、スポーツ実施率の向上を通じて貢献する。
スポーツの成長産業化	スポーツ市場を拡大し、その収益をスポーツ環境の改善に還元し、スポーツ参画人口の拡大につなげるという好循環を生み出すことにより、スポーツ市場規模を五・五兆円を二〇二五年までに一五兆円に拡大することを目指す。
スポーツによる地方創生、まちづくり	全国各地で特色ある「スポーツによる地方創生、まちづくり」の取組を創出させ、スポーツを活用した地域の社会課題の解決を促進することで、スポーツが地域・社会に貢献し、競技振興への住民・国民の理解と支持を更に広げ、競技振興と地域振興の好循環を実現する。

2 第二期ひと・まち・しごと創生総合戦略

「第二期ひと・まち・しごと創生総合戦略」（二〇二〇改訂版）の冒頭に、「地方創生は、出生率の低下によって引き起こされる人口の減少に歯止めをかけるとともに、東京圏への人口の過度の集中を是正し、それぞれの地域で住みよい環境を確保して、将来にわたって活力ある日本社会を維持することを目的としている」と記されているように、出生率の低下と東京圏への人口集中により人口減少が加速度的に進んでいる地方が増加しており、その地方の維持と活性化が課題となっている。その課題を解決するための基本目標として「基本目標四　人が集う、安心して暮らすことができる魅力的な地域をつくる」が示され、その目標の主な施策の方向性の一つとして「（二）地域資源を生かした個性あふれる地域の形成」が示されている。そして、その方向性の一つとしてスポーツや健康なまちづくりが示され、「スポーツを活用した経済・社会の活性化」「スポーツを通じた健康増進、心身形成、病気予防に向けた取組の推進」「自然と体を動かしてしまう、『楽しいまち』への転換」の三つが挙げられている。

「スポーツを活用した経済・社会の活性化」では、スポーツを活用した経済の活性化として地域スポーツコミッション設立によるスポーツコンベンションの推進やスタジアム・アリーナ構想・設備投資への支援等を示している。また、スポーツを活用した社会の活性化については、東京二〇二〇大会を契機としたホストタウンは人的・文化的・経済的な交流が図られるために推進することやスポーツを活用して地域貢献・地域活性化を目指す大学への支援等を示している。

「スポーツを通じた健康増進、心身形成、病気予防に向けた取組の推進」においては、生活の中でスポーツが取り込まれていることを目指すための施策や地域で気軽にスポーツができる地域スポーツの支援等が示されている。

「自然と体を動かしてしまう、『楽しいまち』への転換」においては、自然と体を動かしてしまう「楽しいまち」への転換を目指し、「Walkable City」の実現の推進や自転車の活用の促進等を示している。

基本目標四　人が集う、安心して暮らすことができる魅力的な地域をつくる

〈主な施策の方向性〉

（二）地域資源を生かした個性あふれる地域の形成

④スポーツ・健康まちづくり

一．スポーツを活用した経済・社会の活性化

i．スポーツを活用した経済の活性化

ii．スポーツを活用した社会の活性化

二．スポーツを通じた健康増進、心身形成、病気予防に向けた取組の推進
iii．生活の中にスポーツが取り込まれている「スポーツ・イン・ライフ」の実現
iv．年齢、性別及び障害の有無にかかわらず誰もがスポーツに親しめる環境整備
v．健康増進・病気予防に向けた（新たな）取組の展開
三．自然と体を動かしてしまう「楽しいまち」への転換
vi．自然と体を動かしてしまう「楽しいまち」への転換
vii．マインドチェンジとキャパシティビルディング
viii．スポーツ・健康まちづくりを推進する人材・組織の再構築及び連携の強化

「第三期スポーツ基本計画」「第二期ひと・まち・しごと創生総合戦略」において、スポーツによる地域活性化が示されたことにより、全国各地の自治体がスポーツを活用した様々な取組により地域の活性化を図ってきている。それらの成功事例を通して、自治体も積極的にスポーツを活用した地域活性化策を講じている。

三　沖縄県におけるスポーツによる地域活性化に関する方針

沖縄県におけるスポーツによる地域活性化に関する方針は、主に「第二期沖縄県スポーツ推進計画」における「Ⅱ　施策展開『スポーツ関連産業の振興と地域の活性化』」に示されており、「スポーツコンベンションの推進とスポーツ交流拠点の形成」、「スポーツを核とした新たな産業の創出とグローバル展開」、「スポーツ資源を活用したまちづくり」の三つの施策で構成されている。

施策1「スポーツコンベンションの推進とスポーツ交流拠点の形成」
施策1-1「スポーツコンベンションの誘致・開催」
施策1-2「スポーツツーリズムの推進」
施策1-3「地域・観光交流拠点となるスポーツ関連施設の整備・充実」

施策1では、観光立県である沖縄県におけるスポーツを活用したスポーツコンベンションの推進、特にプロスポーツやアマチュアスポーツ団体の合宿の誘致に力を入れている。プロ野球のキャンプは、毎年日本プロ野球機構（ＮＰＢ）に所属しているプロ野球チームが多く参加しており、近年では海外のプロ野球球団も参加するようになり、今では二月の風物詩として多くの沖縄県民に認識されている。そのプロ野球チームのキャンプ地となっている市町村では、自治体や商工会、観光協会等が連携しながら、レセプションパーティーや地元の特産品を販売するなど、キャンプを盛り上げるためのイベントを開催している。そのプロ野球キャンプも、二〇二〇年から二〇二二年までは新型コロナウイルスの影響で経済効果が減少したが、二〇一九年には一四〇億円を超え、二〇二三年には再び一〇〇億円を超えている。このように、プロ野球キャンプの経済効果は拡大傾向にあり、沖縄県の観光の閑散期における重要なコンテンツとなっている。また、サッカーキャンプの誘致もこの数年で力を入れており、二〇二三年一月~三月にかけて行われたJリーグのチームや大学チームのキャンプでは、二〇億七七〇〇万円の経済効果があったと報告されている。プロ野球キャンプや

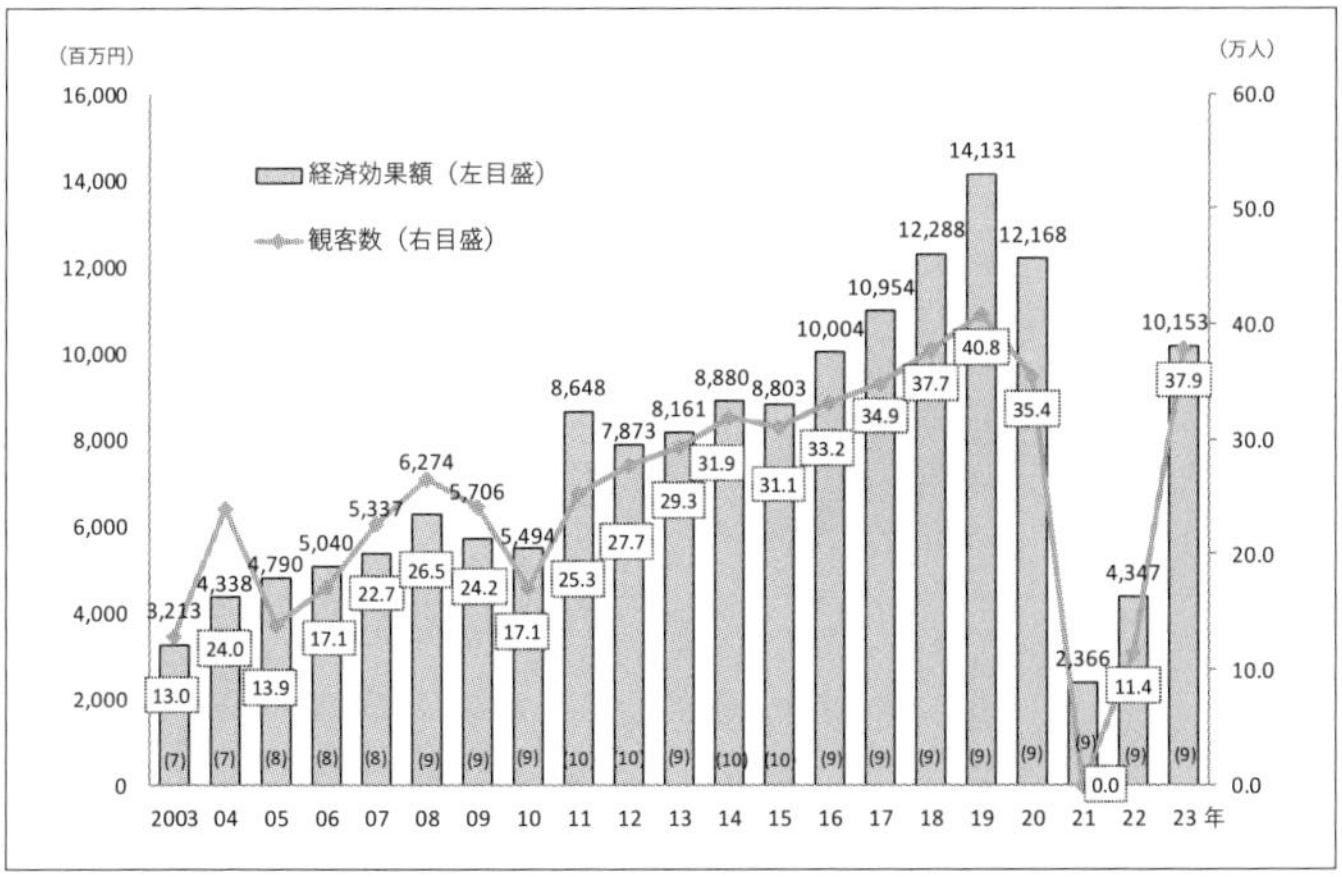

図1 プロ野球春季キャンプの経済効果と観客数の推移

出典:調査レポート「沖縄県内における2023年プロ野球春季キャンプの経済効果」、りゅうぎん総合研究所(2023)

23年・県内サッカーキャンプ

経済効果20・7億円

NIAC調査 制限緩和が影響

南西地域産業活性化センター（NIAC）は20日までに、2023年に県内で実施されたサッカーキャンプの経済波及効果をまとめた。1～3月にJ1などのクラブや大学など24チームが合宿入りし、昨年は制限された観客の入場緩和などが押し上げ要因となり、前年比3・7倍の20億7700万円で大幅に増加した。

J1が9球団、J2が7球団、女子日本代表や大学など8チームがキャンプを実施。前年より7チーム増加した。選手やスタッフなど参加人数は1163人で、前年より268人増えたこともあり、球団の経費や選手、観客などの消費支出など直接効果は11億9114万円だった。

23年1月は新型コロナウイルス感染症の影響が和らぎ国内移動の規制も緩和されたことから来場者総数は約4万8365人と積算。雇用誘発効果は174人、雇用者所得誘発額は3億2476万円と見積もった。

受け入れ13市町村の経済波及効果は「その他」要因を除き15億1291万円だった。市町村別では、金武町が2億3252で最も大きかった。周辺設備の整備など練習環境が改善し計6チームの利用したためと分析した。来春キャンプについて担当者は「石垣市や久米島町など離島部の開催が期待される」とさらなる経済効果の増加を見通した。

（謝花史哲）

出典：琉球新報デジタル版　2023.6.21

県経済効果63億円試算

ホテル予約、グッズ販売好調

バスケット W杯2023 in沖縄

沖縄アリーナで25日にバスケットボールのワールドカップ（W杯）が開幕する。会場近郊のホテルは観戦客を中心に予約は好調で、関連グッズの売れ行きも順調だ。イベントスポンサーのオリオンビールは試合会場などで商品を提供する。飲食店も来客増に準備を進める。日本バスケットボール協会はW杯の経済効果は県全体で約63億円、沖縄市で約4億7千万円と試算。関係者は期間中の誘客や消費拡大に期待を高めている。（1面に関連）

沖縄アリーナから徒歩約10分の場所に今月開業した「REF沖縄アリーナbyベッセルホテルズ」は、W杯期間中の予約率が8～9割まで上がっている。野田智洋総支配人は「県内向けプランもある。間際での飛び込み予約もあるだろう」と見込む。

バスケットボールワールドカップの公式グッズを手に取る来店客ら＝24日、北中城村のイオンモール沖縄ライカム内「スポーツオーソリティ沖縄ライカム店」

北谷町のザ・ビーチタワー沖縄では、W杯需要を見越して客室単価を約1万円高く設定したが、予約率は4割超だった前年同時期を大きく上回り、7割程度に増加した。開幕から2日間は8割を超えているといい、渡邊直貴総支配人は「日本戦がある期間は稼働が高い。後半は組み合わせがまだ決まっていないので、それ次第では延泊や新規予約が増えるだろう」と話した。

北谷町ではサンセットビーチでパブリックビューイングが予定される。近くで店舗を構える飲食店「Go Kings! Cafe（ゴーキングス！カフェ）」は、25日夜に予定されている日本戦のため、通常午後10時までの営業を午前2時まで延長する。

スタッフの宮平有利沙さん(45)は「レイアウトもW杯に合わせた。バスケットファンも訪れてくれている。予約も入っており、経済効果は大きいと思う」と胸を躍らせた。

W杯の公式グッズを取り扱う「スポーツオーソリティ沖縄ライカム店」（北中城村）は店舗入り口側に専用コーナーを設置し、大会を盛り上げる。前年に比べバスケット関連が2倍の売り上げで、公式グッズは日本代表の応援Tシャツを中心に販売は好調という。入居するイオンモール沖縄ライカムは無料シャトルバス発着場でもあり、早川貴之店長は「グッズをまとめて購入する人も増えてきた。開幕したら来店はさらに増えると思う」と予測した。

（謝花史哲、普天間伊織、與那覇智早）

バスケットボールW杯2023ののぼりが掲げられた観光スポットを歩く人たち＝24日、北谷町美浜（ジャン松元撮影）

出典：琉球新報デジタル版　2023.8.25

サッカーキャンプを中心に、温暖な気候の沖縄県で合宿を行う競技も増えてきており、沖縄県や市町村の合宿誘致は今後も推進されていくと思われる。

また、プロスポーツチーム等の合宿だけでなく、沖縄県には多くの観光客が訪れるため、それらの観光客にスポーツというコンテンツに親しんでもらうことを目的に様々なスポーツコンテンツづくりにも力を入れている。沖縄の豊かな自然を活用したゴルフやマリンスポーツ、ツール・ド・おきなわで有名な本島北部のサイクルロードを活用したサイクルツーリズム、そして空手の発祥地としての資源を活用した空手ツーリズム等を推進している。

さらに、二〇二三年八月に開催されたＦＩＢＡバスケットボールワールドカップ二〇二三日本ラウンドは、経済効果が沖縄県全体で六三億円、沖縄市だけで四億七千万円と試算されており、ビッグスポーツイベントの誘致・開催が今後も期待されている。

施策2「スポーツを核とした新たな産業の創出とグローバル展開」

施策2-1「スポーツ関連産業の創出」

施策2-2「スポーツ医・科学拠点の形成」

沖縄県は、スポーツが新たな産業を創出に向けて利活用すべき地域資源と位置付け、二〇一五（平成二七）年に「沖縄県スポーツ関連産業振興戦略」を策定した。その戦略では、スポーツ関連産業振興に向けて八つのシナリオを示している。また、スポーツ関連産業を創出するために、民間企業等が開発する商品等を支援し、沖縄の地域資源を活用した商品が誕生している。

〈八つのシナリオ〉

一．トップスポーツクラブを活用したスポーツ関連産業の活性化

二．沖縄産資源を活用したスポーツ関連食品の開発

三．健康分野におけるスポーツの活用

四．スポーツ関連産業の企業誘致

五．スポーツ選手・OG／OBによるスクール・コーチング事業

六．国内外観光客を対象としたスポーツツーリズムの基盤強化

七．スポーツ施設・空間マネジメントの強化

八．コーディネート機能の充実によるスポーツ合宿の誘致

施策3「スポーツ資源を活用したまちづくり」

施策3-1「スタジアム・アリーナ及びスポーツチーム等の地域資源を活用したまちづくり」

施策3-2「一人も取り残さないスポーツへの『アクセス』の確保」

沖縄県においては、バスケットボールＢ１リーグに所属する琉球ゴールデンキングスやサッカーＪ３に所属するＦＣ琉球がプロスポーツチームとして県民に親しまれており、琉球ゴールデンキングスは一万人規模を収容できる沖縄アリーナが注目され、ＦＣ琉球はタピック県総ひやごんスタジアムを本拠地としているが、奥武山運動公園内に新たなサッカースタジアム建設の計画もあり、プロスポーツチームのアリーナやスタジアムを核とした地域の賑わいづくりが注目されている。その他にも、ハンドボールの琉球コラソンも長い間クラブチームとしてハンドボールリーグに参戦し、卓球Ｔリーグの琉球アスティーダもリーグ優勝を果たし、徐々に県民の注目も集めつつある。そのため、これらのスポーツチームを活用したまちづくりも可能性を秘めている。

写真１　沖縄アリーナ外観（筆者撮影）

図2　Jリーグ企画スタジアムのイメージ

出典：「Jリーグ規格スタジアム整備基本計画」より抜粋

また、スポーツに誰でも気軽に参画できるようにするために、先端技術の活用やDXを推進することも示され、島嶼地域にある沖縄県においては離島の人々のスポーツ振興へも期待されている。さらに、スポーツを通じた多様な社会課題の解決や国際貢献も地域活性化の一つの視点とされている。

四　沖縄県内におけるスポーツによる地域活性化の事例

1　プロスポーツチームによる地域活性化

沖縄県においては、二〇〇〇年代に入りFC琉球が創設されたことを皮切りに琉球ゴールデンキングスや琉球アスティーダなどのプロスポーツチームが誕生し、沖縄県民にも着々と地元のチーム（クラブ）という文化が根付いてきている。特に、琉球ゴールデンキングスの知名度と人気は非常に高く、沖縄アリーナの建設によって、より注目度も高くなっている。このように、プロスポーツチームの存在によって、沖縄県も地域が活性化されてきている。そこで、沖縄県に本拠地を置くプロスポーツチームやクラブチームの事例を紹介する。

また、プロスポーツクラブ以外においても地域の活性化を図っている事例として、総合型地域スポーツクラブについても紹介する。

①琉球ゴールデンキングス

琉球ゴールデンキングス（以後「キングス」）は、二〇〇五（平成一七）年に設立活動開始し、二〇〇七（平成一九）年からbjリーグに参入、二〇一六年にBリーグ発足と同時に加盟している。二〇二二―二〇二三シーズンではBリーグで初優勝を飾り、沖縄県内での知名度も人気も高い球団となっている。沖縄市をホームタウン、沖縄アリーナをホームアリーナとして、「沖縄をもっと元気に！」を活動理念に掲げ、スポーツの持つ可能性を最大限に引き出し、より良い社会の形成に貢献することを目指している。

キングスは、二〇二二―二〇二三シーズンの平均入場者数が六、八二三人で二年連続リーグ一位、二〇二一―二〇二二シーズンの売上は一九億七千万円を超え、B1リーグ平均の一一億一千万円を大きく超えるBリーグ屈指のクラブとなっている。平均入場者数、売上については二〇二〇―二〇二一シーズンから大幅に増加しており、その要因として一万人収容の沖縄アリーナの建設が挙げられる。

沖縄アリーナは、「第五次沖縄市総合計画」や「沖縄市観光振興基本計画」においてスポーツコンベンションの柱として位置付けられており、キングスのホーム戦やアーティストのコンサートなど、様々なイベントを通して沖縄市外の県民や国内外の観光客を沖縄市に誘客し、地域の経済的効果に貢献している。しかし、一万人収容できる施設ができたことによる課題として、周辺駐車場の収容数が不足傾向にあることや周辺の交通渋滞が悪化したこと、沖縄アリーナから商店街や飲食街へのアクセスの不便さなど、が指摘されている。それらの課題を解決することは容易ではないが、沖縄アリーナという魅力的な施設ができたことで、地域がより活性化していくための工夫が求められている。

また、キングスはバスケットボールというコンテンツを通して多くの人々に感動や夢を与え、日常に潤いを与えているが、「沖縄をもっと元気に!」という活動理念の下に「キングスとつなぐおおきなわ」という活動の一環として地域の美化活動や募金活動などの地域に根ざした多様な活動を行っている。球団マスコットである「ゴーディー」や選手たちが地域の小学校や児童施設等を訪問することで、キングスというチームを身近な存在として認識することができる。また、「おおきなわ」活動はBリーグがリーグ全体で実施している社会的責任活動「B．LEAGUE HOPE」のクラブ活動としても位置付けられており、バスケットボールの力で「持続可能な開発目標（SDGs）」に向かって活動している。

②FC琉球

FC琉球は、二〇〇三（平成一五）年に沖縄初のJリーグを目指すサッカークラブとして設立され、二〇〇五（平成一七）年に九州リーグ、二〇〇六（平成一八）年にJFL、二〇一四（平成二六）年シーズンからJ3に参戦している。二〇一九(令和元)年シーズンからJ2に昇格したが、二〇二三(令和五）年シーズンからJ3に降格している。沖縄市を中心とする全県をホームタウンとし、沖縄市にあるタピック県総ひやごんスタジアムをホームスタジアムとしている。「沖縄とともに、強くなる。―琉球の愛と勇気と誇りを胸に」を経営理念とし、沖縄初のＪ１昇格を目指して活動している。

　Ｊリーグ規約第二四条「Ｊリーグのホームタウン（本拠地）」第二項では、「Ｊクラブはそれぞれのホームタウンにおいて、地域社会と一体となったクラブづくり（社会貢献活動を含む）を行い、サッカーをはじめとするスポーツの普及および振興に努めなければならない」とされており、ＦＣ琉球も地域に根ざしたクラブづくりのために住民・行政・企業と連携しながら様々な地域活動を実施している。これまでにも、選手が小学校を訪問し講話を行ったり、朝の挨拶運動を一緒に行ったりなどの活動を行ってきたが、「二〇二二Ｊリーグシャレン！アウォーズ」において、ＦＣ琉球がイオン琉球、沖縄県と協働して実施した「ＦＣ琉球県産品&子ども応援プロジェクト」が「ソーシャルチャレンジャー賞」を受賞した。このプロ

図３　FC RYUKYU COINの活用イメージ

出典：FC RYUKYU COIN HPより抜粋

ジェクトは、コロナ禍で影響を受けている県産品を活用して作った「琉球応援弁当」や「アスリートレシピ」を開発し、県産品の流通を促進したり、県内こども食堂への寄付を通した選手とこどもたちの交流を行なったプロジェクトである。このような活動を通して、地域とのつながりを深め、地域に根ざしたクラブを目指している。

また、FC琉球は「FC RYUKYU SOCIO」という新たなプラットフォームをつくり、これまでのサッカークラブとファン・サポーターの関係性のアップデートを目指している。これまでのファン・サポーターは、ファンクラブに入会することや試合観戦が中心であったが、このFC RYUKYU SOCIOではFC琉球が発行したFC RYUKYU COINを活用し、FC琉球が企画した商品・イベントへ投票することや活躍した選手への支援をするなど、クラブ経営への参画や支援が可能となる。そうすることで、ファン・サポーターのクラブへの愛着が高まることや、クラブにとっても新たな資金調達の方法として期待されている。まだ始まったばかりの取り組みではあるが、これらの取り組みによってクラブとファン・サポーター、さらには地域との関係性が深まる可能性があるため、今後の成果に注目する必要がある。

③琉球アスティーダ

琉球アスティーダは二〇一八（平成三〇）年から卓球のプロリーグであるTリーグに参戦しているチームであり、初年度は最下位だったものの、二〇二〇―二〇二一シーズンに優勝したTリーグでも強豪のチームである。「だれもが夢をあきらめない社会をつくる」をビジョンとして掲げ、その実現に向けての考え方として「五歳ではじめて、一五歳でプロになれる。たとえお金がなくてもできるスポーツで、体格が小さくても勝てる。それが卓球の面白いところです。私たちは沖縄という地方、小さな島から日本一となり、世界でも注目されるクラブになります。皆様と一緒になって、夢への道を拓き、明日を照らす光となりたい。その姿を見ていただくことで、『自分も夢を実現できる！』と奮い立つ人を増やし、背中を押す存在になりたい。そうすることで、ひとりまたひとりと、自分の可能性を諦めることなく、志を持って未来を切り拓く人や企業、地方が増えていくと信じています。そしてその姿はまた、新たな太陽となって他の誰かを照らしていくでしょう。だれもが夢をあきらめない社会へ。私たちは、『心と明日を照らす、太陽の循環モデル』と名づけ、取り組んでいきます」と示している。

琉球アスティーダは、これまでのプロスポーツチームのような公式戦のチケット販売、グッズ販売、スポンサー収入を中心とした経営だけではなく、それらに加えて飲食店経営や経営者によるコミュニティサロンを展開している。そのような多様な収益元を確保することで経営の安定化を図っている。プロリーグとしてはプロ野球やＪリーグ、Ｂリーグに対して認知度も人気も高いとはいえない卓球のＴリーグにおいて、このようなビジネスモデルは今後の卓球のプロスポーツチーム、さらには他の競技のプロスポーツチームの見本となる可能性を秘めている。さらには、二〇二一（令和三）年三月に日本国内のプロスポーツチームでは初めて株式市場（ＴＯＫＹＯ ＰＲＯ Ｍａｒｋ ｅｔ）へ上場しており、プロスポーツチームの価値を見える化し、スポーツビジネスに変化をもたらしている存在と言える。

また、ＳＤＧｓへの取り組みとして「スポーツドネーションＯＫＩＮＡＷＡ」や「琉球アスティーダスマイルプロジェクト」を実施している。「スポーツドネーションＯＫＩＮＡＷＡ」はスポーツアパレル「ＵＮＤＥＲ　ＡＲＭＯＵＲ」の衣料廃棄ロス削減と沖縄県内の子どもの貧困対策支援を目的とした寄付活動で、ＵＮＤＥＲ　ＡＲＭＯＵＲ日本総代理店である株式会社ドームと協力し、「ＵＮＤＥＲ　ＡＲＭＯＵＲ　ＦＡＣＴＯＲＹ　ＨＯＵＳＥ沖縄アウトレットモールあしびなー店」で販売を終了した商品を沖縄県内の子どもたちに寄付している。「琉球アスティーダスマイルプロジェクト」は、琉球アスティーダの試合において、沖縄県の子どもたちを無料招待するプロジェクトである。さらに、これらの活

図４　沖縄の子どもの貧困対策支援「スポーツドネーションOKINAWA」

出典：琉球アスティーダHPより抜粋

動をより多くの企業と共創することを目的に「アスティーダＳＤＧｓ共創パートナープログラム」を実施しており、これらの活動が継続的に行われることで、スポーツを通した地域の活性化にも寄与される。

④琉球コラソン

琉球コラソンは二〇〇七（平成一九）年に誕生し、翌年の二〇〇八（平成二〇）年シーズンからハンドボールの日本リーグに参戦している。基本理念として「沖縄から世界へ」「沖縄の発展」「ファミリアが誇りを持てる、強く愛されるチームを」「琉球魂（コラソン）を持つ」とし、地域密着型チームとして沖縄を盛り上げるために、子どもたちを対象としたハンドボール教室を開催したり、拠点を置く浦添市のてだこ祭りやてだこウォークなどのイベントに参加している。

現在、琉球コラソンは選手全員がプロ契約をしているわけではないことやハンドボールの日本リーグ自体が実業団チーム中心のためプロスポーツチームといえるわけではないが、日本リーグは今後プロスポーツリーグとして活動していくことを目指しているため、琉球コラソンがプロスポーツチームとして活動していくことに期待したい。

また、二〇二七年には浦添市に新しい体育館が完成予定であり、琉球コラソンのホームアリーナとして期待されている。浦添市は二〇〇四年に「ハンドボール王国宣言」をしており、琉球コラソンの活躍によって、よりハンドボールへの関心が高まり、地域の活性化に寄与すると考えられる。

　また、琉球アスティーダも琉球コラソンもブロックチェーンを活用したトークン発行型クラウドファンディングを運用する「Ｆｉｎａｎｃｉｅ」を活用して資金調達やサポーターとの新たな関係性を築く試みにチャレンジしている。この試みによって、どのような効果が出るのか注視しておきたい。

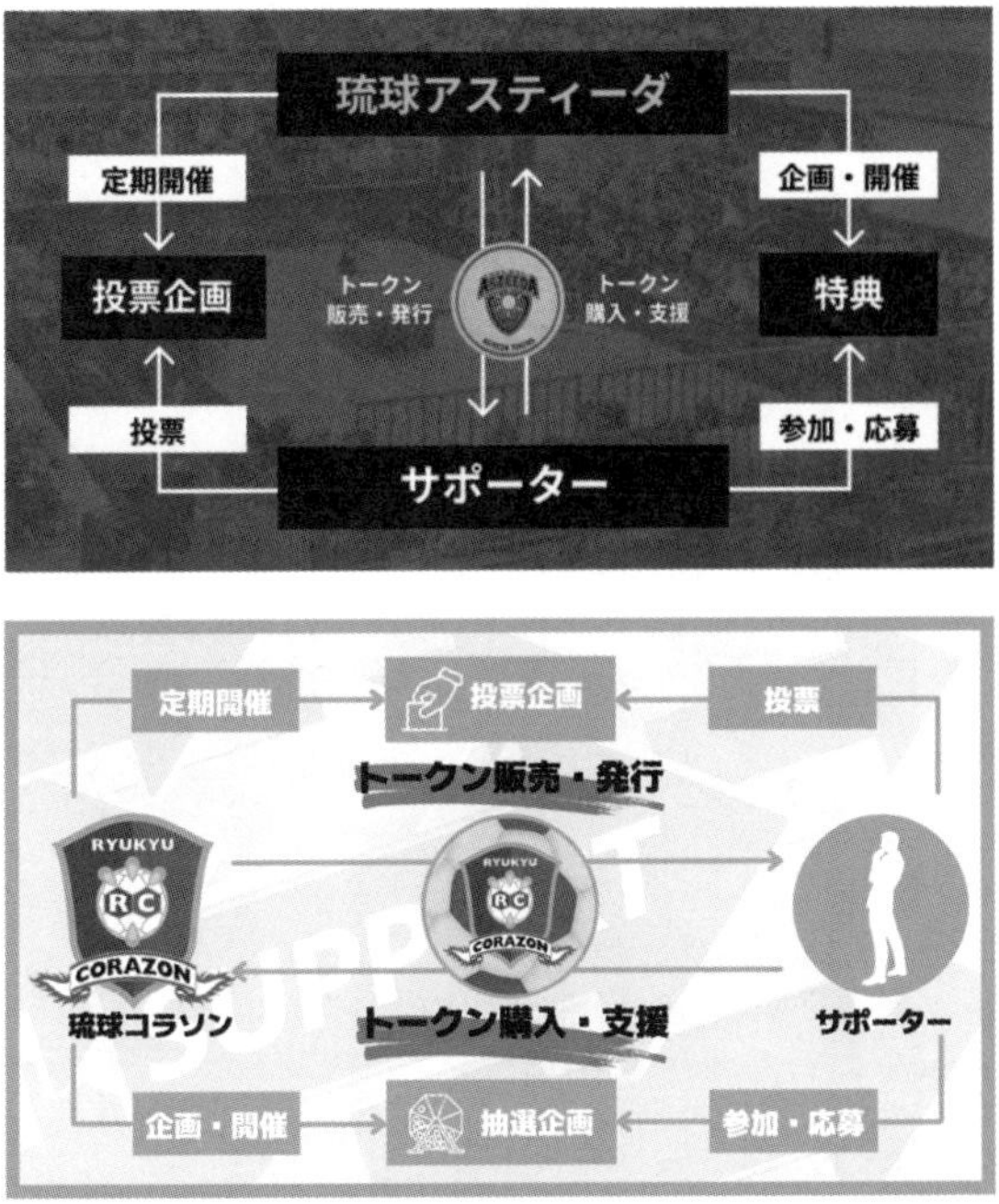

図５　トークンの活用イメージ

出典：Financieアプリより抜粋

２　地域スポーツによる地域活性化

　総合型地域スポーツクラブとは、スポーツ庁が推進している「多種目・多世代・多志向」型の地域のスポーツクラブで、二〇二二（令和四）年度現在、公益財団法人日本スポーツ協会（以後

「ＪＳＰＯ」）に登録されているクラブは全国で一、〇一五クラブ（沖縄は四クラブ）となっている。総合型地域スポーツクラブは、一つのクラブで複数の種目に参加することができ、子どもから高齢者まで幅広い世代の人たちが一緒に活動することで、少子高齢化で顕在化しているスポーツの多様な課題を解決する活動として注目されてきた。特に、少子化に伴う学校運動部活動が維持できない課題や高齢者の健康課題、地域コミュニティの希薄化の課題など、それらの課題に対してスポーツを通して解決することを行政や企業等と協働しながら実施してきた。そのような活動を通して、地域の活性化を担ってきた存在である。そこで、沖縄県内で活動する総合型地域スポーツクラブとして「一般社団法人琉球スポーツサポート」（以後「ＲＳＳ」）を紹介する。

ＲＳＳは、総合型地域スポーツクラブとして登録しているクラブではないが、活動実態は多種目・多世代・多志向といった総合型地域スポーツクラブの特徴を有しており、今後、ＪＳＰＯへの登録も検討している。このクラブの大きな特徴は、知的障がい者を対象とした活動を行っていることであり、全国的にも珍しいクラブである。「沖縄の障がい者スポーツを変えていく」ことを理念として、卓球、陸上、ジョギング、バドミントン、ベースボール、ｅスポーツ、フロアボールを行っており、活動によっては健常者も一緒に活動している。参加者も、知的障がいのある子どもから大人までおり、幅広い世代が参加している。また、二〇二〇東京パラリンピックに出場した喜納翼選手（沖縄国際大学卒）も大会後にＲＳＳに所属しており、トップアスリートの支援も行っている。

ＲＳＳは知的障がい者が特別支援学校卒業後にスポーツ機会が減少するといった課題を解決するために活動を開始し、今では多くの参加者に対してスポーツ機会を提供することで社会の課題解決を図っている。これらの取組は知的障がい者のスポーツ課題を解決することと同時に、障がい者スポーツを多くの人に理解してもらうための推進にも大きく役立っている。その結果、地域の障がい者スポーツを通した地域の活性化に繋がっていくものと思われる。

五　まとめ

昨今、スポーツの社会的・経済的効果が注目され、そのスポーツの力を活用した地域活性化を図る地域が増えてきている。特に、ここ数年の日本においては国際的なスポーツイベントの開催・誘致が行われ、その大会における日本代表選手の活躍によって、多くの国民がスポーツに対して関心が高まってきていることが一つの要因と言える。それらのスポーツイベントを通して、多くの自治体がスポーツコンベンション誘致に力を入れ、国外からのインバウンド受入に期待している。また、その高まったスポーツ熱を持続的にするために、スタジアム・アリーナ等の建設・改修が行われ、国内プロスポーツチームやアマチュアスポーツ活動を支援している。その結果、様々な地域でスポーツによる地域活性化が加速度的に実施され、今後も注目されると推測される。

しかしながら、スポーツコンベンションの誘致やスタジアム・アリーナを建設することに伴い、様々な課題が指摘されていることも認識しておく必要がある。例えば、スポーツコンベンションの誘致を積極的に行うことで露呈したオーバーツーリズムといった課題、スタジアム・アリーナを本当にコストセンターからプロフィットセンターとして運営できるかといった課題など、まだ十分に解決されたとは言えない状況である。これらの課題を解決するためには、行政や企業、地域住民の理解と協力が不可欠であり、さらにはスポーツの地域活性化を担う人材の育成が重要である。その点を重視しながら推進していけるかが重要な視点である。

今後、スポーツがビジネスとしてさらに注目され、地域活性化の手段としてより活用されていくことが推測されるが、一過性の取組ではなく、持続的に地域活性化が図られることを念頭に施策を講じていくことが地域にとっては重要である。

参考文献

・「第三期スポーツ基本計画」、文部科学省、二〇二二（令和四）年三月
・「第二期ひと・まち・しごと創生総合戦略」（二〇二〇改訂版）、二〇二〇（令和二）年
・「第二期沖縄県スポーツ推進計画」、沖縄県、二〇二二（令和四）年三月
・調査レポート「沖縄県内における二〇二三年プロ野球春季キャンプの経済効果」、りゅうぎん総合研究所、二〇二三（令和五）年八月
・「Jリーグ規格スタジアム整備基本計画」、沖縄県、二〇一七（平成二九）年八月

・「第五次沖縄市総合計画」、沖縄市、二〇二一（令和三）年三月
・「第二次沖縄市観光振興基本計画」、沖縄市、二〇二二（令和四）年三月
・琉球ゴールデンキングス：https://goldenkings.jp/team/　閲覧二〇二三年九月七日
・琉球ゴールデンキングスアカデミー：https://okinawa-sports-academy.jp/　閲覧二〇二三年九月七日
・B.LEAGUE HOPE：https://www.bleague.jp/b-hope/　閲覧二〇二三年九月一〇日
・FC琉球：https://fcryukyu.com/　閲覧二〇二三年九月七日
・J.LEAGUEホームタウン活動：https://aboutj.jleague.jp/corporate/aboutj/hometown/　閲覧二〇二三年九月七日
・シャレン！Jリーグ社会連携：https://www.jleague.jp/sharen/　閲覧二〇二三年九月七日
・FC RYUKYU COIN：https://fcr-coin.com/
・琉球アスティーダ：https://ryukyuasteeda.jp/company/　閲覧二〇二三年九月七日
・琉球コラソン：https://www.ryukyu-corazon.com/　閲覧二〇二三年九月一〇日
・公益財団法人日本スポーツ協会HP：https://www.japan-sports.or.jp/local/tabid1095.html　閲覧二〇二三年九月一〇日
・公益財団法人沖縄県スポーツ協会HP：https://okinawakentaikyo.com/user.php?CMD=10110000000620　閲覧二〇二三年九月一〇日
・一般社団法人琉球スポーツサポート：https://ryukyuss.net/　閲覧二〇二三年九月一〇日

地域経済のデジタル化と金融

―コロナ後の行方―

池宮城　尚　也

池宮城　尚也・いけみやぎ　なおや

【所属】産業情報学部産業情報学科　教授

【主要学歴】神戸大学大学院経済学研究科博士後期課程単位取得

【所属学会】日本金融学会、アジア市場経済学会、沖縄経済学会、神戸大学金融研究会

【主要著書・論文等】

〈著書・論文等〉

・「資産市場一般均衡モデルの共和分分析：資産価格経路の日米比較」沖縄国際大学『産業情報論集』第一四巻第一・二号、四三―五八頁、二〇一八年。

・「日米のＩＳ曲線の共和分分析：株価を通じた総需要の拡大の前提について」沖縄国際大学『産業情報論集』第一四巻第一・二号、二九―四二頁、二〇一八年。

・「非伝統的金融政策の日米比較：世界金融危機後の政策効果」沖縄国際大学『産業総合研究』、第二五号、一九―三〇頁、二〇一七年。

・「日本経済におけるＩＳ―ＬＭ関係：Cointegrated VARによる検証」沖縄国際大学『産業総合研究』、第二四号、一―一四頁、二〇一六年。

・「量的緩和政策期の物価動向とマネーの役割」沖縄国際大学『産業総合研究』、第二〇号、六七―七八頁、二〇一二年。

・「物価安定の目標と金融政策運営―量的緩和政策期の日本銀行―」沖縄国際大学『産業総合研究』、第一九号、二一―三六頁、二〇一一年。

・「テイラー・ルール型政策反応関数の再検討：構造変化と係数シフト」沖縄国際大学『産業総合研究』、第一七号、二九―四三頁、二〇〇九年。

他

※役職肩書等は講座開催当時

一　はじめに

デジタル化は、暮らしのさまざまな分野で広がりをみせる。例えば、場所の制約なしに利用可能なスマートフォン(情報通信機器)の普及は、光ファイバ網や移動通信網といったデジタル技術活用のための基盤が全国的に整備されつつあることを背景にしている。

そして、デジタル技術の活用により、地域の個性を活かしながら、地域の社会課題の解決、魅力向上のブレイクスルーを実現し、地域活性化を加速させる、「デジタル田園都市国家構想」を政府は進めている。

デジタル化の経済的効果に、取引費用の削減がある。地域において削減効果が大きい費用は、距離にかかる費用である。これらは、地域の企業に、新しいビジネスモデル、所在地以外の国内市場・海外市場への参入の可能性を広げる効果がある。

本講座では、デジタル化を活用する地域企業への、事業性評価と金融を超えた支援(多様なソリューションの提供)をコロナ後の地域金融機関の在り方と捉え、考察を進める。

第二節でデジタル経済の定義やアプローチをまとめ、第三節で地域経済におけるデジタル化を説明する。第四節でコロナ後の地域金融機関の在り方を説明し、第五節で地域金融機関による人材紹介を、第六節で地域金融機関によるデジタル化支援を説明する。第七節は要約である。

二　デジタル化について

1　デジタル経済

デジタル技術は貯蔵、コンピュータ計算、データ転送の費用を減少させてきた。

デジタル経済の先行研究は、どの様にしてデジタル技術が経済活動を変えたのかを検証している。

デジタル経済活動と相関する五つの独立した経済費用の減少として、以下が考えられる。

距離にかかる費用、情報収集にかかる費用、認証にかかる費用、複製にかかる費用、追跡にかかる費用、である(1)(図1)。

2　課題としてのＤＸ(2)

企業成長を目指す「攻めのＤＸ」と生産性

距離にかかる費用	・各種財を店頭購入する場合に必要となる移動等にかかる費用を低減。 ・ソフトウェアやデータといったデジタル化された財は移動費用なく利用可能。 ・例：ネットショッピング（越境を含む）、デジタルコンテンツ
情報収集にかかる費用	・デジタル化は経済取引に関する情報を検索・比較することを（対面等で行う場合と比較して）容易にする形で費用削減に寄与。 ・例：ネットショッピング、住宅情報サイト、就職情報サイト、いわゆるシェアリングエコノミー関連
認証にかかる費用	・ＥＣなどを利用している個人、企業および組織の評判や信頼性についての情報を低費用で入手可能。 ・例：（ネットショッピングサイトなどにおける）各経済主体に対する評価（レーティング）付け、キャッシュレス決済、暗号資産
複製にかかる費用	・デジタル化された財は低い費用で、ある人の消費が他者の消費量を減らしたり質を低下させることなく複製可能。 ・例：デジタルコンテンツ（動画サイトやデジタル教材等）
追跡にかかる費用	・個々の消費者の消費履歴などの経済活動に関する情報を低い費用で入手可能。 ・例：消費者の嗜好を考慮した価格差別化、ネット広告による販売促進

図１　デジタル化が費用削減に与える効果

出所：内閣府[5]p.102，付表1－1。

向上を目指す「守りのＤＸ」に分けられる。

①守りのＤＸは、現場の課題をＩＴ（情報技術）を用いて解決し、生産性を高めるもの。

⇒自社のあるべき姿と現状の理解、解決案の立案、実体と効果の把握といったシナリオを用いた改善策が不可欠である。これにはデータを用いた定量化が重要である。

②攻めのＤＸは、企業の将来につながるような事業変革を、ＩＴを用いて行うものである。

⇒顧客価値の実現のために部門の壁を超える取り組みが必要になったり、成果が読みにくい将来投資を伴う。

守りのＤＸは対処療法であり、企業成長のためには攻めのＤＸが必須である。

ほとんどの日本企業にとってＤＸ推進の課題は技術面ではなく、組織面の問題である。

ＤＸには、膨大な投資と長期にわたるプロジェクト期間が必要な場合が多い。ＤＸはデジタル技術で事業変革を行うため、多かれ少なかれ、既存の事業プロセスは改廃される。

3　デジタル田園都市国家構想(3)

デジタルの力を活用した地域の社会課題解決案である。

地域活性化を図るには、地域の経済・社会に密接に関係する様々な分野において、デジタルの力を活用し、社会課題の解決や魅力向上を図ることが必要である。

特に地域経済と関わると考えられる、二項目を紹介する。

①地域に仕事をつくる

a)スタートアップ・エコシステムの確立、b)中小・中堅企業DX、c)スマート農林水産業・食品産業、d)観光DX、e)地方大学を核としたイノベーション創出

なかでも、b)中小・中堅企業DXは、中小企業等のDXの伴走型支援、キャッシュレス決済、シェアリングエコノミー等を推進する。d)観光DXは、観光アプリの活用、決済データを活用したマーケティングへの支援等を推進する。

②魅力的な地域をつくる

a)質の高い教育、医療サービスの提供、b)公共交通・物流・インフラ分野のDXによる地域活性化、c)まちづくりDX、d)地域資源を活かした個性あふれる地域づくり、e)防災・減災、国土強靭化等による安心・安全な地域づくり、f)地域コミュニティ機能の維持・強化

なかでも、b)公共交通・物流・インフラ分野のDXによる地域活性化は、MaaS・自動運転などの公共交通分野のデジタル化、ドローンを用いた物流サービス、インフラ分野のDX等を推進する。d)地域資源を活かした個性あふれる地域づくりは、中山間地域の活性化、脱炭素・エネルギーの地産地消、デジタルの活用による文化・芸術・スポーツ等の振興を推進する。

三　地域経済のデジタル化(4)

1　デジタル化が地域の暮らしに与える効果(整理)

デジタル化は距離にかかわる費用削減効果とともに、地域の課題解決を促す。場所の制約なしに利用可能な情報通信機器(スマートフォンなど)が広く普及している。

基盤整備は、デジタル技術活用のための光ファイバ網や移動通信網をさす。

デジタル化は、ソフトウェアやデータといったデジタルにかかる無形の財の活用を通じた情報通信機器や家電など財・サービスの高度化や、インターネット等の活用を通じた商圏や取引先、搬入先など経済活動範囲の拡大や時間の短縮に貢献している。

デジタル化の経済的効果としては、取引にかかる費用削減を促すとの論考がある。

地域にとって削減効果が大きい費用は、各種の財・サービスを店頭購入する場合に必要となる移動等にかかる、距離にかかる費用となる。

ＥＣ、住宅検索サイト、シェアリングエコノミーに係るサイトなどの利用は、「需要」側である地域在住の消費者にとって、物理的な移動をすることなく、海外市場に流通しているものなども含めた財やサービスの購入を可能とし、距離にかかる費用の低減に資する。

他方、「供給」側となる地域に所在する企業にとっても、こうしたサイト等の活用は、所在地以外の国内市場、あるいは海外市場への参加の可能性を広げる効果をもたらしうる。

2　地域でも活用が広がるＥＣの現状と課題

暮らしにおけるデジタル化のうち、かねてから利用され、市場規模が拡大し続けているＥＣ(Electronic Commerce)の活用状況を観察する。

はじめに購入者側であるＥＣ利用者世帯の動向について、地域別も含めた現状を確認の上、特に地域で利用を広げるための方策を探る。

また、供給側である販売者側の観点から、配送に係る課題を確認するとともに、地域の特産品販売にかかるＥＣの活用についても触れる。

(1)ＥＣ利用世帯および利用額はこの一〇年程度全国で増加も、都市規模[5]による差が拡大

二〇一〇年から二〇二一年にかけてのＥＣ利用世帯割合の増加寄与及び利用一世帯・一か月当たりＥＣ支出額の増加寄与を年齢階層別にみると、四〇歳以上六四歳以下世帯の寄与が大きい(図2(1)・(2))。

一世帯・一か月当たりの利用平均金額及びその内訳であるＥＣ利用世帯割合と利用一世帯・一か月当たり支出額を都市規模別にみると、全ての都市規模で増加しているが、利用世帯割合や支出額の増加幅は、規模の大きい都市ほど大きく、都市規模間の利用割合や支出額の差は拡大している。

ＥＣ利用世帯割合は、二〇一〇年は大都市では二一・四％、小都市Ｂ・町村では一三・六％と八％程度の差であったが、二〇二一年には大都市は六〇・三％、小都市Ｂ・町村では四二・五％と一八％

(1)EC利用世帯割合

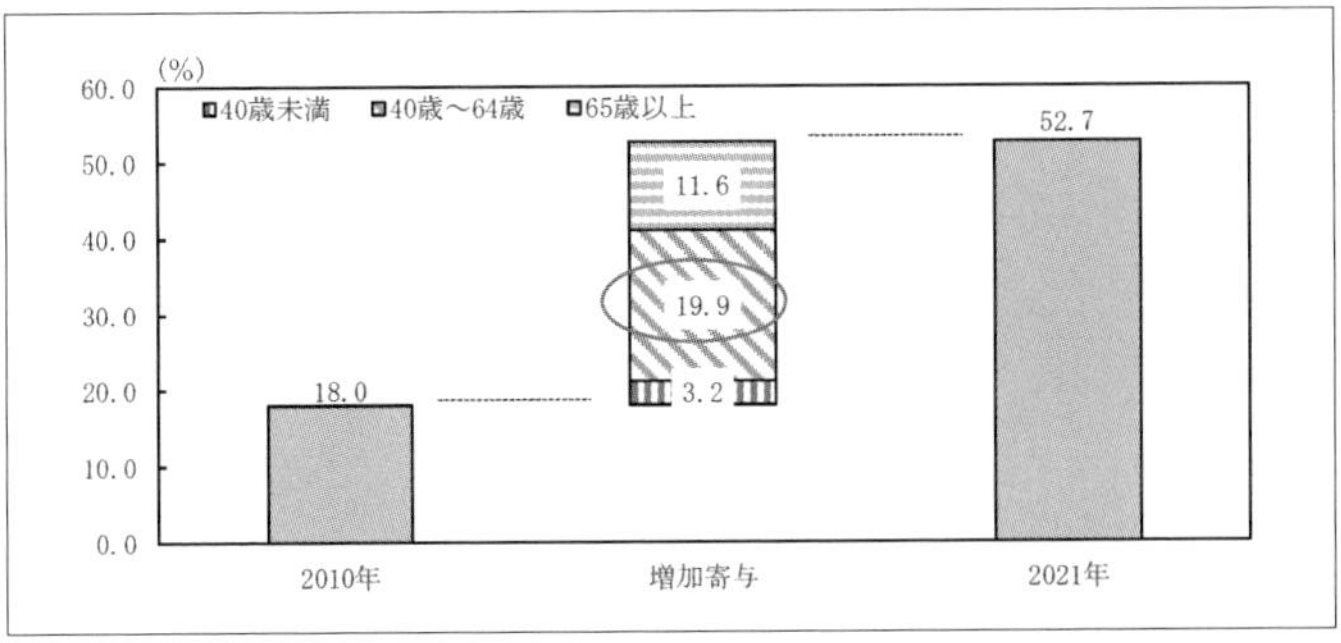

(2)EC利用世帯割合の1世帯・1か月当たり利用額

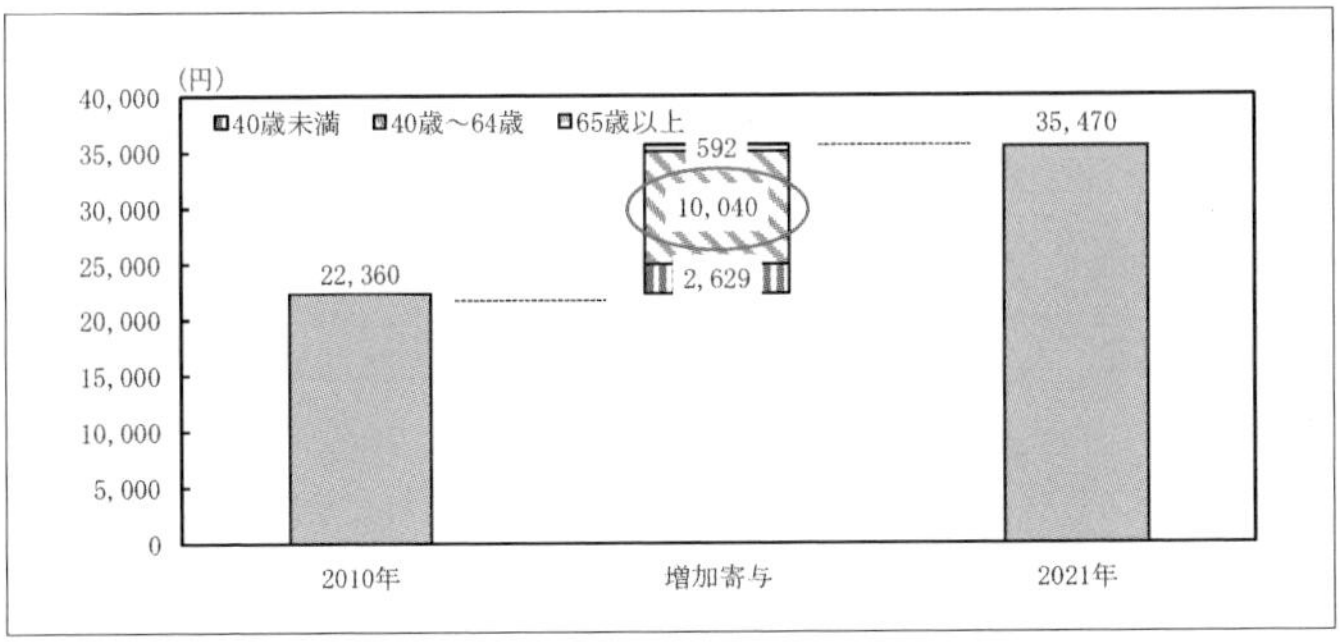

図２　EC利用額推移の要因分析(二人以上の世帯)

出所：内閣府[5]p.28，第1－2－2図(1)・図(2)。

程度の差となっている。

ＥＣ利用世帯における一世帯・一か月当たりの利用額についても、二〇一〇年は大都市で二二、九七五円、小都市Ｂ・町村では二二、三五五円と六〇〇円程度の差であったのに対し、二〇二一年には大都市で四〇、二七〇円、小都市Ｂ・町村では三〇、一九七円と一〇、〇〇〇円程度の差となっている。

ＥＣ利用世帯割合の増加寄与および利用一世帯・一か月当たりＥＣ支出額の増加寄与の大きい四〇歳以上六四歳以下世帯の比率が大都市は高い一方、小都市Ｂ・町村では低い。

(2) **ＥＣ利用世帯割合は高齢世帯が低い**

ＥＣ利用世帯割合を見ると、全国及びいずれの都市規模においても、世帯主が六五歳以上の高齢化世帯が、六四歳以下の世帯に比べて低くなっている。

全国では、世帯主は六五歳以上の世帯のＥＣ利用世帯割合は三三・五％と、世帯主が四〇歳以上六四歳未満の世帯

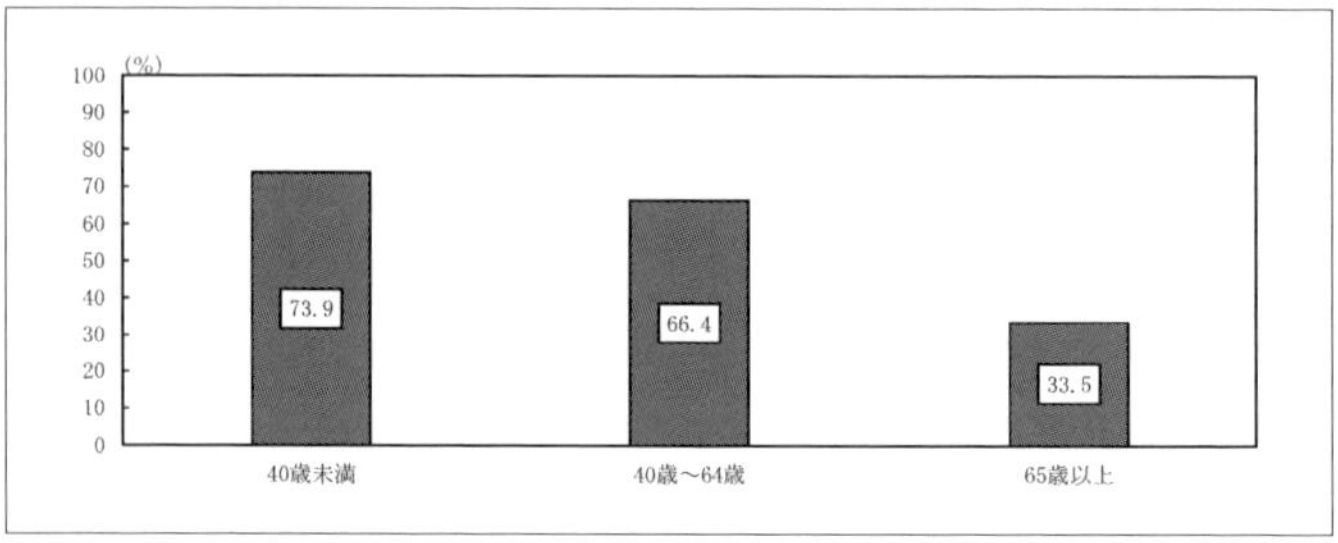

図３　EC利用世帯割合（二人以上の世帯、全国、2021年平均）

出所：内閣府[5]p.30，第1－2－4図(1)。

の六六・四％、および四〇歳未満の世帯の七三・九％より三〇～四〇％程度低くなっている（図３）。高齢者のデジタル機器やインターネット等の利用割合や、デジタル化への意識が全体に比較して低いことを反映している。

⑶ 規模の小さい地域におけるＥＣ利用世帯の利用額は高齢世帯ほど高い傾向

ＥＣ利用世帯に限ってみた場合、一人当たり利用額（月平均）についてみると、大都市では世帯主年齢が六五歳以上である高齢世帯ほど利用額が少なくなっているものの、それ以外の都市規模においては高齢世帯の利用額の方が多くなっている。

全国平均では、世帯主が六五歳以上の世帯でＥＣを利用している一人当たりのＥＣ利用額は二〇、九二三円と、世帯主が四〇歳未満世帯（一九、五九三円）、四〇歳以上六四歳未満世帯（二〇、〇〇八円）より高くなっている（図４⑴）。一番小さい規模（人口五万未満の市町村）である小都市Ｂ・町村においては、六五歳以上の世帯の利用額は一八、三一三円と、四〇歳未満の世帯（二四、七八四円）、四〇歳以上六四歳未満世帯（一六、二八一円）より二、〇〇〇～三、五〇〇円程度多くなっている（図４⑵）。

高齢世帯のＥＣ利用が低い中で、ＥＣ利用世帯に限れば、特に都市規模の小さい地域において、高齢世帯の一人当たり利用額が多い。こうした地域では、ＥＣ利用によってデジタル技術活用の恩恵を実現している。同時に、利用割合が相対的に低いのは、潜在的な活用余地として今後の利用促

(1)全国の世帯主の年齢階層別

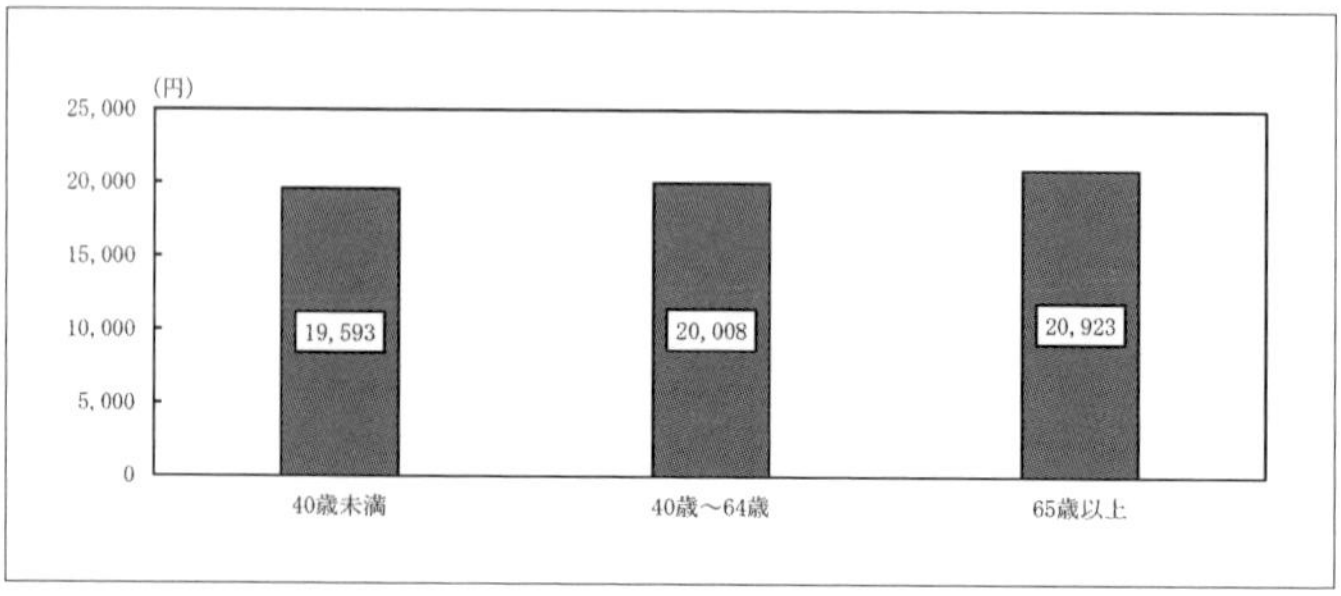

出所：内閣府[5]p.33，第1－2－5図(1)。

(2)都市規模×世帯主の年齢階層別

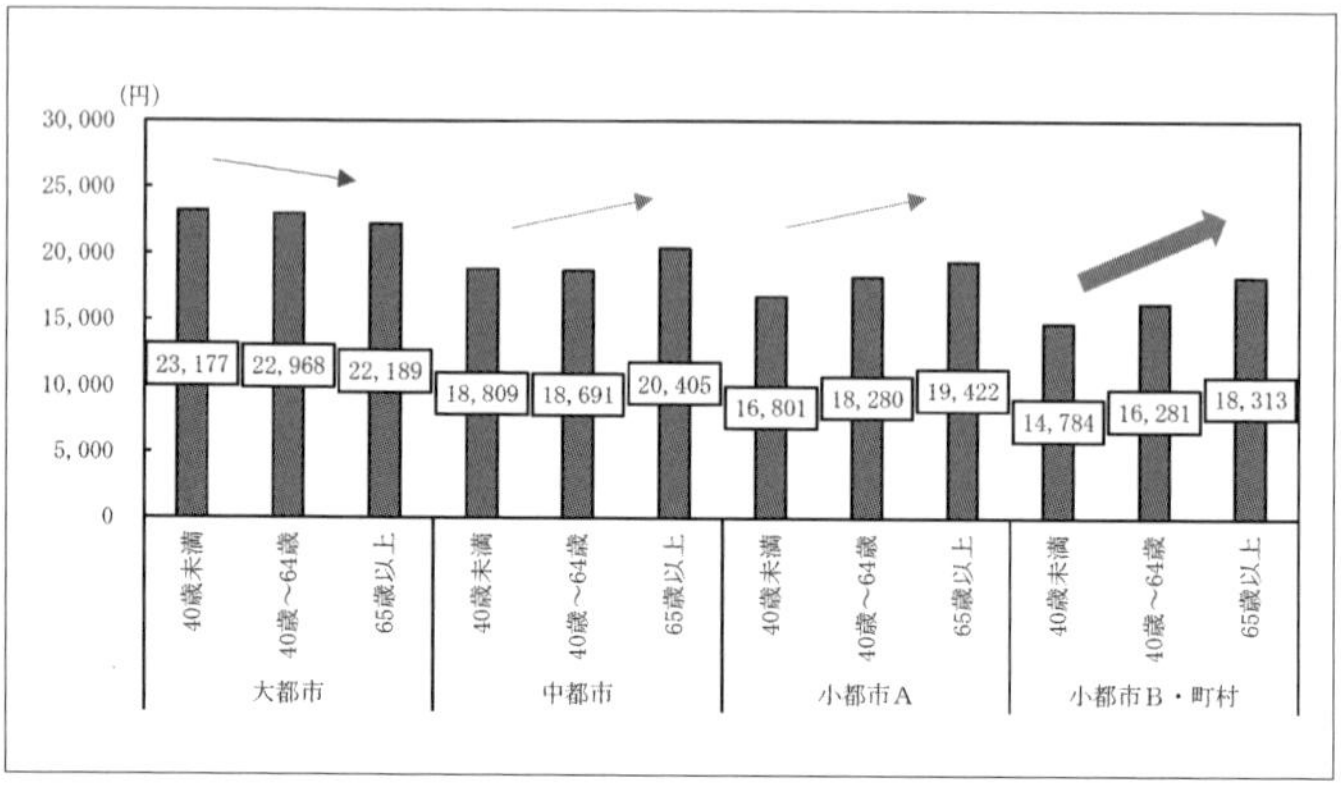

出所：内閣府[5]p.33，第1－2－5図(3)。

図4　EC利用世帯における一人当たり利用額（1か月当たり消費額）
（2021年平均）

進が課題と言える。高齢者のデジタル機器・サービス活用を支援することで、ＥＣ利用率を高めれば、地域圏のＥＣ支出額がさらに拡大することが期待される。

3　供給側から見たＥＣを取り巻く現状と課題

(1) ＥＣ拡大により全国的に配送事業の人手不足感が高まっている

ＥＣ利用額の増加もあり配送料が増加する中、サービスの提供側では、配送事業に携わる労働者の人手不足感が高まっている。ヤマト、佐川、日本郵便の宅配大手三社の取扱個数は、二〇一八年度から二〇一九年度にかけて増加に一服感が見られたものの、感染症後の二〇二〇年度で前年度比一二％増と高い伸びとなり、二〇二一年度も引き続き増加となっている(図５)。

こうしたなか、貨物自動車運転手の人手不足の程度を、雇用充足率(＝雇用充足数÷新規求人数)により確認すると、感染症の影響を受けた二〇二〇年度を除き、

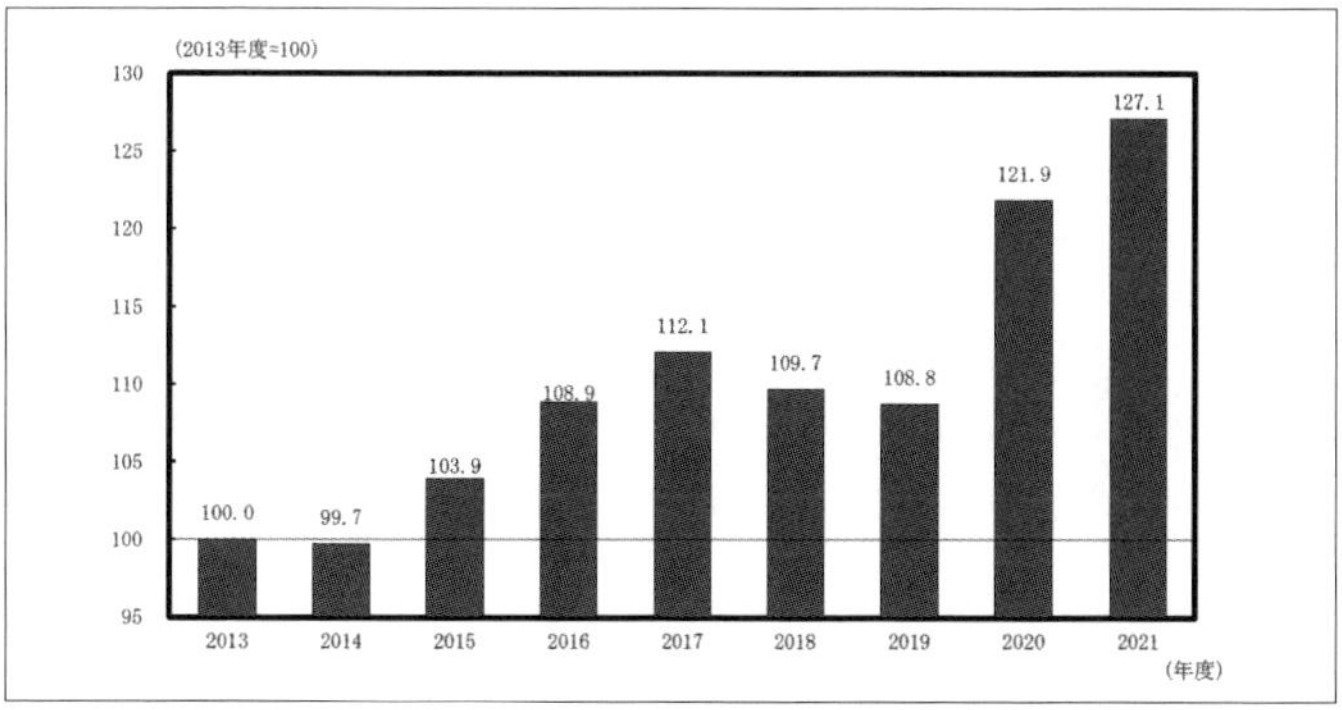

図５　宅配大手３社の取扱個数の推移

出所：内閣府[5]p.37，第1－2－6図。

二〇二一年度にかけていずれの地域でも低下傾向、人手不足感が高まっていることを示している(図6)。

配送事業の従事者については、他産業の従業員に比べて労働時間が長い一方、賃金が低い。加えて、構造的な生産年齢人口減少の影響から、労働需給は総じてひっ迫している。

(2) ECによる地域の特産品販売では様々な主体のノウハウを活用した事例が見られる

感染症の影響で外出や旅行が影響を受けるなか、地域の特産品販売についてもECの活用の動きが見られる。全国的に特産品を扱うECサイトの出品数を見ると、数万品目に上るところもある。

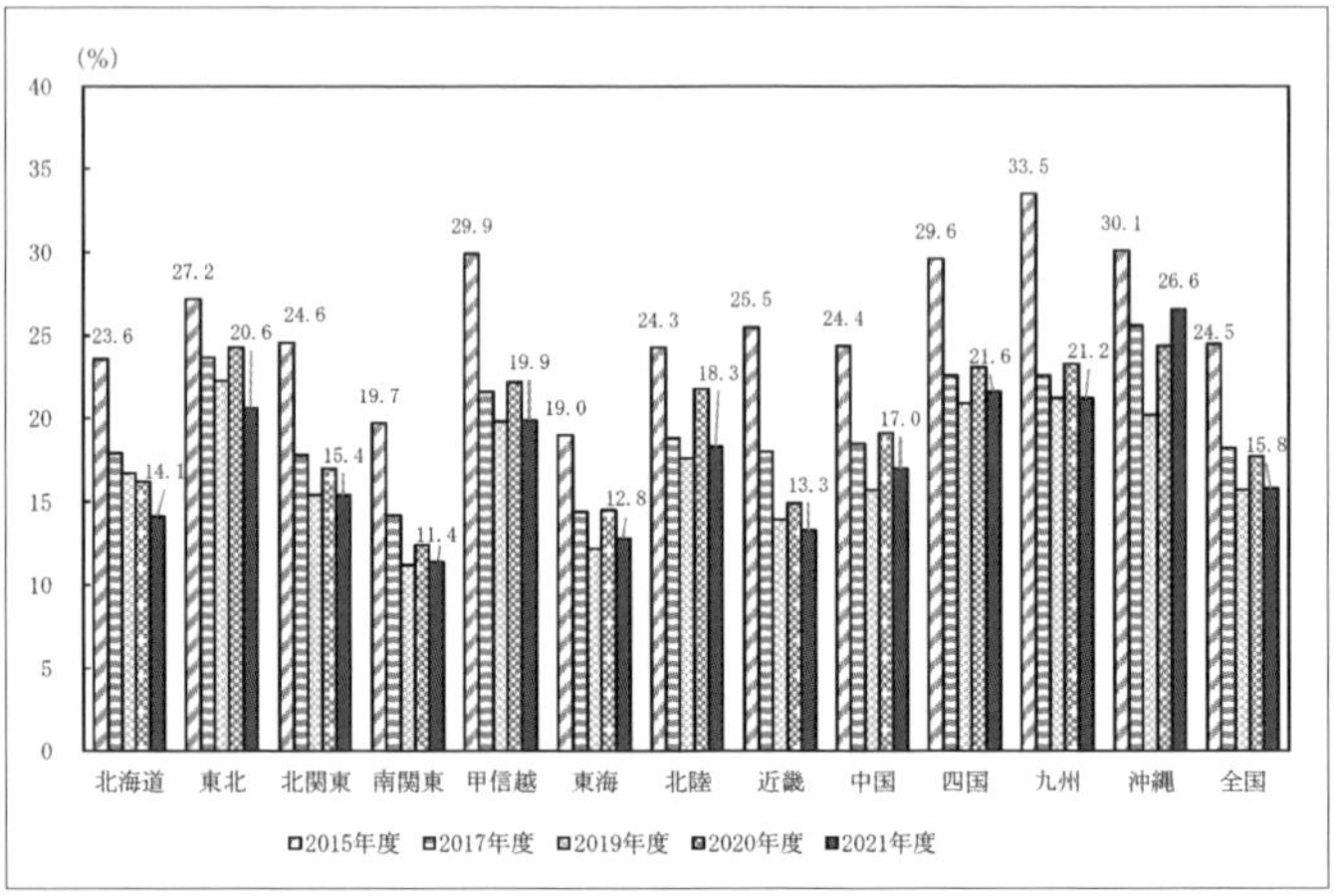

図6　地域別貨物自動車運転手（常用（パートタイム含む））の人手不足の状況：充足率

出所：内閣府[5]p.38，第1－2－7図。

こうしたなか、ＥＣによる特産品販売の取り組み事例をみると、地域の自治体やＥＣ開設や配送網などのノウハウを持った企業といった複数の主体が一体となり、小規模の事業者も含めて地域全般の特産品を扱い、売上を伸ばした事例のほか、ＥＣ販売拡大等により域外における企業や製品の認知度が向上したことにより域外での店頭販売拡大につながったとする企業もみられる。

四　コロナ後の地域金融(6)

1　地域金融の概観

ポストコロナにおいて、企業は新しい環境に合わせてビジネスモデルを転換しつつ、累積した債務を返済していかなければならない。

中小企業の資金繰りは、リーマン・ショックを超えるインパクトを受けた実体経済(図7)に比べると、大きな痛手を受けないで済んでいる(図8)。

地域金融機関の強みは、事業性評価に基づく深い顧客理解である。

財務データや担保・保証に必要以上に依存しない様に、借り手企業の事業の内容や成長可能性を適切に評価することを事業性評価と呼んでいる(図9、図10)。

地域金融機関の多くが人材紹介業務に力を入れている。

人材紹介が企業支援の鍵になる可能性がある。

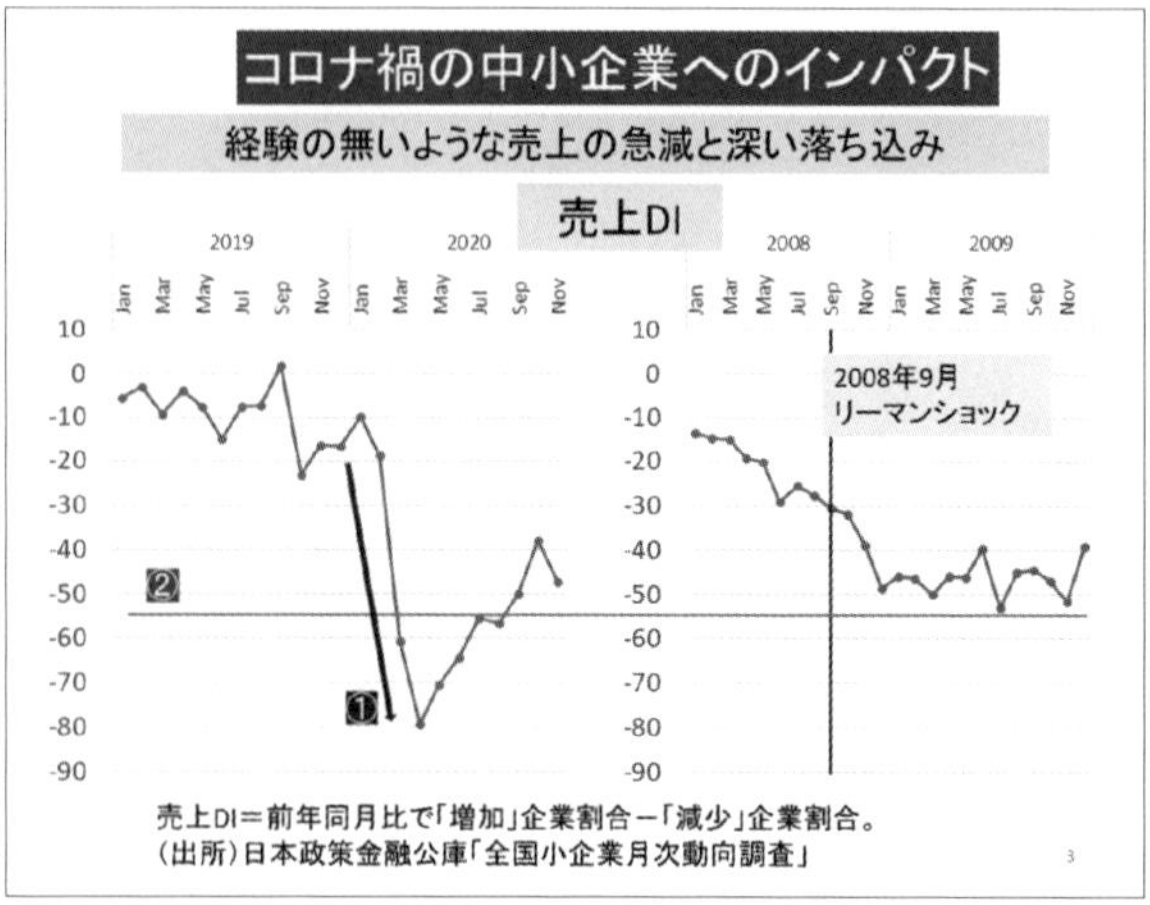

図７　コロナ禍の実体経済の落ち込み：中小企業

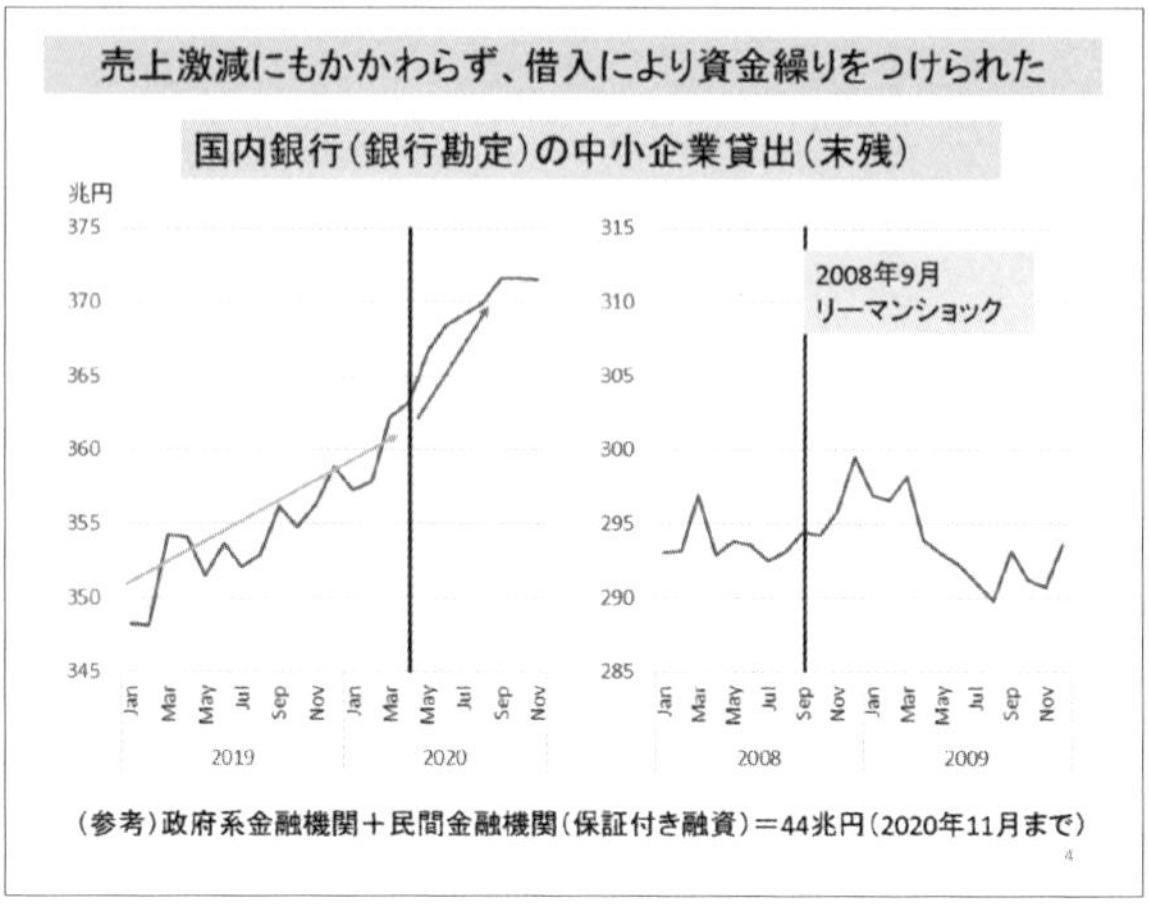

図８　コロナ禍の中小企業の資金繰り
出所：家森編著[8]p.162。

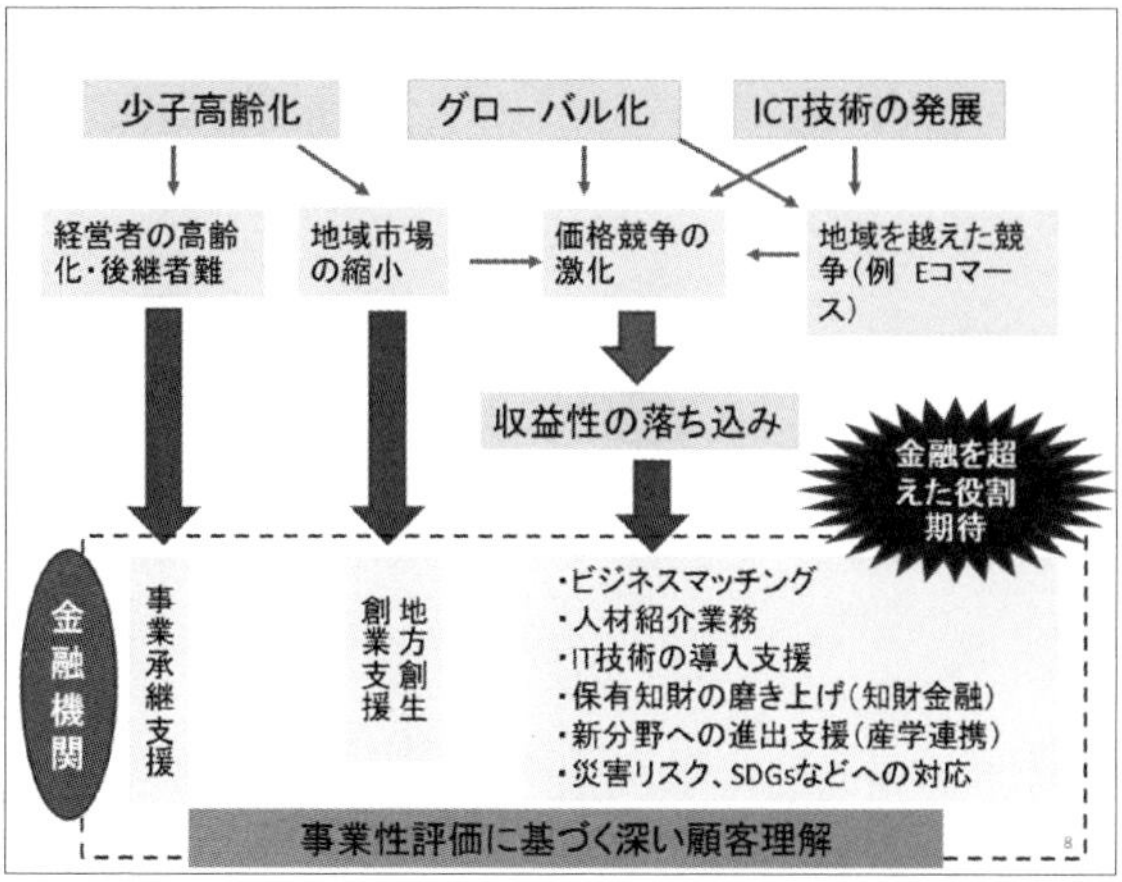

少子高齢化
グローバル化
ICT技術の発展
経営者の高齢化・後継者難
地域市場の縮小
価格競争の激化
地域を越えた競争（例 Eコマース）
収益性の落ち込み
金融を超えた役割期待
金融機関
事業承継支援
地方創生
創業支援
・ビジネスマッチング
・人材紹介業務
・IT技術の導入支援
・保有知財の磨き上げ（知財金融）
・新分野への進出支援（産学連携）
・災害リスク、SDGsなどへの対応
事業性評価に基づく深い顧客理解

図９　地域金融機関の対応

出所：家森編著[8]p.164。

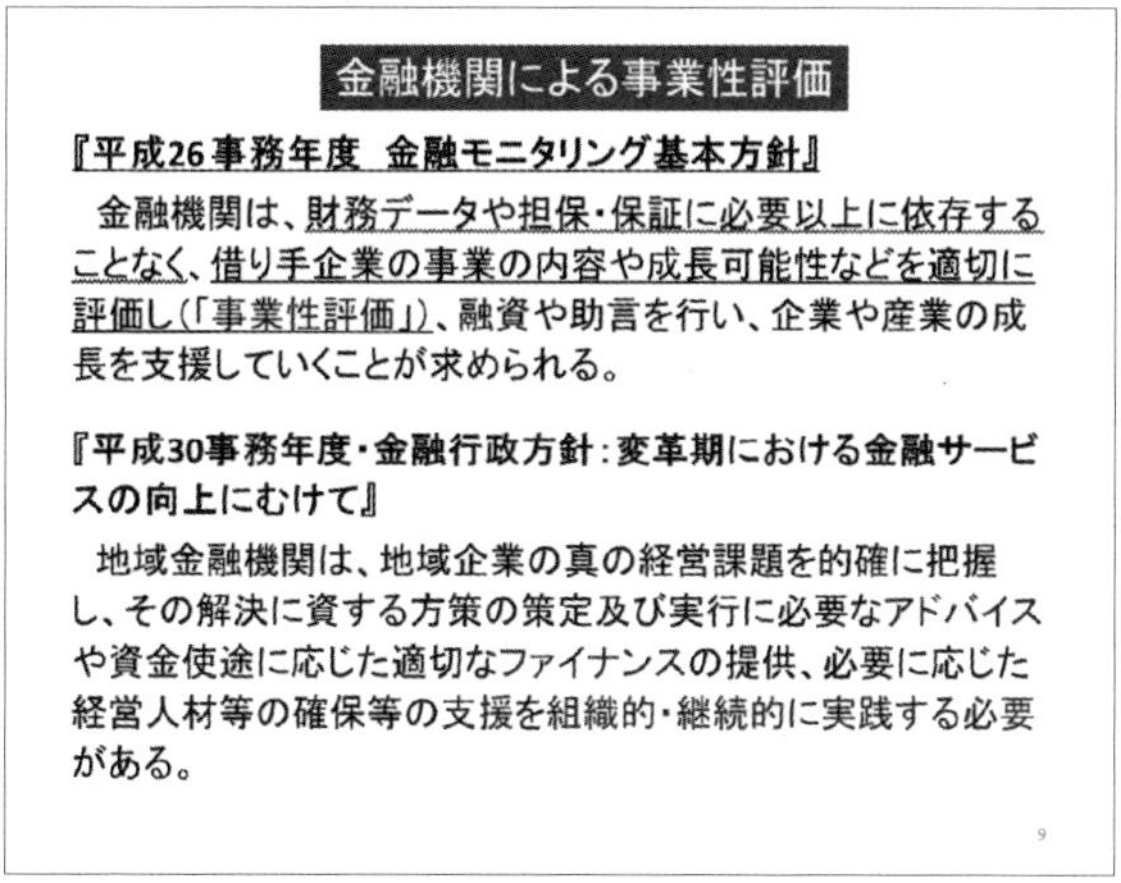

金融機関による事業性評価
『平成26事務年度 金融モニタリング基本方針』

金融機関は、財務データや担保・保証に必要以上に依存することなく、借り手企業の事業の内容や成長可能性などを適切に評価し（「事業性評価」）、融資や助言を行い、企業や産業の成長を支援していくことが求められる。

『平成30事務年度・金融行政方針：変革期における金融サービスの向上にむけて』

地域金融機関は、地域企業の真の経営課題を的確に把握し、その解決に資する方策の策定及び実行に必要なアドバイスや資金使途に応じた適切なファイナンスの提供、必要に応じた経営人材等の確保等の支援を組織的・継続的に実践する必要がある。

図10　金融機関による事業性評価

出所：家森編著[8]p.165。

これからは資金繰りを超えた本業支援、本業の立て直し、本業からの転換のフェーズに入る。

2　地域金融の現状

(1) 池田泉州銀行

営業利益率は、全産業でダウントレンドとなっているが、特に飲食・宿泊で赤字幅が大きくなっている。経常利益率は、営業利益率と異なり、全産業でアップトレンドになっている。特に飲食・宿泊についても、補助金収入の効果がうかがえる。

全産業において現預金が増加しており、倒産件数が非常に少ないことがうかがえる。調達した借入金は、設備投資等の前向きな資金に使われているのはわずかであり、手元資金としてプールされる傾向にある。

(2) 北おおさか信用金庫

ゼロゼロ融資等がひと通り行きわたった二〇二二年五月末の時点でも、「手元資金に不安がある」と答えた企業が三五％もあった。ゼロゼロ融資等の後でも手元資金の不足感があった。

廃業を考えている事業所が二％もある。実数にすると三〇〇社以上である。

(3) 兵庫県産業振興局

企業の業況判断ＤＩ(日銀短観、二〇二一年一二月)によると、兵庫県の製造業はプラス五で悪くないが、食料品や輸送用機械はマイナス一五、マイナス一〇と非常に厳しい。食料品は飲食店等の売り上げが伸びていない。輸送用機械は半導体等の原材料価格の高騰が影響している(図11)。

非製造業は、トータルではプラス三であるが、宿泊飲食サービスはマイナス二〇である。

倒産は、前年から二割減っている(東京商工リサーチのデータ)。

兵庫県の聞き取り調査から、スーパーマーケットは、巣ごもり需要が一巡した一方で、原材料価格の急騰によって利益を圧迫している状況にあることが分かっている。

企業業況判断DI(日銀短観)R3年12月神戸支店

製造業	[R3.12現在] 5(＋3)	[R4.3予測] 5
食料品	[R3.12現在]▲15(▲8)	[R4.3予測] ▲ 11
輸送用機械	[R3.12現在]▲10(＋9)	[R4.3予測] 9
非製造業	[R3.12現在] 3(＋10)	[R4.3予測] ▲ 8
小売	[R3.12現在] 27(＋21)	[R4.3予測] 14
対個人サービス	[R3.12現在]▲25(＋12)	[R4.3予測] ▲ 25
宿泊飲食サービス	[R3.12現在]▲20(＋60)	[R4.3予測] 0

図11　兵庫県の経済概況

出所：家森編著[8]p.189。

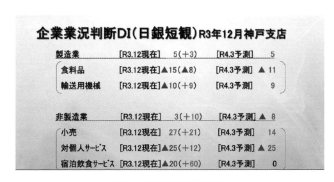

(4)金融庁

バブル崩壊、リーマン・ショックは金融ショックだったが、コロナ・ショックは金融ショックではないため、全面的な金融支援、いわゆる資金繰り支援を行うことができている。国際的にみると、非常に珍しい。わが国では地域の至るところまで間接金融が機能しているために、間接金融のメカニズムを通じてお金を届けるということが、極めて迅速かつ合理的であった。

3　金融を超えた支援

(1)池田泉州銀行：人材紹介業務(金融を超えた支援の例)

中小、中堅企業経営者の経営問題を把握して、大企業出身者をマッチングさせていく、地銀初の職業紹介業務への参入をしている。

既存の商業銀行業務では流れていって気づかないことが、人材紹介の新たな業務では途端に失敗になったり、気づきが本当に多い。

(2)北おおさか信用金庫：非金融的な活動

信用金庫が比較的得意なのは、M&A、事業承継、人材紹介など「つなぐ力」である。

M&Aというより、廃業の回避策という要素もある。買収企業と譲渡企業の従業員の面接もする。

(3)兵庫県産業振興局：企業支援策(図12)

中小企業の新事業展開への支援は、①ビジョン策定、②事業計画、③事業実施、の三つのフェーズである。

中小企業ではＤＸ化がなかなか進んでいない。中小企業も九割が、ＤＸ人材が不足しているという。行っている非金融支援は、販路拡大、新たな事業の展開、ＤＸ化、事業承継、Ｍ＆Ａなど。

(4)金融庁

地域の金融機関は、行政の後押しなども得て、企業に対する非金融的な支援、伴走支援を強化している流れにある。諸外国から見ると珍しい。

金融機関が他業を行う形で企業を支援することが許可される理由は、以下の通りである。

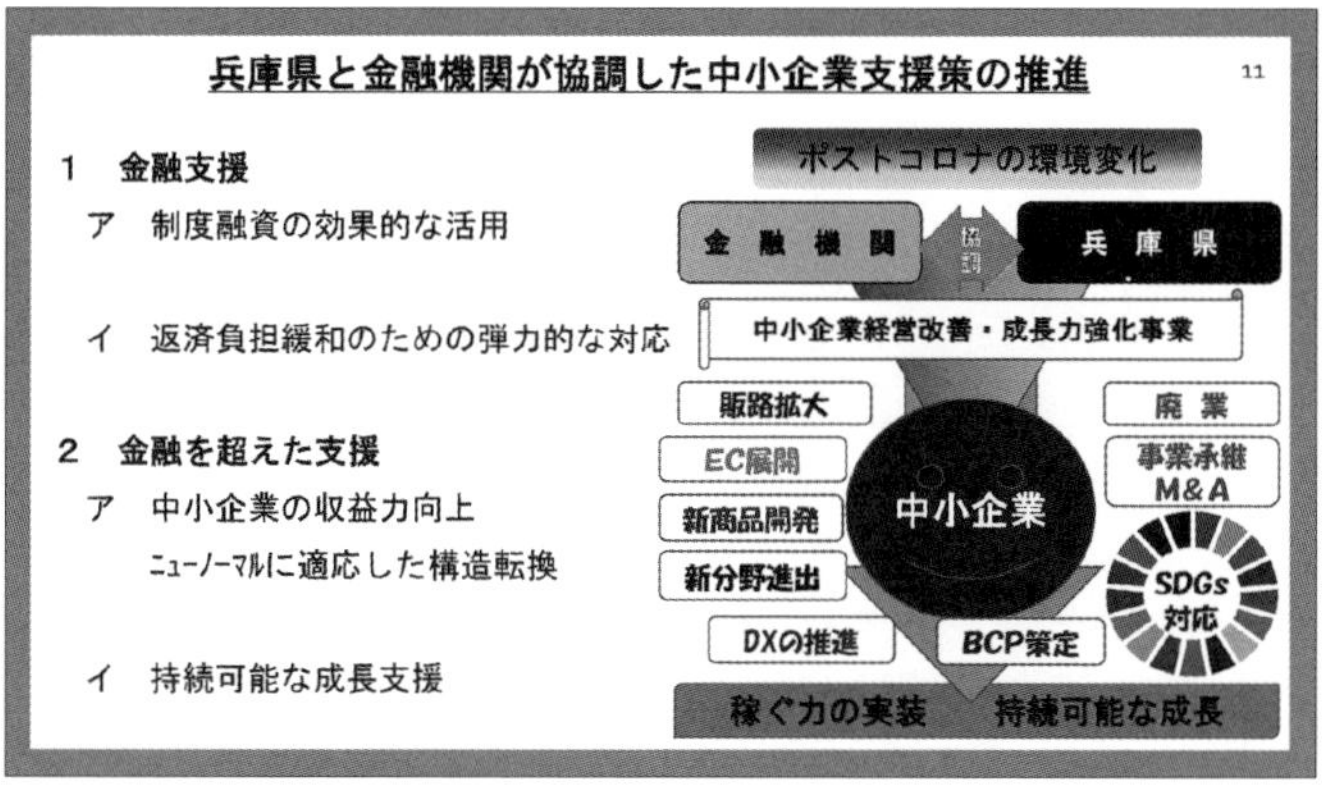

図12　兵庫県における金融を超えた支援

出所：家森編著[8]p.193。

一．世界に先駆けて人口減少社会に突入。地域においては非常に深刻。

二．毛細血管のように地域に張り巡らされた間接金融。
⇒資金繰り融資が迅速に届けられた。
三．地域金融機関そのものが持続的でなければ地域が持続的になりようがない。
⇒地域金融機関は融資では儲からない。
⇒収入の範囲を、融資にとどまらず様々なところに広げていくことが、地域金融機関の持続性を高めることにつながる。

五　地域金融機関による人材紹介(7)

二〇一八年に金融庁は監督指針を改定して、金融機関による人材紹介業務を解禁した。

二〇二一年五月の銀行法の改正によって、登録型人材派遣業務についても認められるようになった。

二〇二一年二月時点では、地方銀行(地方銀行と第二地方銀行)一〇〇行のうち、有料職業紹介業の許可を受けているのが六九行、許可の取得予定ありが一六行、取得の予定なしが一一行であった。

優れた人材を紹介して当該企業が成長し設備投資資金のニーズが生まれてくれば、貸出業務に好影響が出てくると考えられる。

企業の事業内容をよく理解している緊密な関係性を持っている地域金融機関なら、地域企業の人材問題に最適なソリューションを提供できると期待される。

事業性評価がしっかりとできていれば、地域企業の欲しい人材が本当に当該企業の発展のために優先順位の高い人材なのかを見きわめることもできるはずである。

中小企業の深刻な困りごとの一つは人材である。金融機関はおカネだけを支援してもそれでは企業の困りごとのごく一部しか解決できない。

顧客の本業を発展させることが「本業」であるとするならば、人材の面でも顧客を支援することが「本業」に位置づけられるのは当然である。

事業性評価をしっかり行っている金融機関は、企業の真の人材ニーズを企業以上に把握できていることが望ましい。事業性評価においては、単に金融機関側が企業のことを深く理解しているだけではなく、深度のある対話を通じて、金融機関が十分に企業のことを理解していることを企業側にも知ってもらうことが重要とされている。

六　地方銀行による取引先のデジタル化支援(8)

多くの中小企業では、人口減少による人手不足への対応、生産性向上や競争力強化の観点から、業務のデジタル化が課題となっている。

公益財団法人全国中小企業振興機関協会の調査（二〇二一年七月）によると、デジタル化の取り組みが進んでいない中小企業や、デジタルツールを導入済ではあるものの十分に活用していない中小企業が多く見受けられる（図13）。

こうした中、日ごろから取引先企業と密な対話を行っている地方銀行は、取引先企業のデジタル化支援に取り組んでいる。こうした支援は、取引先企業の事業内容や業務プロセス、人材等を良く知る地方銀行に期待される役割の一つと言える。

以下では、地方銀行が取引先企業のサポートを行い、受発注・請求・決済や、在庫管理、生産管理などの業務のデジタル化・効率化に取り組んでいる事例を紹介する。

1　地方銀行の取り組み事例

(1) 福岡銀行の取り組み

福岡銀行は、地域の取引先企業における受発注から決済までの一連の業務のデジタル化・効率化を支援するため、二〇二一年七月より「ふくぎんＥＡＳＹＢＩＺ（イージービ

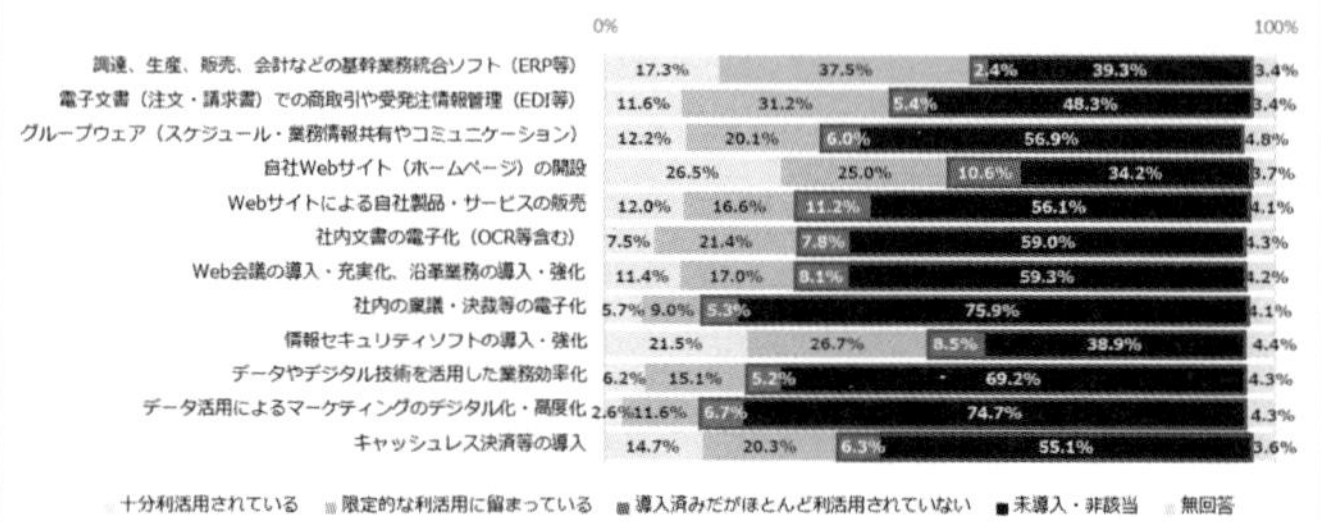

▲ 全国中小企業振興機関協会「ポストコロナ時代における規模別・業種別に見た中小企業の経営課題に関する調査結果
（https://www.zenkyo.or.jp/chiiki/docs/chosa/houkoku_2021-3.pdf）より当協会作成。

図13　中小企業におけるデジタル化の対応状況

出所：尾濱[2]p.2。

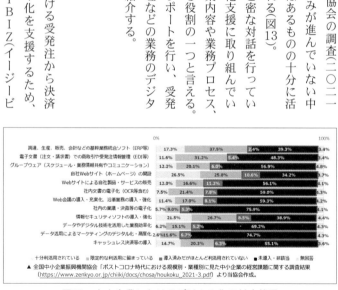

ズ）」を提供している。「ＥＡＳＹＢＩＺ」は、販売管理（受発注）や勤怠管理・給与計算、経費精算、会計等のバックオフィス業務間のデータをシームレスに統合管理できるクラウドＥＲＰ[9]サービスである。

(2) 大垣共立銀行の取り組み

大垣共立銀行は、岐阜県が組成した「岐阜県ＤＸ推進コンソーシアム」に参画している。二〇二二年度に、同コンソーシアムに参画している取引先企業とともに、受発注・請求のデジタル化とその後の決済業務（支払、入金消込）の効率化を図る実証実験を実施した。

実証実験では、「ＷＥＢ－ＥＤＩ」[10]システムと大垣共立銀行のインターネット・バンキングをＡＰＩ[11]連携させるシステム改修等を行った。これにより、「ＷＥＢ－ＥＤＩ」で生成した取引先毎の支払いデータ（支払金額、支払先口座番号）に基づき、ワンクリックで取引先への支払を完了することが可能になった。

七　おわりに

本稿では、地域経済のデジタル化とコロナ後の地域金融の取組みについて説明した。内容の要約は次の通りである。

現在の主な地域経済のデジタル化は、距離にかかる費用の削減である。ＥＣ利用世帯に限って観察すると、一人当たり利用額(月平均)は、大都市の他の都市規模では六五歳以上の高齢世帯の利用額の方が多くなっている。ＥＣ利用を前提にすると、高齢世帯が地域経済のデジタル化の恩恵を受けているとも言える。

コロナ後の地域金融では、人材紹介とデジタル化の様な、非金融的な、金融を超えた地域企業への支援が求められている。事業性評価を適切に行っている地域金融機関は、地域企業の人材問題に最適なソリューションを提供できると期待される。取引先企業の事業内容をよく知る地域金融機関は、取引先企業の適切なデジタル化支援が期待される。

《注》

(1) Goldfarb and Tucker[10]の説明に基づいている。Goldfarb and Tucker[10] p.2

(2) ここでの説明は、立本[3]に依っている。

(3) 内閣府官房[12]における説明である。

(4) 第3節の内容は、内閣府[5]に依拠している。

(5) 都市規模は、大都市が政令指定都市及び東京都区部、中都市が大都市を除く人口一五万以上の都市、小都市は人口五万以上一五万未満の市、小都市Ｂ・町村は人口五万未満の市及び町村である。

(6) 第４節の内容は、家森編著[8]に依拠している。

(7) 第5節の内容は、家森・米田[9]に依拠している。
(8) 第6節の内容は、尾濱[2]における説明である。
(9) ERPとはEnterprise（企業）Resource（資源）Planning（計画）の略である。
(10) WEB-EDIはEDI（Electronic Data Interchange）の一種で、企業同士（発注企業と受注企業）の商取引（契約書，受発注等）をブラウザを通じてやり取りすること。パソコンとインターネット回線があればすぐに利用できるため、低コストで購入可能である。
(11) APIはApplication Programming Interfaceの略で、接続先のＯＳを呼び出すことや互いのソフトウェアやアプリケーション機能の一部を共有することである。

《参考文献》

[1] 植杉威一郎『中小企業金融の経済学：金融機関の役割，政府の役割』日本経済新聞出版社、二〇二二年。
[2] 尾濱良子「地方銀行における取引再起の業務のデジタル化支援に向けた取り組み」地銀協レポートVol.九、二〇二三年五月、一―六頁。
[3] 立本博文「ＤＸ再考：経営層が推進の旗印たれ」日本経済新聞 経済教室、二〇二三年二月二七日。
[4] 内閣府「地域の経済 二〇一九―人口減少時代の成長に向けた土台づくり―」地域の経済／地域経済レポート、二〇二〇年。
[5] 内閣府「地域の経済二〇二二―地域への新たな人の流れと地域のデジタル化の現状と課題―」地域の経済

／地域経済レポート、二〇二三年。

[6] 野崎浩成「地域の深掘り、生き残り左右：地域金融の行方 上」日本経済新聞 経済教室、二〇二一年一二月二七日。

[7] 宮川大介「企業実績見極め、融資選別を：地域金融の行方 下」日本経済新聞 経済教室、二〇二一年一二月二八日。

[8] 家森信善編著『ポストコロナにむけた金融機関による事業性評価と金融を超えた支援』神戸大学経済経営研究所、経済経営研究叢書、金融研究シリーズNo.一一、二〇二一年。

[9] 家森信善・米田耕士「地域金融機関による人材紹介」日本労働研究雑誌、No.七三八、三六―四四頁、二〇二二年。

[10] Goldfarb,A.and Tucker,C.,"Digital Economies."NBER Working Paper Series,No.23684,2017.

[11] OECD"Vectors of Digital Transformation."OECD Digital Economy Papers,No.273, 2019.

[12] 内閣府官房「デジタル田園都市国家構想」https://www.cas.go.jp/jp/seisaku/digitaldenen/index.html

域学連携の実践から考える地域活性化の方向性

髭白晃宜

髭白　晃宜・ひげしろ　てるき

【所属】 産業情報学部企業システム学科　准教授

【主要学歴】 中央大学大学院商学研究科博士課程後期課程　単位取得退学

【所属学会】 社会経済史学会、日本流通学会、コンテンツツーリズム学会、日本交渉学会　等

【主要著書・論文等】

〈著書〉

・（共著）髭白晃宜（二〇二〇）「沖縄県における中心市街地活性化の現状と課題―商業と観光の両面から―」、沖縄国際大学公開講座委員会編集『産業と情報の科学～未来志向の産業情報学～』沖縄国際大学公開講座29、編集工房東洋企画、四九―八三頁。

・（共著）堂野崎衛編著（二〇二三）『リテールマーケティング入門』白桃書房、四三―九二頁。

〈論文〉

・（単著）髭白晃宜（二〇二〇）「地域公共交通システムの史的展開と都市形成の連関についての一考察：日独を対象とした軌道事業に関する研究史の整理から」『商学論纂』第61巻第５・６号、中央大学商学研究会、一六九―一八八頁。

・（単著）髭白晃宜（二〇二一）「中心市街地活性化の取り組みの多様化と課題―沖縄市・コザにおける学生によるまちづくりの事例から―」『産業総合研究』第29号、沖縄国際大学総合研究機構産業総合研究所、一九―三三頁。

・（共著）吉川丈、髭白晃宜（二〇二二）「軌道法が適用される事業者の効率性分析」『産業総合研究』第30号、沖縄国際大学総合研究機構産業総合研究所、四一―五三頁。　他

※役職肩書等は講座開催当時

一　はじめに

「地域活性化」とは、地域における経済活動や文化活動などの活力を高め、地域を維持・発展させる取り組みの総称である。「地域振興」や「地域おこし」とも呼ばれる地域活性化の諸活動には、多様な活動主体が関わっている。行政や自治体はもちろんのこと、地元の民間企業やＮＰＯ等の団体などが活動の主体としてイメージしやすいであろう。近年では、それらの主体以外にも「関係人口」と呼ばれる人材が、さまざまなアプローチで地域に関わることで、地域に大きな変革をもたらす場合もある。このように地域活性化がさまざまな形式で進められるなかで、とくに大学組織と地域が協力・連携を推し進めて、ともに地域を盛り立てていくことに、地域社会からは大きな期待が寄せられている。

その背景には、地域と大学それぞれの思惑がある。地域は、大学が有する専門的な知識や技術、専門性の高い人材などの資源を活用することで、みずから持続的な発展を促進することができる。同時に、大学は、地域のニーズに応え、地域が抱えている課題を解決することで、みずからの教育や研究を社会的に有用であることを広く世間に周知することができる。しかし、大学・地域間の連携には、さまざまな課題や障壁が存在する。たとえば、大学と地域のあいだには、価値観、時間感覚、達成する目標などに違いがあり、それらを調整しながらプロジェクトを遂行することは容易ではない。また、大学・地域間の連携には、多くの時間や労力、費用などのコストがかかるが、その負担の分担が不明瞭であり、連携による最終的な経済効果や評価も決して明確に出てこない点も課題として挙げられるだろう。こうした地域と大学の連携における諸課題に対処することは、こと地域社会への貢献を大々的に掲げる大学側にとっては急務であるし、高いモチベーションを有する地域に愛着を持つ若い人材を欲する地域にとっても同様に優先順位の高い重要事項であろう。

さて、本稿の構成は以下のとおりである。

①域学連携の定義ならびに域学連携に取り組むメリットを確認する。
②域学連携の実践事例を紹介し、その特徴や成果、課題などを検討する。
③域学連携プラットフォームを構築し、その有用性について評価する。

本稿では、地域と大学の連携が抱える課題を明らかにしながら、同時に地域と大学の連携が地域社会の持続的発展を可能にするひとつの有効な手段であることを示していきたい。

二　域学連携とはなにか

1　域学連携の概念と意義

まずは、本稿における「域学連携」の定義を確認しておきたい。域学連携とは、大学と地域が相互に連携・協力し、地域課題の解決や地域活性化に取り組み、発展することを目指すことである。よく似たことばに「産学連携」や「産学官連携」がある。産学連携（産学官連携）は、企業（および地方自治体）が大学などの教育・研究機関と連携して、新製品や新サービスの開発、技術的なイノベーションを起こすことを目的とする取り組みであり、主として経済的な価値の創出や技術発展を志向している。それに対して、域学連携では、地域ブランディングや人材育成などの社会的価値の創出や地域コミュニティの形成を目的とする傾向が強く、地域・大学間の長期的な協力関係の構築が求められる。

域学連携は、大学と地域のそれぞれが持つ強みを活かすかたちで活動が展開される。大学は、高度専門人材や研究ノウハウならびに分析手法、技術などのさまざまな資源が集積する場所である。その一方で、地域は、自治体、企業、地域住民や観光客などの多様化・高度化したさまざまな需要が存在する場所である。このことから域学連携は、大学が持つ専門性の高い知的資源を、地域の課題や住民ニーズなどと結びつけるための仕組みと捉えることができる。すなわち、域学連携の取り組みは、大学が持つ知的資源を活用した地域資源の掘り起こしや地域経済活性化の取り組み、地域人材の育成や強化を図ることはもちろん、地域全体において住民の意識変革や行動変革を促す契機となりうるのである。

域学連携においては、「教育における連携」「研究における連携」「社会貢献における連携」など、さまざまなレベルでの協働が考えられる。

①**教育における連携**：大学は、地域の課題解決を目的とするカリキュラムやプログラムの開発を行う。地域は大学に対して学びのフィールドを提供し、大学教員や大学生という外部人材を活

用しながら、地域課題の解決方法を模索することになる。

②**研究における連携**：大学は、地域課題の解決や住民ニーズに応える研究テーマを創出し、商品・サービス開発などの成果を生み出す。地域は、地域が有するさまざまな資源を提供しながら、大学の持つ知識や技術を活用・応用し、地域社会の活性化を目指す。

③**社会貢献における連携**：大学と地域は、それぞれが持つ強みを活かして社会全体に対しての責任を果たすべく、戦略眼をもって地域価値の向上に連携して取り組む必要がある。

これらのことから、域学連携の取り組みは、地域や大学における一部の利害関係者に限定された活動ではなく、広く地域のプレーヤーを巻き込む活動であることが理解できるだろう。

2　域学連携のメリット

域学連携という活動は、大学と地域の双方に実利もしくは実益というメリットがなければ、取り組むことが困難である。総務省は、「過疎化や高齢化をはじめとして様々な課題を抱えている地域に若い人材が入り、住民とともに地域の課題解決や地域おこし活動を実施することは、都会の若者に地域への理解を促し、地域で活躍する人材として育成することにつながるとともに、地域に気づきを促し、地域住民をはじめとする人材育成に資するもの」(1)として、域学連携における地域と大学にとってのメリットを強調している。以下で、域学連携の取り組みにおいて地域・大学の双方が得られるメリット（図表1）について具体的に考えてみたい。

【域学連携における地域のメリット】

①**大学に集積する知識や情報やノウハウの活用**：大学教員や大学生たちが、地域資源の発掘や新たな特産品の開発、地域ブランディングに取り組むことで、地元住民がこれまで気づかなかった地域の魅力を対外的に発信し、競争力を高めることができる。

②**地域で不足する若い人材力の活用**：とくに過疎化が進行する地域において、大学生たちが活動主体となりさまざまな領域（農林水産業、福祉サービス、イベント開催など）で活躍することで、地域コミュニティの維持に資することができる。

③**地域の活性化**：大学から若い人材が地域に流入することで、地域の商店主や地域住民が刺激を受ける可能性がある。また、地域に興味を抱いた大学生が、将来的に地域への就職や定住を選

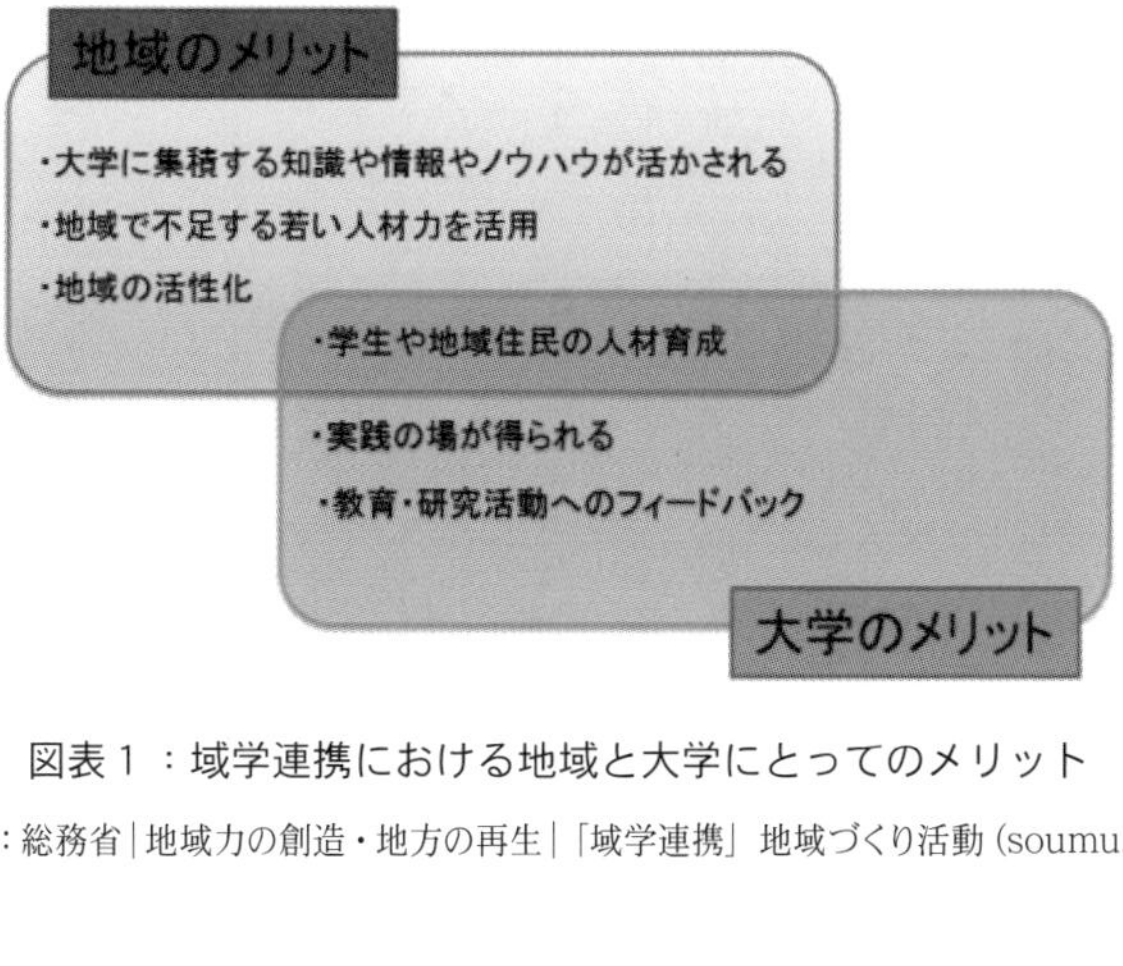

図表１：域学連携における地域と大学にとってのメリット

出所：総務省|地域力の創造・地方の再生|「域学連携」地域づくり活動 (soumu.go.jp)

択する可能性がある。

④**地域人材の育成**：大学生たちが地域の子どもや高齢者と交流したり、地域が抱える課題に対して解決策の提案や実践を行ったりすることで、地域住民の意識や能力を高めることができる。

【域学連携における大学のメリット】

①**人材育成**：学生たちが豊かな社会性や人間性を持つと同時に、良好な人間関係を築くことができる。たとえば、大学生が地域課題に触れ、地域の住民や団体と協働し解決を目指すプロセスのなかで、倫理観・責任感を持つことの大切さへの気づき、ビジネス・コミュニケーション能力の向上、課題発見力・問題解決力などを習得することが考えられる。

②**実践活動の場の確保**：教育・研究を実践するフィールドワークの場を確保できる。大学の教育や研究の水準を高めるためには、机上で理論を学ぶと同時に現場での検証作業が必要になることから、大学教員や大学生たちが、地域に関する研究・教育活動を行う過程で地域の施設や設備を利用できることは重要だと考えられる。

③**教育・研究活動へのフィードバック**：大学・地域間の連携を通じて得られた成果やノウハウを公開し、他地域や他大学と情報を共有し、行政や地方自治体から活動実績に応じた支援を受けることは、大学の社会的存在意義や信頼性を高めることにつながり、将来にわたっての大学の持続的発展の可能性を高める。

しかし、地域や大学がこのようなメリットを享受するためには、地域・大学間におけるコミュニケーションの充実、地域・大学間における域学連携を実施する目的や利害の一致、長期的な関係構築が前提条件となる。地域・大学間の関係構築は一朝一夕で済むものではないため、時間も費用もかかることを双方が認識しつつ、対等な関係で協力し、共通のビジョンを持つことが重要となる。

3　関係人口としての大学生／実践の場としての地域

先述したように、域学連携は大学と地域が協働し、新たな価値を創出することで、双方の持続的な発展を可能とする。しかし、域学連携の取り組みを成功させるためには、単純に資源や人材が存在するだけでは不十分である。そこでは、関係人口の存在が重要な役割を果たすと考えられる。

「関係人口」とは、居住地以外の場所に興味関心や関わりを持つ人々のことを指す。より詳しく記述するなら、他地域から移住した「定住人口」でもなく、観光目的で来訪した「交流人口」でもない人々で、地域との関係性がそこまで強くないにも関わらず、地域への強い思いをもってまちづくりに参画する多様な人材のことを意味する。たとえば、地域内にルーツを持つ者や、地域内での勤務経験や滞在経験のある者などが該当する（図表2）。

この関係人口には、地域で学ぶ大学生たちも含まれる。二〇〇〇年代に入ってからは、域学連携の機運の高まりもあり、全国の国公私立大学の地域創生を学ぶ大学生たち(2)によるまちづくり活動への参画が活発化している。今日では、多くの大学において授業（とくにゼミ活動）の一環として、大学生が地域（地域ビジネス）と関わる機会が設けられている。

地域をフィールドにした教育は「座学（理論）」と「実践」をミックスさせることで成立するものである。大学生たちが主体的に地域活性化に関するプロジェクトに取り組むことは、課題の本質を理解することに始まり、資料収集・調査・分析、企画の立案、イベント等に係る実際の作業、最終的な総括に至るまでの一連の学びの機会を得ることになる。

　同時に、大学生の立場に立てば、彼ら彼女らが単純に卒業に必要な単位取得のためだけに地域と関わっているわけではないことがわかる。地震・水害・コロナ禍などを経験している今日の学生たち（Z世代の若者たち）は、自発的に社会課題に取り組もうとする姿勢が強くなっている。大学生たちは、親子ほども年の離れた大人たちとの交流や商店街内の組織活動への参加など、さまざまな経験を通してまちのあり方を理解し、地域に対する関心や愛着を深めていく。そして、域学連携の活動から、学生たちが地域に新しい価値を付加

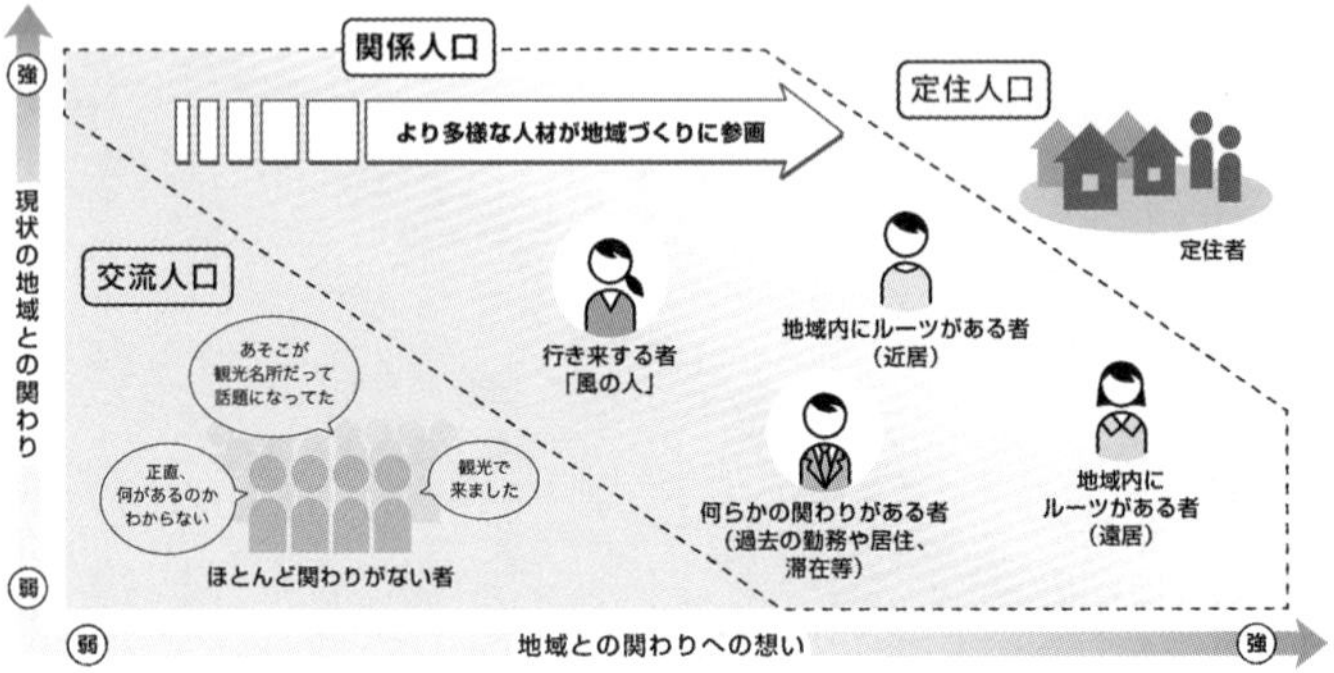

図表２：関係人口のイメージ図

出所：総務省｜関係人口とは｜『関係人口』ポータルサイト (soumu.go.jp)

していくのである。つまり、地域は学生たちにとって「自らの学びの場」であると同時に「自己実現の場」として機能しているといえる。地域には、大学では得られない多様な知識や経験があり、大学では出会えない多様な人材や組織がある。大学生は、地域で自分の学びを深めるとともに、地域の持つ価値を認めるようになるからこそ、「楽しみ」や「喜び」を感じながら地域と関わることができるのである。

三　地域と大学の関わりかた

1　域学連携の主な事例

では、実際に域学連携はどのように行われているのだろうか。本稿では、とくに大学教員や大学生たちが主体的にまちづくりに参画し、地域の人々や組織と協働して活動する四つの事例（①一橋大学、②和歌山大学、③高知大学、④大正大学）に焦点を当てたい。

①一橋大学：東京都国立市、ＪＲ南武線の谷保駅から程近い場所にある大規模団地である国立富士見台団地内にある商店街において、一橋大学の大学生たちを中心に構成されるまちづくりサークル「Ｐｒｏ－Ｋ」が、二〇〇三年から店舗運営やコミュニティ形成活動に取り組んでいる。具体的には、商店街の空き店舗を利用したコミュニティカフェ、地元の野菜を扱う八百屋、雑貨屋などの運営業務を中心に実施している。このプロジェクトの特徴は、学生たちが活動の

主体でありながら、地域の商店主や市民、行政と連携してそれぞれの仕事が進められる点にある。Ｐｒｏ－ＫはＮＰＯ法人「くにたち富士見台人間環境キーステーション」の一員となり地域と協働で商店街をコミュニティの交流拠点と位置づけて店舗運営を行っている。学生団体とＮＰＯ法人が連携を取りながら、多世代交流型のコミュニティ形成を進めると同時に、生鮮食品を取り扱う商業活動を取り入れることで高齢化の進んだ団地一帯の地域活力の維持に大きな役割を担っている事例である。

②**和歌山大学**：和歌山県和歌山市の中心商店街「ぶらくり丁」において、二〇〇五年度に開始された和歌山大学経済学部の足立基浩ゼミが運営するオープンカフェ事業による地域活性化の取り組みがある。「カフェＷＩＴＨ」という「地元密着」「地産地消」を基軸にした地元志向の強いカフェ事業を通して、和歌山市中心市街地における回遊性や滞留性の向上を目的とした市民参加型のまちづくりに取り組んでいる。「和歌山の底力・市民提案実施事業」（平成三〇年度をもって終了）での継続的な採択などの実績を積んだことにより、和歌山市の全面協力のもとカフェ事業が実施されてきた。さらに、ＮＰＯ団体「わかやまヒューマンカレッジアフターの会（ＷＨＣＡの会）」との連携を通して、和歌山大学の学生たちは、まちづくり事業の幅を広げて活動している。大学におけるゼミ活動を起点としながらも、地域の人々とのコミュニケーションを充分に行い、地域貢献の実績を重ねて、ＮＰＯ団体のバックアップを受けるかたちで、今日に至るまで中心市街地活性化に取り組んでいる点に大きな特長がある。

③**高知大学**：高知大学は、高知県内遠隔地域の詳細なニーズ収集と情報交換を行うために、高知県が県内七か所に設置した産業振興推進地域本部に高知大学サテライトオフィスを併設した。そこに大学教員を地域連携コーディネーターとしてサテライトオフィスに常駐させ、同じく産業振興推進地域本部に常駐する高知県地域産業振興監と密な連携を取ることによって、地域社会の再生・発展に取り組んでいる。「地域連携コーディネーター」とは、地域資源や地域の抱える課題を正確に把握し、地域住民や行政・企業・ＮＰＯなどの関係者と協働して地域活性化に貢献する大学側の人材である。高知大学の地域連携コーディネーターは、地域ニーズを出発点とした限りなく地域側の出口に近い領域において、地域ニーズと研究シーズのマッチングを行い、域学連携のコーディネート活動を実施する存在で、産学連携や地域協働のためのサポートに専従する。県と大学の連携によって構築されたこの課題解決システムは、ＫＩＣＳ（高知大学インサイド・コミュニティ・システム）と呼ばれている（図表3）。当初、大学側が地域連携コーディネーターに期待した役割は、地域と大学内の研究者とのパイプ役と、実際に研究者が地域に出向く際の調整役であったとされる。しかし、実際には地域連携コーディネーターのもとに地域側から相談が多数寄せられたことから、相談者が抱える問題の本質について地域と大学で認識を共有するコンサルティング機能がもっとも重要な役割となっていった。地域連携コーディネーターが、地域と大学の連携を適切にコーディネートするために、大学の組織的な支援体制が求められている実態が明らかになった事例である。

図表３：高知大学インサイド・コミュニティ・システム（KICS）化事業

出所：高知大学次世代地域創造センター地域連携課「COC事業の概要」、https://www.kochi-coc.jp/info/dtl.php?ID=503&routekbn=S(最終アクセス日:2023年10月30日)

④**大正大学**：大正大学は、東京・巣鴨の地蔵通り商店街においてアンテナショップ「座・ガモール」ならびに「ガモールマルシェ」と落語カフェを企画運営している。これらは、大正大学と巣鴨の三商店街が連携して設立した一般社団法人「コンソーシアムすがも花街道」が運営母体となり、大正大学地域創生学部の学生たちの日本各地でのフィールド実習と絡めながら、地域協働型の実践教育を展開している。大正大学と連携する全国の自治体からセレクトした特産物を販売するアンテナショップにおいて地域の特産物や文化を発信するとともに、地域の人々や観光客との交流を促進することを重要視している。大正大学の大学生は、この実践型教育を通じて、地域の魅力や課題に触れるとともに、企画・運営・販売・広報などの実践的なスキルを身につけていく。大学教育を通して地域の置かれている現状を伝えることで、学生たちの地域への関心を高めつつ、地域活性化の中核を担うリーダーを育成していく試みが行われていることは非常に興味深い。

2　域学連携を実践するうえでの諸課題

以上の四大学の事例は、いずれも一定程度の成果を収めている素晴らしい取り組みであることに疑いはない。しかし、実際に域学連携を実行する際に、大学教員や大学生たちはさまざまな課題に直面することになる。以下に、域学連携の実践を困難にするいくつかの障害を挙げたい。

【域学連携を実践するうえでの諸課題】

①大学・地域間のコミュニケーション不全により信頼関係の構築が不十分である。

②大学・地域の双方が、地域課題や地域ニーズについて十分に理解をしておらず、認識共有もできていない。

③域学連携の活動を実施・継続するための資金調達が困難である。

④年度ごとにメンバーの入れ替えが発生し、プロジェクトの引継ぎが困難である。

⑤活動の成果に対する外部からの正確な評価を得ることが難しい。

⑥担当教員にかかる負担が非常に大きく、プロジェクトの持続的な運営が難しい場合が多い。

課題①と課題②は、大学と地域のあいだでのコミュニケーション不足に起因する問題である。たとえば、地域における事前調査が十分にできていないことや、ＮＰＯ団体や地域の商店主たちとの関係構築をおろそかにすることで、このような問題が頻発することになる。

課題③は、大学生が主体となる活動における外部資金獲得のむずかしさを示している。先述した和歌山大学の事例のように、自治体が公募する市民提案型の地域活性化事業への応募や、地域の金融機関が実施する地域振興・発展のための助成金への応募など、学生が中心となる団体であっても応募可能な助成事業はあるのだが、精度の高い事業計画の立案と収支予算書の提出が必要となるため、相当の時間をこれらの準備に費やす必要があるだろう。万全の準備をしたとしても、選考から漏れる可能性は非常に高いため、参加する学生たちのモチベーション維持には注意を払う必要がある。

課題④は、教育機関の特性上どうしても避けられないメンバー交代の問題である。とくにゼミ活動においては、学年ごとに活動に関する認識の差異が発生しやすく、学年間での活動引継ぎが不十分にしか行われない場合が想定される。

課題⑤は、学生主体の活動が、社会において正当な評価を受けにくい領域に存在していることを示している。これに関しては、成果報告を定期的に学外向けに発信することで、一定程度の状況改善を図ることができるだろう。

課題⑥は、大学の組織上の課題となる。多くの大学における域学連携の取り組みは、大学教員の個人的な人間関係からスタートするものが多い。大学法人が活動に関与せず、活動に関するすべての責任が担当教員に降りかかってくることを当然視する場合もある。たとえ、域学連携の取り組みがうまく進んでいたとしても、大学教員ひとりが対応できる範囲には限界があるため、早い段階でプロジェクトが頓挫してしまう可能性もあるだろう。

先述した四つの事例のいずれもが成功といえる成果を出しているのは、域学連携の活動が大学法人やＮＰＯ団体等の組織的な支援に支えられていたからにほかならない。現実問題として、日本全国の大学における域学連携の取り組みは、一部の関係者の多大な負担のもとに成立していることが多く、この状況を改善しない限りは域学連携の持続的な発展は難しい。とくに課題③や課題⑤、課題⑥に関しては、組織的な支援体制が必要であろう。人材面や資金面において、大学組織や地方自治体、企業やＮＰＯ団体等との確固たる協力体制を創りあげ、域学連携を推進する枠組みを設けることが重要だと考える。

四　沖縄県沖縄市における域学連携の取り組み

1　沖縄市における髭白ゼミの取り組み

他大学における域学連携の取り組みと同様に、沖縄国際大学の髭白ゼミにおいても地域社会の課題解決や地域活性化に貢献するために、域学連携の活動を実施している。二〇一六年から「特定非営利活動法人まちづくりＮＰＯコザまち社中」とのあいだに協働関係を構築し、「コザ」と呼ばれる沖縄市胡屋の一番街商店街地区、中央パークアベニュー地区、コザゲート通り地区で構成される地域（図表４）において、コミュニティ形成や商業活動の活性化を目的とした取り組みを行っている。

以下で、髭白ゼミで実施してきた域学連携の活動について、三つの期間に区分して説明をしたい。

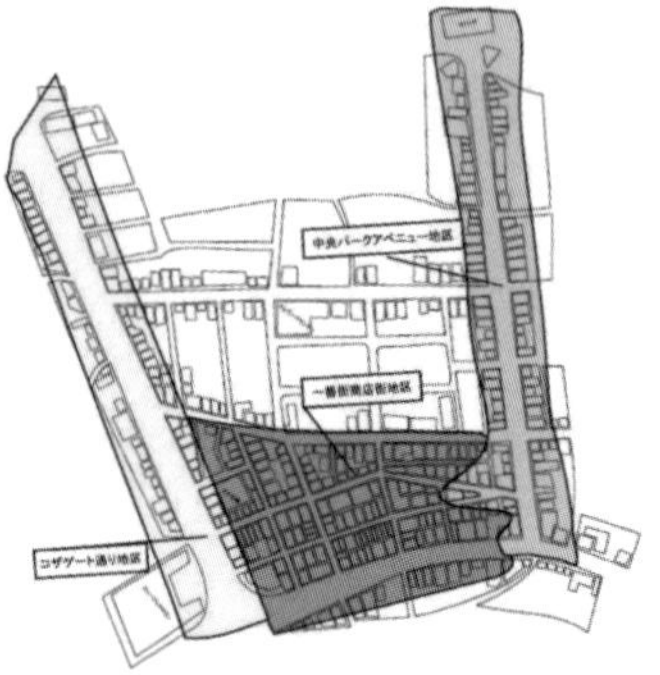

図表４：沖縄市胡屋地区商店街

出所：沖縄県沖縄市経済文化部商工振興課（2016）「胡屋地区商店街まちづくりビジョン調査業務概要委託仕様書」、p.1。

【髭白ゼミの取り組み（初期）】

①沖縄市商業の包括的な調査（二〇一六―二〇一七）：沖縄市胡屋地区商店街（一番街商店街、ゲート通り、中央パークアベニュー）の基礎調査ならびに実態調査、そして、沖縄国際大学の学生を対象にした沖縄市のイメージに関するアンケート調査を実施した。実態調査では、胡屋地区商店街に特別な思いを抱く商店主たちの多さから地元志向の圧倒的な強さが明らかになった。また、大学生を対象にした沖縄市のイメージ調査では、「エイサー」や「音楽」「スポーツ」といった魅力あるコンテンツによって沖縄市ブランドが確立していることと同時に、「治安が悪い」「飲み屋街が多い」などのイメージから沖縄市外の若者が地域内に入り込みづらくなっていることがわかった（図表5）。これらのことから、沖縄市が有するコンテンツの市外への情報発信など、学生が関与しやすい方向で沖縄市胡屋地域の発展を模索することが有効だと考えた。

図表5：沖縄国際大学生が抱く沖縄市に対するイメージ
（n=200、複数回答可、上位10項目を抜粋）

順位	沖縄市のイメージ	回答数
1	エイサー	29
1	何もない・廃れている	29
3	治安が悪い	14
4	音楽の街	12
5	遠い	9

順位	沖縄市のイメージ	回答数
6	広い	7
7	外国人が多い	6
7	活気がある	6
9	飲み屋街	5
9	スポーツ	5

出所：沖縄国際大学・髭白ゼミ(2018)「沖縄市中心市街地調査報告書」、p.37より筆者作成。

【髭白ゼミの取り組み（コロナ禍前）】

②商店街の空きスペースを活用した中高生向け自習スペースの開設（二〇一八）：沖縄市胡屋地域における昼間人口の少なさや、若年層、とくに小学校・中学校・高校の生徒たちが商店街に寄り付かない状況を克服するために、若年層が商店街に対して興味を抱くことを目的とした取り組みである。

③琉球ゴールデンキングス試合観戦＆一番街探検プロジェクト（二〇一八）：沖縄県では人気の高いプロバスケットボールの試合観戦を通じて、若年層の沖縄市への興味を惹起すると同時に、沖縄市観光のリピーターを創出する目的で実施した取り組みである。商店街内にある飲食店の協力のもと、プロスポーツチームのホームタウンならではの特別な経験を顧客に提供して、沖縄市の魅力を発信することも目的のひとつとした。

④ＦＣ琉球アウェー戦パブリックビューイング

図表６：FC琉球アウェー戦パブリックビューイング
（2019）当日の様子

出所：筆者撮影

（二〇一九）：先の③と同様に、沖縄市のプロスポーツコンテンツの魅力を周知し、商店街内の賑わいを創出する目的で実施した取り組みである。商店街アーケードの一角を借りて実施したこの取り組み（図表6）において、とくにFC琉球サポーターの方々が興奮や感動を分かち合う貴重な機会を得られたことから、企画に対する喜びの声を多数いただく結果となった。

【髭白ゼミの取り組み（コロナ禍）】

⑤**起業家に向けた情報発信**（二〇二〇）：コロナ禍の影響により、地域振興の企画立案に取り組むことになった。沖縄市胡屋地区商店街の空き店舗の活用ならびに業種の多様性を強化する目的で、創業支援拠点がある沖縄市胡屋地区の特性を活かした起業家向け情報発信企画を提案した。

⑥**起業支援制度の比較―沖縄市と那覇市―**（二〇二一）：沖縄市と那覇市を対象とした起業支援制度の比較調査を実施した。その結果、沖縄市の起業家に対する支援は比較的手厚く、ベンチャー企業やスタートアップ企業の誘致を実行するために、「起業に適したまち」としてのPR活動が必要であることがわかった。

⑦**宿泊施設のリノベーションによる観光誘客**（二〇二二）：コロナ禍の影響により、二〇二〇年度と同様に地域振興の企画立案に取り組むこととした。沖縄市が保有するエンターテインメントやスポーツなどのコンテンツを活用した県内外の観光誘客と滞在日数の延長を目的にホテルのリノベーション企画を提案した。

2　域学連携の取り組みを通して見えてくる沖縄市中心市街地の課題

ここまで二〇一六年度から二〇二二年度に至る沖縄市における髭白ゼミの取り組みを概観してきたが、域学連携の取り組みの難しさを痛感すると同時に、沖縄市胡屋地区商店街が抱える問題も浮き彫りになってきた。ここで、髭白ゼミの取り組みをしていくなかで明らかになってきた沖縄市中心市街地の商業上の課題とその対策について触れておきたい。

①**自動車交通に過度に依存しないまちづくりの必要性**：自動車ありき、駐車場ありきの発想から脱却して、高齢者の買い物支援を中心とした、地域住民の生活を支える地域型商店街としての再生が必要ではないだろうか。

②**沖縄市中心市街地が持つ地域資源のさらなる活用**：天候に左右されないで回遊できるアーケード商店街の強みを活かしたまちづくりを進める。従来の「エイサー」「音楽」「スポーツ」といったコンテンツと同様に、起業支援に長けた地域であることをPRしながら、関係人口の増加を図る。

③**地域全体が飲食業・小売業に過度に偏りすぎない業種構成を目指す**：沖縄市中心市街地における店舗構成を来街目的別に「買い物」「仕事」「食事」「遊び」「憩い」とバランスよく編成し直すことで、来街者の回遊性を向上させ、滞留時間を増加させることにつなげる。

④**昼間の回遊人口を増加させる取り組みの必要性**：「夜の街」に偏りすぎたイメージの是正を図るために、こどもやファミリー層にアプローチできる昼間のコンテンツづくりが急務である。

たとえば、生鮮食品や生活必需品が日常的に購入できる中規模程度の店舗を配置するなどの検討が必要だろう。

以上のことから、沖縄市における域学連携の取り組みは、その成否に関わらず、大学・地域双方が抱える課題を浮き彫りにする効果をステークホルダーに示したといえるだろう。

五　おわりに

1　域学連携による地域活性化の方向性

ここまで、域学連携の事例を通して、少なくない大学や地域が域学連携の実践にあたって問題を抱えている状況をみてきた。この課題を解決する方法のひとつとして、大学法人が組織として地域貢献に関与するシステムを構築することの必要性もあわせて述べてきた。では、域学連携による地域活性化を実現するために、大学組織や大学教員・大学生は何を成すべきだろうか。以下で、地域と大学がどのように連携・協力体制を整えるべきか、その方向性を示していこう。

①**地域と大学の連携基盤の確立による地域・大学間のコミュニケーション促進**：これは多くの国公私立大学がすでに実践していることであるが、大学組織と地域が連携をスムーズに行うためのプラットフォームの構築が、域学連携にとっては何より重要である。同時に、高知大学の事例でみてきた「地域連携コーディネーター」の役職を、地域ニーズと大学シーズをマッチング

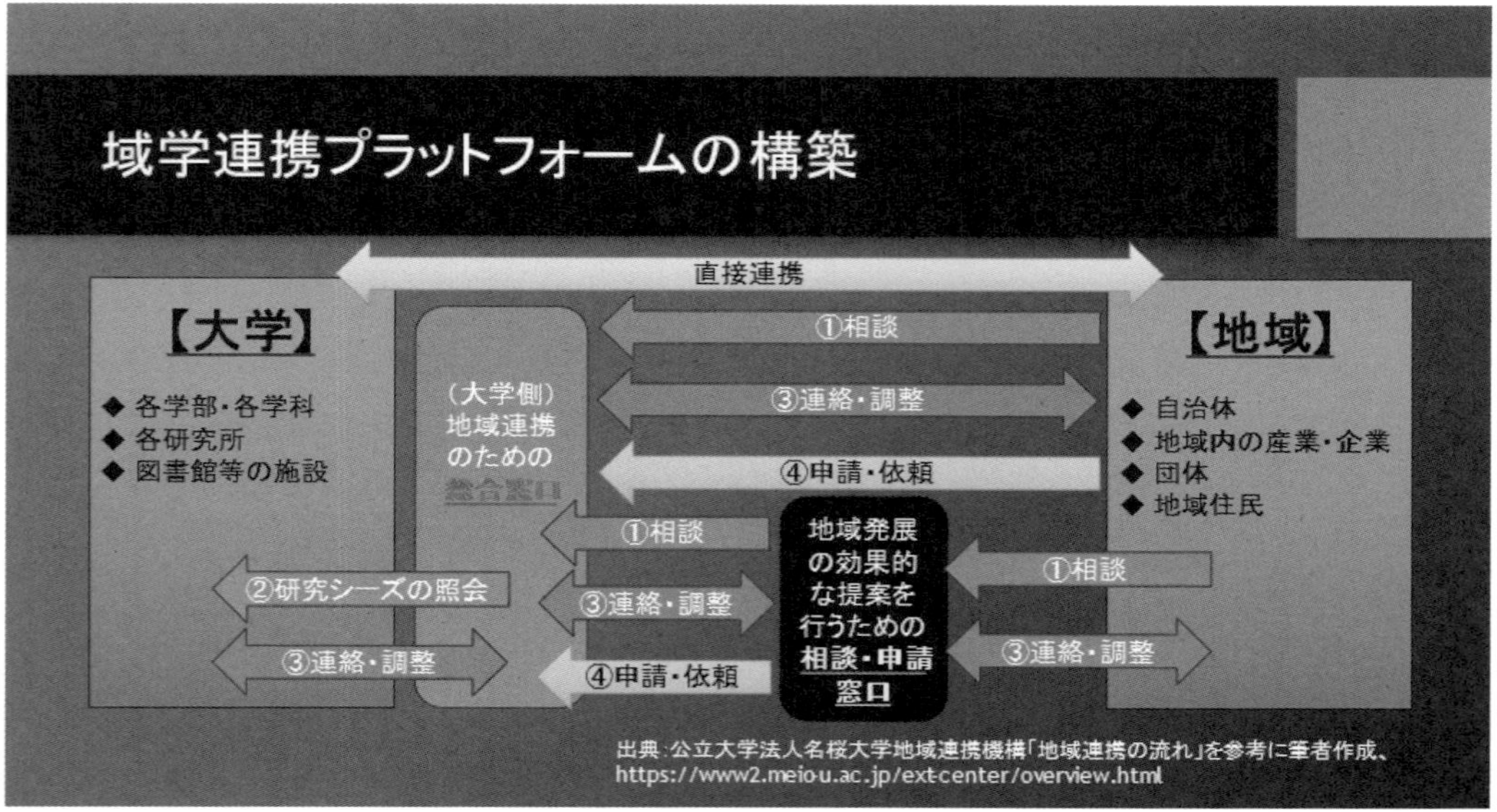

図表７：域学連携プラットフォームの構築

出所：公立大学法人名桜大学地域連携機構「地域連携の流れ」を参考に筆者作成、https://www2.meio-u.ac.jp/ext-center/overview.html（最終アクセス日：2023年10月28日）

させる役割として配置すべきであろう。地域住民や関係者との密な情報交換や意見交流を行うことで、地域と大学が共通の目的や価値観を持ち、協力し合うことで、地域連携の窓口になる組織は信頼関係を構築する際に大きな役割を果たすことができるだろう。そこで、筆者は既存のモデルを参考に、地域連携コーディネーターを地域に極めて近い位置に配置した新たな域学連携プラットフォームを考案した（図表7）。少子化や国公立大学の法人化、女子大人気の低迷など大学を取り巻く経営環境は一層厳しいものになっている。このような状況下において、個々の大学がその存在意義を明確にするためには、地域発展の核となる研究・教育機関を目指すよりほかない。ここで提示した域学連携プラットフォームは、地域・大学間のエコシステム構築や産官学民連携を推進させる役割を果たすことになるだろう。

②持続可能な多世代交流型地域連携活動による大学生と地域住民との信頼関係の構築：大学生と地域住民のあいだの信頼関係の構築は、いずれの域学連携においても大きな課題として挙げられる。この問題を解消するためには、域学連携の活動にあたって、大学生たちが地域住民に対して敬意や感謝を示すことが重要である。そのようにして、大学生が主体となる活動を受け入れてくれる地域の方々とのあいだに情報共有体制を確立することによって、域学連携による地域活性化のための活動をよりスムーズに実現できるようになるだろう。また、地域におけるさまざまな交渉を行う際にも、大学生が地域住民に対して誠実さを示すことで信用や評価を得ることできる。このように、域学連携において、地域と大学のあいだの信頼関係は、互いの目的

や価値観の共有、情報交換の定期化、敬意や感謝、誠実さなどの方法で構築されることがわかる。さらに思いやりや協働によって、信頼関係の質を向上させることもできるだろう。

③地域資源の高付加価値化を推し進める地域マーケティングの取り組み：域学連携においては、高い専門性を持つ大学教員の助言や、大学生たちの柔軟な発想によって、地域資源を新しい切り口で解釈し、新たな価値を付加するためにマーケティングの視点が必須となる。地域の持つ独自の資源を魅力的な商品やサービスに変換することで、地域のブランド力向上を目指すことが必要となるだろう。

④まちづくりに関わる大学生たちの地域定着を図る取り組み：域学連携は、地域の課題解決に貢献するばかりでなく、大学生たちにとって有意義な学びや体験の場となる。しかし、域学連携において、大学生たちが地域に定着することは容易ではない。地域に対する理解の不十分さや、地域に対するモチベーションの低さに起因する地域への無関心は常につきまとう。域学連携の活動を通して大学生たちを地域に定着させるためには、みずからの専門性を活かすかたちで地域課題の解決に貢献させると同時に、みずからの成果や貢献を可視化するための取り組みが必要である。それによって、大学生たちは自己肯定感を高く持つことが可能になり、地域に対して関与を深めたいという思いを持つことができるのである。

2　今後の課題

本稿においては、域学連携を実践するうえでの課題を明らかにすると同時に、いくつかの事例を分析するなかで、域学連携の有用性をある程度示すことができたものと考える。しかし、大学法人や地域連携コーディネーターが担う役割について、その詳細を明らかにするところまで研究を進めることができなかった。また、域学連携プラットフォームのモデル構築についても、地域連携の推進の中核を担う部署や人材の最適な配置、地域ニーズの汲み上げと大学シーズの効果的なマッチングに至る工程については、再考の余地があると考えている。

沖縄国際大学においても、大学内部の組織や体制を整備し、全学的な取り組みとして域学連携を推進していくことは必要不可欠となっている。そうして地域と大学が協働することによって、沖縄県における人材育成や地域の活性化を最適な形態で推し進めることができるようになるだろう。本稿が、域学連携の取り組みを推進させる、ひとつのきっかけになれば幸いである。

【謝辞】

本研究は沖縄国際大学特別研究費（特定研究(C)）の支援を受けたものである。

【注】

(1)　総務省―地域力の創造・地方の再生―「域学連携」地域づくり活動（soumu.go.jp）、https://www.

soumu.go.jp/main_sosiki/jichi_gyousei/c-gyousei/ikigakurenkei.html（最終アクセス日：二〇二三年一〇月三一日）

(2) 地域創生や地域デザイン、地域協働、社会共創など、名称はさまざまであるが大学の学部において、地域振興や観光振興、地域政策などを学ぶ機会は以前に比べて増加している。沖縄県においては、琉球大学国際地域創造学部や名桜大学国際学部がこれに該当する。

【参考文献】

[1] 大西正志・竹内康博・佐藤亮子・山口信夫・米田誠司・宇都宮千穂編著（二〇一六）『地域と連携する大学教育の挑戦 愛媛大学法文学部総合政策学科地域・観光まちづくりコースの軌跡』ぺりかん社

[2] 足立基浩・石原武政、渡辺達朗（二〇一八）「第12章 学生たちのまちづくり」、石原武政・渡辺達朗編著『小売業起点のまちづくり』碩学舎、二一三—二二九頁

[3] 赤池慎吾・大﨑優・岡村健志・梶英樹編著（二〇一九）『地域コーディネーションの実践 高知大学流地方創生への挑戦』晃洋書房

[4] 山田浩久編著（二〇一九）『地域連携活動の実践 大学から発信する地方創生』海青社

[5] 髭白晃宜（二〇二一）「中心市街地活性化の取り組みの多様化と課題—沖縄市・コザにおける学生によるまちづくりの事例から—」『産業総合研究』第29号、沖縄国際大学総合研究機構産業総合研究所、一九—三三頁

[6] 栗田匡相編著（二〇二二）『エビデンスで紐解く地域の未来』中央経済社

ＤＸ時代における行政の対応

前村昌健

前村　昌健・まえむら　しょうけん

【所属】 産業情報学部産業情報学科　教授

【主要学歴】 明治大学大学院政治経済学研究科博士後期課程(経済学専攻)満期退学

【所属学会】 日本地方自治研究学会、日本財政学会

【主要著書・論文等】

・「渦状縮小型地域からの脱却と財政」『政経論叢』第八十七巻第三・四号、明治大学政治経済研究科、二〇一九年三月

・『財政学』池宮城秀正編著、第四章租税の基礎理論、第七章公債執筆、ミネルヴァ書房、二〇一九年三月

・『国と沖縄県の財政関係』、池宮城秀正編著、第三章歳出構造、第八章地方債執筆、二〇一六年二月

・『沖縄の観光・環境・情報産業の新展開』(共著)、沖縄国際大学産業総合研究所、二〇一五年

・「情報化と行政サービスについて」『産業総合研究』調査報告書第二〇号、二〇一二年三月

※役職肩書等は講座開催当時

はじめに

一九九〇年代以降、インターネットの普及にみられるように世界的な情報化の波が強まった。私たちの生活や企業活動にも大きな影響が及び生活様式や生産様式にも大きな変革がおこった。このような中で、わが国において電子政府の構築やネットワークを通じた行政手続きの推進などに取り組んできたが、その進展は緩慢であり、諸外国と比較してもわが国の行政の情報化が進んでこなかったことが鮮明となっている。二〇一一年の東日本大震災、二〇一九年の新型コロナウイルスの蔓延は、民間部門や行政においてデジタル化を推進することの重要性をさらに認知させるものであった。この章では、行政のＤＸについてとりあげ、わが国の行政の情報化の推移、ＤＸ推進状況および課題を取り上げる。

一　情報化と行政のＤＸについて

1　情報と情報化

情報という概念は幅広いものである。たとえば、日常生活の中で野菜や洋服の価格、あるいは株価といった経済的な情報もあるし、天気といった暮らしの情報もある。また、インターネットのホームページの内容や電子メールの内容も情報である。さらに生き物のＤＮＡの配列や宇宙の天体の運行といったことも情報と捉えられる。このように人間や社会、自然や宇宙に関連するものがすべて情報といえるのかもしれない。梅棹忠夫は「すべての存在それ自体が情報である」[(1)]と述べており、情報の一義的な定義づけを行うことは容易ではない。

情報とは、様々な様式や表現形式（符号、言語、記号、身振り、表情など）をとり、送信者から受信者へなんらかの意味を伝えるものであり、またわれわれの関心の対象となり、意思決定になんらかの影響を及ぼすようなデータやメッセージ、知識など、当事者であるわれわれにとっては、他のメッセージ一般とは異なった意味をもつ、これが狭義の情報である。つまり、情報とはわれわれの関心の対象となり、送り手から受け手へ伝える意味をもった内容のもので、意思決定に影響を及ぼすものと理解してよいであろう。

情報化については、二〇世紀後半におけるコンピュータの発達による情報処理、計算技術の急速な発達、情報通信の発達による大量かつ急速な情報伝達の発展、そして社会生活全般にわたる大量の情報の利用などを全体として表現していると考えられる。また情報化社会は、広義の情報概念にかかる技術に基づく機器、およびそれを利用した活動が日常生活を支え、狭義の情報概念に属する情報がわれわれの日常生活における価値判断や意思決定を支える度合いを強める社会であると言える。このことから情報化とは、情報技術及び機器の発展によって意味をもった大量の情報が急速に伝達利用され、情報が家計や企業、行政といった経済主体の価値判断や意思決定の度合いを強めることであると捉えられ、これが進展した社会が情報化社会であると理解できる。

情報は、その内容が価値を持ち、また希少性をもつことによって、個人や企業、行政などのニーズの対象となり、市場により取引される経済財としての性質を持つのであり、また情報化の進展により新しい形態の情報財が出現する可能性とその問題が浮かび上がっている。さらにインターネットに代表される情報ネットワークが発展してくると、情報が「ネットワーク経済性」といった性質を強く持つようになってくる。これは、情報ネットワークに加入しているさまざまな主体間で情報が共有されることにより、その共有された情報が非常に大きな効率を生み出していく、つまり情報の専有価値とは違った意味の価値が生み出されていくということである。

2 情報化と行政

国や地方公共団体といった行政の役割は、民間部門（企業、家計）の活動を促すしくみを整え、市場を通じては供給が不可能か困難な社会資本、教育、年金や医療保険といった公共サービスを供給することにある。このため、現行の行政制度の下で、組織を編成し、公務員を雇い、様々な行政情報を収集し、サービスを提供している。行政は巨大な情報機関であるといっても過言ではない。行政において情報化が進むということは、国や地方公共団体においてすべての職員、諸機関にコンピュータが配置され、それがネットワークでつながるというハード面での進展と、すべての行政情報が行政内において相互にやり取り可能となり、必要な情報の利用が容易となり、情報の収集、蓄積、分析、伝達といったコストが削減でき、さらに行政情報を政策形成や政策評価により活かすことが可能となるといったソフト面の進展が考えられる。さらに、行政のネットワークに企業、個人のアクセスが容易になると民間部門との様々な情報のやり取りが可能となり、ネットワーク経済性が益々高まり、より大きな価値を生み出すことになる。例えば、ネットワークを通じた行政の諸手続きの電子化や、行政ニーズの把握、情報公開の促進といったように民間部門との関係を深め、より良い行政への可能性を高めることになる。

国や地方公共団体といった行政の保有する情報は、基本的には公共性を持つものであり、したがって個人や民間企業の保有する情報のように市場において経済財として頻繁に取引されるものではない。逆に、行政情報の多くは、一部の個人情報や機密情報を除いて国民や企業に公開され伝達されることにより活用され、その活動を促し価値を生み出すのである。このように、行政の有する行政情報については、正の外部効果が大きく、ネットワーク経済性が高いといえる。このことはまた行政の情報化や情報の公開を促進すべき理由の一つであるといえよう。

3 行政のDX

DXとは、英語のDegital Transformationの略語である。Degital（デジタル）とは、連続しないとびとびの数値、たとえば0と1で表示する形式で、デジタル時計のように数字で時間が表示されるものである。Transformation（トランスフォーメーション）とは英語で「変革」を意味している。英語の略語であればDegital（デジタル）とTransformation（トランスフォーメーション）

で「ＤＴ」となりそうであるが、Transformation（トランスフォーメーション）に「Ｘ」の略語が使われ「ＤＸ」と呼んでいる。Transformation（トランスフォーメーション）のTransの文字には「交差する」という意味もあり、交差して変わるということを象徴して「Ｘ」の符号が用いられていると説明することが多い。つまりＤＸとは、デジタル技術を活用して、社会を変革していくことである。

企業や家計といった民間部門におけるＤＸの推進が重要となるが、あわせて行政のＤＸの推進も極めて重要である。では、なぜ行政のＤＸ推進が求められているのであろうか。(2)

第一に行政が提供している公共サービスは情報が関連する事が多く、ＤＸを活用して公共サービスの効率的な提供が可能となる。住民に身近な市町村の公共サービスは、主に住民票や印鑑証明といった各種証明書の発行、小学校・中学校の運営といった教育サービス、老人福祉・児童福祉といった福祉サービスなどである。これらの公共サービスをＤＸにより効率的に提供できる。

第二に、わが国の少子高齢化、人口減少への対応である。わが国は出生率が低下し、また平均寿命が高まることにより少子高齢化・人口減少時代を迎えている。企業においても労働力の確保が大きな課題となっているが、行政においても今後、公務員として従事する人数が減少し、労働力確保の課題がある。ＤＸを進めることにより行政の効率化を進め、少ない公務員で公共サービスを提供していくことが求められている。行政の定型的な業務はＤＸにより効率化し、福祉や教育といった対面によりサービスを提供したほうが望ましい分野へ人材を充てることができる。

第三に、公共サービスの内容が多様化していることである。一般的、標準的は公共サービスの提供は各自治体で対応している。今後は自治体ごとのニーズに応じた公共サービスの提供が求められており、DXにより多様化する公共サービス提供に対応することが可能となる。

第四に、災害や有事の際にDXを活用することである。わが国の場合、二〇一一年の東日本大震災の際に、市町村役所の戸籍正本などの重要な資料が地震や津波により喪失し、被害者支援が遅れた経緯がある。また、二〇二〇年以降のコロナウイルス蔓延の際に感染状況の把握、ワクチン接種手続き、コロナ関連交付金支出の手続きに大きな混乱が生じた。あるいは、戦争や紛争の際に、国民や住民の重要なデータをデジタル化して分散して保持することが必要となる。

二　行政情報化の推移

わが国の情報化戦略は、一九六七年に通産省が産業構造審議会に情報産業部会を設置したのが始まりである。それ以後、情報産業部会は、情報化政策の提言を積極的に行うことになり、日本の情報化戦略のひとつの中心を形成することになる。また、一九七〇年には郵政省が通信政策課を設置し、電気通信制度の整備を開始し、これが日本の情報化戦略のもうひとつの核となっていく。

一九七七年の第三次全国総合開発計画（三全総）では、地域開発の推進のため、地域情報化が取り上げられ、情報ネットワーク構築の必要性が主張された。また、一九八三年には、郵政省のテレトピア構想、通産省のニューメディア・コミュニティ構想が打ち出された。この二つの構想は、内容的にはほとんどかわらないものであり、地域に対する補助手段に違いがある程度と考えられる。一九八三年にはこのように地域情報化に関連する政府の構想が華々しく打ち出されたので、「ニューメディア元年」と呼ばれたり、「第一次地域情報化ブーム」が起こった年でもある。

一九九〇年には、自治省から「地方公共団体における地域の情報化の推進に関する指針」が発表され、第二次地域情報化ブームが始まった。一九九四年度には、九九年度までの五ヵ年計画である「行政情報化推進計画」を閣議決定された。これは、中央官庁の行政情報化を積極的に進め、中央官庁における一人一台のパソコン整備や各省庁間のＬＡＮ、霞ヶ関ＷＡＮの整備を図ろうというものであった。米国はすでに九三年において、情報スーパーハイウェイ構想において電子政府の考え方が打ち出されていたが、わが国の場合は、行政情報化推進計画の決定時点においても電子政府という言葉は使われず、ＩＴ（情報技術）によって行政改革を進めるという考え方が打ち出されたわけではない。

一九九五年五月には「情報公開法」が成立した。同法は外国人や法人を含め、すべての人に行政文書の開示を請求する権利を認めたもので、個人や法人の権利を侵害する恐れのある文書や国の安全保障にかかわる情報などを除き、原則公開されるというものである。薬害エイズ問題をはじめとした行政機関の情報公開が大きな問題となったが、この情報公開法の成立により「開かれた行政」に向けて一歩を踏み出すことになった。

一九九七年にはインターネットの急速な普及、急速な技術の進歩、行政改革と情報化による「電子政府実現にむけた改革」という米国の取り組みの重要性を認識し、情報技術を事務処理効率化のために道具として使うだけでなく、従来の制度・慣習や業務プロセスを変革し、国民との関係を変え、組織を改革していくために道具として活用していくという方針に転換していった。

一九九八年八月には「住民基本台帳法の改正」が成立した。全国民に一一桁の住民票コードを割り当てる。住民基本台帳法改正＝全国民に一一桁の番号を割り当て、全国どこでも住民票の交付が可能になるというものである。住民票の異動手続き、交付の利便性向上、ワンストップサービス実現のための住民基本台帳番号、ＩＣカードの基盤整備、住民、土地に関する情報の共有化、情報技術によるアクセスの乱用監視などがとりあげられた。

一九九九年一〇月には、新しいミレニアム（千年紀）を目前に控え、人類の直面する課題に応え、新しい産業を生み出す大胆な技術革新に取り組む「ミレニアム・プロジェクト」が打ち出された。この中で二〇〇三年までに、民間から政府、政府からの行政手続をインターネットを利用しペーパーレスで行える電子政府の基盤を構築することが表明された。さらに、二〇〇〇年七月には、内閣に総合的な施策を推進する「ＩＴ戦略本部」が設けられ、具体的に「ＩＴ戦略会議」が動き出した。わが国のＩＴ革命と知識創発型社会への移行の重要性、新しい国家基盤の必要性といった観点からＩＴ基本戦略が打ち出された。

この中で二〇〇三年までに行政（国、地方公共団体）内部の電子化、官民接点のオンライン化、行政情報のインターネット公開・利用を促すなどといった電子政府の実現が取り上げられている。

表―１は二〇〇〇年以降のわが国の情報化の進展を示している。これによると二〇〇〇年に「ＩＴ基本戦略」、二〇〇一年には「e-japan戦略」が策定され、電子政府、電子自治体の構築を目指した。二〇一一年に東日本大震災といった未曾有の災害が発生した。住民票や戸籍といった住民のデータが流失し、被災者証明の発行が遅れ被災者支援が滞るなど大きな支障が生じた。このことから、災害時においても重要な業務を平時と同様に継続できるように情報通信システムやデジタル技術を活用できる環境を整備することが重要であるとの認識が高まった。これに対応して二〇一三年に「行政手続きにおける特定の個人を識別するための番号利用等に関する法律」を制定し、マイナンバー（個人番号）制度を推進することとなった。また二〇一六年には

表－１．行政の情報化の推移

2000年	「IT基本戦略」策定
2001年	「e-japan戦略」策定、電子政府、電子自治体の推進
2003年	行政手続きのオンライン化に関する関係三法施行
2013年	「行政手続きにおける特定の個人を識別するための番号利用等に関する法律（番号法）」成立
2016年	官民データ活用推進基本法成立・施行
2017年	デジタルガバメント推進方針策定
2018年	世界最先端のデジタル国家創造宣言
2019年	デジタル手続き法（行政手続きのオンライン化法）
2020年	デジタル社会の実現に向けた改革の基本方針、自治体DX計画策定
2021年	デジタル改革関連法案成立、「デジタル庁」の設置
2022年	「デジタル田園都市国家構想」策定

官民データ活用推進基本法が成立し、行政の有する情報をオープンにして企業や国民に活用してもらうオープンデータを推進することとなった。しかしながら、このような行政の情報化を進める基本法を制定したものの具体的な施策の実施は緩慢なものであった。

二〇一九年には新型コロナウイルスが発生し、翌年には日本をはじめとして世界的に感染が拡大した。新型コロナウイルスの蔓延によって、対面や接触を避け、リモートにより活動するなど働き方や生活様式に大きな変化が生じた。この変化に対応するためにデジタル技術を活用することが重要であるとの認識がますます高まっていった。しかしながら、行政の情報化、デジタル化を着実に進めてきた諸外国に比較して、わが国は民間部門や行政部門の遅れが露呈し、新型コロナウイルス対策を十分に行うことができなかった。たとえば、特別定額給付金（一〇万円給付）や雇用調整助成金のオンライン申請を巡り混乱が生じたり、保健所への感染者数報告の大部分がＦＡＸなどのアナログ手法であったことである。また、新型コロナウイルス接触確認アプリのＣＯＣＯＡが十分に機能しなかったこともあげられる。

このような状況でデジタル化の推進は、わが国にとって極めて重要であるとの認識が高まり、デジタル改革を進めることが最重要課題となった。そして、民間部門、行政部門のデジタル改革を主導する中心機関として二〇二一年九月に「デジタル庁」が設立された。その後、各自治体においても「ＤＸ推進計画」を策定し、デジタル化を進めていくこととなった。さらに二〇二二年には、デジタル化の推進による新しい地域づくり・国づくりとして「デジタル田園都市国家構想」が打ち出された。デジタル田園都市国家構想は、地方の抱える課題をデジタル技術により解決し、これをわが国の発展に結びつけようというものである。

わが国の情報化政策は一九六〇年代からはじまり、特にインターネットが発展していった一九九〇年代、二〇〇〇年代に入り、次々と打ち出されていった。東日本大震災や新型コロナウイルスの蔓延により行政情報化の推進が重要であるとの認識は高まったものの、当初の目標とは程遠く、行政の情報化も緩慢なものであった。長年の取り組みにもかかわらず遅々として進まないのは、行政の縦割り構造や現場の抵抗、横断的かつ強い権限を持ち行政の情報化を進める中心的な機関の不在、情報化人材の不足、国民や住民といった使う側の視点が欠如していることなどがあげられている。(2)

三　沖縄県ＤＸ推進計画について

１　沖縄県ＤＸ推進計画

ここで沖縄県の行政の情報化の基本である「沖縄県ＤＸ推進計画」についてみておこう。

沖縄県は、これまで「おきなわＩＣＴ総合戦略」を策定し、豊かな県民生活、産業の活性化、行政サービスの向上等の実現に向けて、離島・過疎地域を海底光ケーブルで結ぶなどの情報通信基盤の整備のほか、行政手続のオンライン化の推進や離島地域での医療・福祉・教育分野におけるＩＣＴ利活用に向けた実証実験、リゾート地である沖縄の各産業に、テクノロジーを掛け合わせて付加価値の向上を目指す「リゾテックおきなわ」の取組を通した産業振興などを推進してきた。デジタル技術は、社会課題の解決や経済・産業構造の変革等を図り、持続的発展を実現するためには、欠くことのできないツールであり、ICT利活用の取組に加えて、あらゆる領域においてDXの推進に取り組む必要がある。

沖縄県は、令和四年度から令和一三年度までの一〇年間の基本計画である「新・沖縄二一世紀ビジョン基本計画」においても、DXの推進を重要施策の一つと位置づけており、二〇二二年に「沖縄県DX推進計画」を策定している。今後、沖縄県の行政の情報化は、この計画を基に推進されていく予定である。

沖縄県DX推進計画は、おきなわICT総合戦略の後継計画として、新・沖縄二一世紀ビジョン基本計画と整合した、本県の今後一〇年におけるDXの推進に係る総合計画である。この計画は、沖縄県におけるICT利活用／DX推進のみな

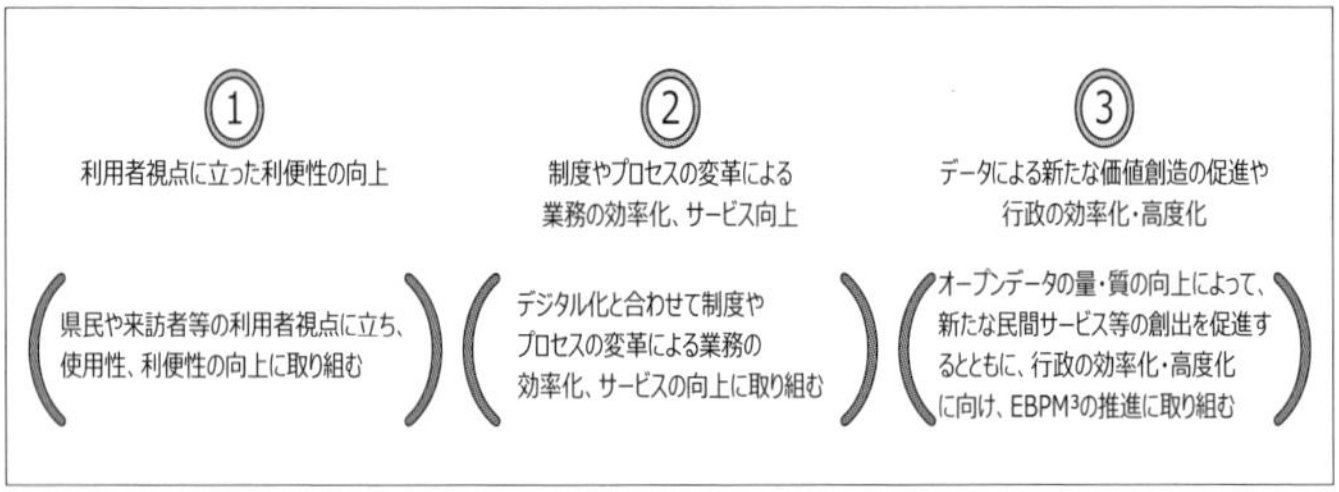

図－１．沖縄県DXの基本姿勢

（出所）「沖縄県DX推進計画」より引用

らず、県民、行政、企業・団体、教育・研究機関等の様々な主体がＩＣＴの利活用やＤＸの推進に取り組む際の指針と位置づけられる。また、官民データ活用推進基本法において策定を義務づけられている都道府県自治体の官民データ活用推進計画としても位置付けられる。

この計画においては、ＤＸを推進するにあたっての考え方や取組の姿勢について、「ＤＸ推進の基本姿勢」として三つ定めている（図―1参照）。ＤＸにおいては、単に新たな技術を導入するだけでなく、デジタル技術やデータも活用して、利用者目線に立ち、業務の効率化・改善による利便性向上や新たな価値を創造するといった、利用者視点の改革を行うことが目的である。

四　沖縄県の行政のＤＸ、進捗状況

1　都道府県別のマインナンバーカード交付率

表―2は令和五年八月現在の都道府県別マイナンバーカードの交付率である。これを見るとマイナンバーカードの交付率は都道府県の経済状況や財政状況との関連性は低く、個々の自治体のマイナンバーカード普及の取り組みによる相違が大きいと考えられる。また、人口規模が比較的小さい自治体の交付率が高く、人口規模が大きい大都市の自治体は交付率が低い傾向にある。人口規模の大きい都市部ほど、自治体による住民へのマイナンバーカード普及の周知が容易ではなく、住民のマイナンバー登録が遅れがちになると考えられる。

表－２．都道府県別のマイナンバー交付率(令和５年８月現在)

	都道府県名	人口（R5.1.1時点）	交付枚数(累計)	保有枚数	人口に対する保有枚数率
1	宮崎県	1,068,838	925,512	861,573	80.6%
2	鹿児島県	1,591,699	1,293,547	1,229,129	77.2%
3	佐賀県	806,877	648,340	616,514	76.4%
4	鳥取県	546,558	437,221	416,313	76.2%
5	山口県	1,326,218	1,064,092	1,006,018	75.9%
6	広島県	2,770,623	2,217,667	2,099,117	75.8%
7	岐阜県	1,982,294	1,580,431	1,501,190	75.7%
8	秋田県	941,021	746,090	712,314	75.7%
9	愛媛県	1,327,185	1,053,140	1,001,862	75.5%
10	山形県	1,042,396	822,438	784,507	75.3%
11	福井県	759,777	598,394	571,244	75.2%
12	富山県	1,028,440	810,063	772,770	75.1%
13	島根県	658,809	522,825	494,426	75.0%
14	石川県	1,117,303	879,120	837,861	75.0%
15	静岡県	3,633,773	2,860,326	2,703,420	74.4%
16	熊本県	1,737,946	1,356,270	1,288,794	74.2%
17	和歌山県	924,469	718,034	684,760	74.1%
18	大分県	1,123,525	875,918	831,927	74.0%
19	香川県	956,787	741,513	705,988	73.8%
20	滋賀県	1,413,989	1,100,156	1,042,144	73.7%
21	奈良県	1,325,385	1,035,821	976,034	73.6%
22	長崎県	1,306,060	1,019,230	959,232	73.4%
23	岡山県	1,865,478	1,434,956	1,365,096	73.2%
24	新潟県	2,163,908	1,652,035	1,582,651	73.1%
25	青森県	1,225,497	939,905	890,748	72.7%
26	兵庫県	5,459,867	4,215,160	3,961,081	72.5%
27	福島県	1,818,581	1,394,773	1,317,342	72.4%
28	岩手県	1,189,670	907,350	860,217	72.3%
29	宮城県	2,257,472	1,711,019	1,628,900	72.2%
30	愛知県	7,512,703	5,753,727	5,419,274	72.1%
31	福岡県	5,104,921	3,852,056	3,675,322	72.0%
32	栃木県	1,929,434	1,468,162	1,387,803	71.9%
33	山梨県	812,615	614,605	582,590	71.7%
34	千葉県	6,310,075	4,754,868	4,515,876	71.6%
35	群馬県	1,930,976	1,457,467	1,378,953	71.4%
36	茨城県	2,879,808	2,184,370	2,055,318	71.4%
37	三重県	1,772,427	1,338,156	1,259,012	71.0%
38	神奈川県	9,212,003	6,901,426	6,505,322	70.6%
39	北海道	5,139,913	3,810,880	3,627,709	70.6%
40	徳島県	718,879	535,042	507,348	70.6%
41	大阪府	8,784,421	6,520,428	6,144,516	69.9%
42	長野県	2,043,798	1,501,142	1,428,328	69.9%
43	京都府	2,501,269	1,854,738	1,744,696	69.8%
44	埼玉県	7,381,035	5,387,958	5,126,233	69.5%
45	高知県	684,964	493,871	472,692	69.0%
46	東京都	13,841,665	10,204,086	9,471,173	68.4%
47	沖縄県	1,485,526	937,536	882,068	59.4%

（注）①総務省「マイナンバーカードの交付状況」より引用
②計交付枚数とは再交付、更新を含む、これまでに有効に受付され交付された枚数である。
保有枚数とは現に保有されている枚数であり、交付枚数から死亡や有効期限切れになったカードを除いた枚数である。

交付率の最も高い宮崎県（八〇・六％）と最も低い沖縄県（五九・四％）との差は二一・二％と大きい。宮崎県は、沖縄県と同様に財政力指数Dグループ（財政力指数〇・三以上〇・四未満の自治体、令和三年度は沖縄県を含めて一四自治体が含まれる）に属し、一人当たりの県民所得や財政力が高いわけではない。宮崎県の場合、ショッピングセンターや各種のイベント会場で仮設のマイナンバーカード申請窓口を設け、職員がタブレットで来場者にマイナンバーカード手続きを支援したり、専用車を設け申請希望者への出張申請を支援している。また、マイナポータルで可能な申請手続きの種類を増やし、手数料についてオンライン納付も可能としている。さらに、ふるさと納税について、確定申告が不要になるマイナンバーアプリを開発し、寄付者はマイナンバーカードをスマートフォンにかざすだけで申告が完了できる仕組みを構築している。これによって宮崎県はふるさと納税額が全国で第一位となっている。このように、経済力や財政力により普及率の相違が生じているわけではなく、自治体の取り組みによって大きな相違がでているといえる。因みにマイナンバーカードの交付率が高い上位の鹿児島県（七七・二％）、佐賀県（七六・四％）、鳥取県（七六・二％）も沖縄県と財政力が同水準にある財政力指数Ｄグループに属している。財政力指数Ｄグループで交付率の低い県は徳島県（七〇・六％）、高知県（六九・〇％）、沖縄県（五九・四％）である。

マイナンバーカードの普及は行政のＤＸ推進において重要な役割をもっており、マイナンバーカードの普及と活用が行政のＤＸ推進を大きく左右するといっても過言ではない。今後、マイナンバーカードについては、免許証、健康保険証、介護保険証と一体化すること、スマートフォンにマイナンバーカードを組み込み、カードを持ち歩くことなく利便性をたかめるなどの方向性が示されている。また、すでにマイナンバーカードの個人認証をクレジットカードの作成や住宅ローンの申請手続きに活用したり、あるいは病院での診察手続きに活用したりといった民間での活用も拡充しつつある。

このような中で、マイナンバーカード交付率が全国最下位の沖縄県について、その普及に向けてよりいっそう取り組む必要があろう。

2　沖縄県市町村のマイナンバーカード交付率（令和五年八月現在）

次に表―3により沖縄県下四一市町村のマイナンバーカード交付率をみてみよう。都道府県の交付率と同様に、沖縄県下四一市町村の交付率についても経済力や財政力との関連性は低い。また、人口規模の小さい自治体の交付率が高く、人口規模の大きな都市部の交付率は低い傾向がみてとれる。このことから、県下市町村のマイナンバーカード交付率についても個々の市町村の普及の取り組みによる相違が大きいと考えられる。

交付率が上位の自治体は、離島の座間味村（七七・七％）、伊江村（七二・九％）、本島北部の東村（七〇・六％）である。全国平均が約七二％であることから、座間味村、伊江村、東村は全国並みかそれを上回る水準にあるが、県下のほとんどの市町村は全国平均に達していない。市部では那覇市（五七・六％）、名護市（五二・三％）が低い水準である。また、交付率が最も高い座間味村（七七・七％）と最も低い多良間村（四五・二％）の差は三二・五％と際立って大きい。個別の市町村の普及の取り組みに大きな相違があると考えられる。個別の市町村は普及に対する取り組みをよりいっそう推進する必要があるとともに、県や国は交付率の向上に向けた市町村への支援策を充実させる必要がある。

表－3．県内市町村のマイナンバー交付率（令和５年８月現在）

	市町村名	人口	累計交付枚数	保有枚数	人口に対する保有枚数率		市町村名	人口	累計交付枚数	保有枚数	人口に対する保有枚数率
1	座間味村	895	778	695	77.7%	22	南風原町	40,642	25,451	24,479	60.2%
2	伊江村	4,366	3,559	3,183	72.9%	23	宜野座村	6,303	3,914	3,763	59.7%
3	東村	1,752	1,307	1,237	70.6%	24	西原町	35,728	22,244	21,180	59.3%
4	与那原町	20,003	14,457	13,719	68.6%	25	今帰仁村	9,364	5,646	5,511	58.9%
5	伊平屋村	1,213	858	810	66.8%	26	うるま市	125,973	80,079	73,682	58.5%
6	渡嘉敷村	695	502	464	66.8%	27	沖縄市	142,679	89,361	83,080	58.2%
7	竹富町	4,288	3,127	2,843	66.3%	28	糸満市	62,569	38,843	36,145	57.8%
8	国頭村	4,504	3,195	2,970	65.9%	29	北谷町	29,056	17,942	16,785	57.8%
9	伊是名村	1,308	1,050	853	65.2%	30	北中城村	17,936	10,522	10,313	57.5%
10	石垣市	49,530	34,215	32,199	65.0%	31	那覇市	317,030	195,339	182,072	57.4%
11	浦添市	115,702	78,586	73,888	63.9%	32	南大東村	1,210	746	693	57.3%
12	八重瀬町	32,630	21,279	20,754	63.6%	33	大宜味村	3,044	1,750	1,719	56.5%
13	中城村	22,409	14,259	14,146	63.1%	34	与那国町	1,725	1,030	955	55.4%
14	渡名喜村	317	206	200	63.1%	35	恩納村	11,298	6,731	6,240	55.2%
15	豊見城市	65,954	43,931	41,526	63.0%	36	宮古島市	55,562	31,395	30,157	54.3%
16	南城市	45,928	30,194	28,564	62.2%	37	粟国村	666	426	358	53.8%
17	北大東村	542	389	335	61.8%	38	本部町	13,002	7,197	6,868	52.8%
18	久米島町	7,413	4,832	4,560	61.5%	39	名護市	64,290	34,769	33,627	52.3%
19	宜野湾市	100,269	65,453	61,499	61.3%	40	金武町	11,451	6,258	5,854	51.1%
20	嘉手納町	13,154	8,518	8,064	61.3%	41	多良間村	1,085	502	490	45.2%
21	読谷村	42,041	26,696	25,588	60.9%						

（注）①総務省「マイナンバーカードの交付状況」より作成
②累計交付枚数とは再交付、更新を含む、これまでに有効に受付され交付された枚数である。
保有枚数とは現に保有されている枚数であり、交付枚数から死亡や有効期限切れになったカードを除いた枚数である。

3　市町村クラウドの導入状況

クラウド（雲）とは、ユーザーがシステムやソフトウェアを持たなくても、インターネットを通じて、サービスを必要な時に必要な分だけ利用できるという概念である。クラウド（雲）と呼ばれるのは、ユーザーから把握しにくいネットワークの先にあるサーバーなどの実態を表す際に、雲の図を使ったからという説が有力である。

自治体におけるクラウドは、庁舎外に設置したデータセンターで情報を共同管理・運営し、複数の自治体がインターネットを経由して共同利用できるようにする仕組みである。従来は、各自治体が庁舎内にサーバーを設置し、個別に構築されたシステムを職員が管理・運用する仕組みが一般的であり、運用コストが嵩んだり、セキュリティ対策の問題を抱えていた。自治体においてクラウドを導入し、またいくつかの自治体が共同でクラウドを活用することにより、経費の削減やセキュリティの強化が可能となる。

たとえば愛知県豊橋市・岡崎市のクラウドの例がある。全国初の人口三〇万人以上の中核都市における共同利用となった事例である。度重なる法改正対応の改修によりシステムが複雑化し、職員による開発・運用が困難となっていたことや運用・保守の委託費用の高騰、災害時の業務継続性の確保などを背景に実施された。二〇一一年から順次国民健康保険・国民年金・税総合のシステムを共同化している。実施スタートから五年間のトータルコストは国民健康保険・国民年金システムにおいて四六％ダウン、税総合システムにおいて四五％ダウンを実現している。

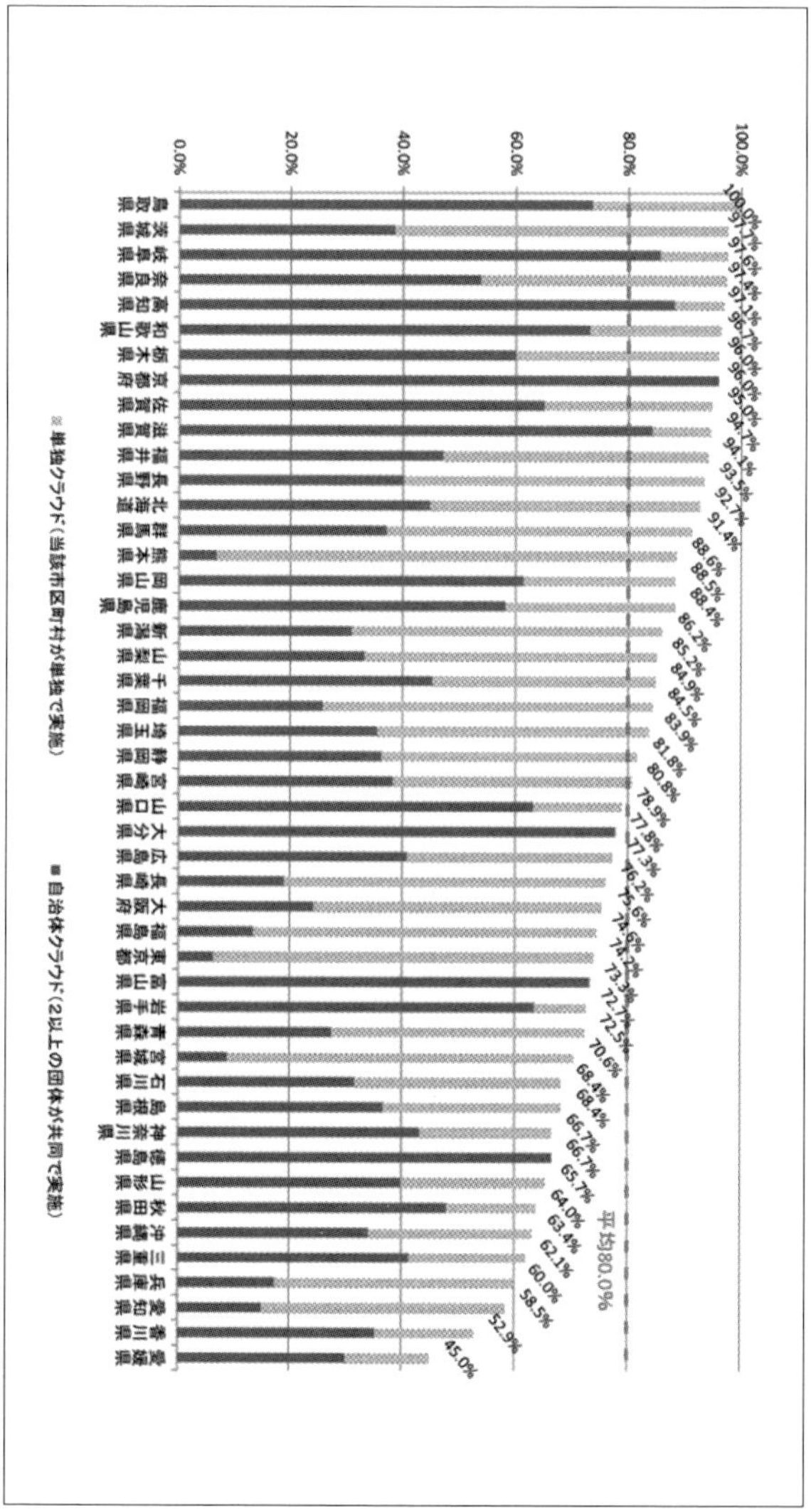

図－2．市町村クラウドの導入状況（令和３年４月時点）

（出所）総務省「自治体クラウドポータルサイト」より引用

図―2は市町村のクラウド導入状況(令和三年四月時点)を示している。マイナンバーカード交付率と同様に地域の経済水準や自治体の財政力との相関は低いといえる。全国平均が八〇%水準となっており、市町村におけるクラウドの導入が進みつつある。この中で、沖縄県は六二・一%と全国四二位となっており、県下市町村はクラウド導入を進めていく必要があろう。

自治体のクラウドについて、国は国・都道府県・市町村の情報システムの連携やコスト削減などを目的に、令和七(二〇二五)年度を目標に自治体情報システムの標準化・共通化を推進する方針である。地方公共団体は以下の基幹系二〇業務システムについて標準化基準に適合したシステム(標準準拠システム)の利用を義務付けられており、ガバメントクラウド等の標準準拠システムへの移行が求められている。システムの標準化・共通化について国がどの範囲で責任をもってすすめるのか、自治体はどう対応したらよいのかまだ不明確な面も少なくない。

<基幹系20業務>

1. 住民基本台帳	11. 介護保険
2. 国民年金	12. 児童手当
3. 選挙人名簿管理	13. 児童扶養手当
4. 固定資産税	14. 子ども・子育て支援
5. 個人住民税	15. 生活保護
6. 法人住民税	16. 健康管理
7. 軽自動車税	17. 就学
8. 国民健康保険	18. 戸籍
9. 障害者福祉	19. 戸籍附票
10. 後期高齢者医療	20. 印鑑登録

４　オープンデータの取り組み状況

オープンデータとは、機械判読に適したデータ形式で、二次利用が可能な利用ルールで公開されたデータのことである。許可されたルールの範囲内で誰でも自由に複製・加工や頒布などが可能である。国や自治体といった行政から公開されている公共のデータを住民、企業に活用してもらい、生活の利便性を高め、社会の発展につなげることが可能となる。国や自治体は、多様な情報を扱っており、行政は情報機関といえる。これまでは行政の情報をオープンにして住民や企業に活用してもらうという発想が乏しかった。この意味で、オープンデータを促進することが重要である。

行政のオープンデータの活用例として、横浜市金沢区の「ワタシだけの、子育て支援ポータルサイト」があげられる。(3)

少子高齢化が進み、子育てをする母親が減少しており、また核家族化や地域づきあいの減少により、母親が子育てに関して孤立する状況が高まっていった。金沢区も子育てに関する多岐に渡る情報をＷｅｂサイトで提供していたが、検索や閲覧の利便性が悪くなっていた。これを改善するために「ワタシだけの、子育て支援ポータルサイト」を立ち上げ、このポータルサイトにアクセスすれば、子育てに忙しい母親が子育ての情報を得ることができるようになった。例えば、子どもの生年月日や居住地の郵便番号を入力することで近くの医療機関の情報、健康診断・予防接種の時期などの情報が簡単に得られるようになった。また、保育園の空き状況や、子供向けのイベント情報などに利用者に特化した情報が得られるようになった。このように、行政の持つ医療機関情報、保育所の情

表－４．市町村のオープンデータ取り組み状況（令和５年６月時点）

順位	都道府県	取組済数/市区町村数	取組率(%)	順位	都道府県	取組済数/市区町村数	取組率(%)
1	島根県	19/19	100.0	25	北海道	152/179	84.9
1	長崎県	21/21	100.0	26	東京都	51/62	82.3
1	大分県	18/18	100.0	27	岡山県	22/27	81.5
1	静岡県	35/35	100.0	27	愛知県	44/54	81.5
1	京都府	26/26	100.0	29	栃木県	20/25	80.0
1	岐阜県	42/42	100.0	30	茨城県	35/44	79.5
1	愛媛県	20/20	100.0	31	沖縄県	32/41	78
1	長野県	77/77	100.0	32	滋賀県	14/19	73.7
1	福井県	17/17	100.0	33	兵庫県	30/41	73.2
1	石川県	19/19	100.0	34	新潟県	21/30	70.0
1	富山県	15/15	100.0	35	大阪府	30/43	69.8
1	神奈川県	33/33	100.0	36	群馬県	24/35	68.6
1	埼玉県	63/63	100.0	37	広島県	14/23	60.9
1	福島県	59/59	100.0	38	山梨県	14/27	51.9
1	宮城県	35/35	100.0	39	宮崎県	12/26	46.2
1	青森県	40/40	100.0	40	鹿児島県	19/43	44.2
17	奈良県	37/39	94.9	41	秋田県	11/25	44.0
18	山口県	18/19	94.7	42	山形県	15/35	42.9
19	香川県	16/17	94.1	43	佐賀県	8/20	40.0
20	徳島県	22/24	91.7	43	和歌山県	12/30	40.0
21	高知県	31/34	91.2	45	岩手県	13/33	39.4
22	千葉県	48/54	88.9	46	鳥取県	7/19	36.8
23	三重県	25/29	86.2	47	熊本県	15/45	33.3
24	福岡県	51/60	85.0				

（出所）デジタル庁「地方公共団体におけるオープンデータの取り組み状況」より引用

報、各種子供向けのイベント情報をオープンデータとして活用し、利用者に特化した情報も配信できるようになったのである。この他、民間企業が行政のオープンデータを活用する事例も拡大している。[4]

表―４は、都道府県別の市町村オープンデータの取り組み状況（令和五年六月時点）である。これによると島根県から青森県までの一六県において、市町村のオープンデータ取り組み率が一〇〇％となっている。令和四年が一〇県であったことから、一年間で六県の増加である。逆に取り組み率が五〇％以下の団体は宮崎県から熊本県までの九県である。令和四年が一五県であったことから、この一年で取り組み率五〇％以下の団体が減少している。全体として自治体のオープンデータ取り組み率は上昇している。沖縄県は令和四年が取り組み率二六・八％と四七都道府県中最下位であったものが、令和五年には七八％（三一位）と大きく上昇している。

自治体のオープンデータ活用については、近年推進されてきたものであり、取り組み率についてもマイナンバーカード交付率と同様に自治体の取り組みによる相違が大きいといえる。

五　行政のＤＸの課題

最後に行政のＤＸの課題についてみておこう。(5)

第一に自治体の首長及びＤＸ責任者のＤＸ推進におけるリーダーシップと政策の一貫性が重要である。自治体のＤＸの先進地域については、首長をはじめとしたリーダーシップが重要な役割を果たしている。首長をはじめとした責任者がＤＸ推進の方向性を示し一貫した政策を進めていく必要がある。先進地域は、近年のＤＸ推進の機運が高まる以前から、行政の情報化や人材の育成に取り組んできている。

沖縄県は、マイナンバーカードの普及率をはじめとしたＤＸ推進状況が全国で下位の状況にあり、行政のＤＸ推進が全国に比較して遅れている。離島の自治体が多く、またＤＸ推進によりどのように行政サービスを充実させるのか不透明であること、ＤＸを推進する人材が行政内部に少ないといった課題がある。しかしながら、離島といった条件不利地域においてＤＸの推進により地域社会を支え、住民によりよい行政サービスを提供する可能性が高まる。この意味で沖縄県下の自治体の首長、ＤＸ責任者のリーダシップの発揮と一貫した政策立案が重要となる。

第二に、自治体がより良い地域社会を築くために、どのような行政サービスを提供するほうが望ましいのか、そのためにＤＸをどのように活用するのか考える必要がある。近年のＤＸの流れの中で、「ＤＸありき」でＤＸの推進自体が目的となってしまう可能性もある。これまでＩＣＴによる街づくり、スマートシティの実現などに関連して、国から自治体へ補助金をつけて実施された実証実験事業の約七割が成果に乏しく、実用化にいたらなかったという。沖縄県下市町村においても行政の情報化を推進する名目でシステムを導入したものの、有効に活用されず陳腐化した例もある。ＤＸはあくまで手段であり、どのような地域社会を築くのか、どのような行政サービスを地域住民に提供していくのか、そのためにＤＸをどのように活用するのかといった発想が重要である。

第三に、自治体職員全体のＤＸ推進への理解を深め、自治体業務にとって必要であるという意識を高めることである。ＤＸ推進担当部署のみが行政部門全体のデジタル化に取り組み、他の部署の職員は通常業務に忙殺され、ＤＸ推進を強要されているという意識がある。

ＤＸの推進がより良い行政サービスを地域住民に提供する可能性を高めるという意識を醸成し、自治体職員がそれぞれの立場から関係していくことが重要となろう。

第四に地域住民の利用者目線にたってＤＸを推進することである。これまでのわが国における行政の情報化の推進において、国及び自治体はインターネット上でホームページを設け、国民や住民に各種情報の提供などを行ってきたが、国民や住民目線ではなく、閲覧がわかりにくく、また使い勝手もよくないなどの状況があった。近年のマイナンバーカードに関連するマイナポータルについてもそのような状況は改善されていない面がある。やはり、使う側の国民や住民目線にたった各種サービスの提供、ＤＸの推進が求められている。行政のＤＸの先進国といわれているデンマークでは、市民ポータル（Borger.dk）を設け、政府や地方自治体の公共サービス情報を提供するワンストップ窓口を開設している。個人の属性に応じてアクセスした最初のページがカスタマイズされており、サービス数も二〇〇〇種類以上、国民の満足度も九〇％を超えている。つまり、使う側にたったサービスの提供が充実していると言える。

おわりに

国や地方公共団体といった行政の役割は、民間部門（企業、家計）の活動を促すしくみを整え、市場を通じては供給が不可能か困難な社会資本、教育、年金や医療保険といった公共サービスを供給することにある。行政情報の多くは、一部の個人情報や機密情報を除いて国民や企業に公開され伝達されることにより活用され、その活動を促し価値を生み出すのである。このように、行政の有する情報については、正の外部効果が大きく、ネットワーク経済性が高いといえる。このことはまた行政の情報化や情報の公開を促進すべき理由の一つであるといえよう。今後、行政の情報化、DXをますます進め、国民や地域住民により良い公共サービスを効率的に提供することが求められている。

沖縄県は、二〇二二年に行政DX推進計画を策定し、行政のDX推進に取り組みはじめた。現行では、マイナンバーカードの交付率、市町村のクラウド導入状況、オープンデータの取り組み状況などDXの推進状況を見るいくつかの指標で全国でも下位に位置している。離島の自治体が多く、またDX推進によりどのように行政サービスを充実させるのか不透明であること、DXを推進する人材が行政内部に少ないといった課題があると思われる。

離島といった条件不利地域においてDXを推進することにより地域社会を支え、住民によりよい行政サービスを提供する可能性が高まる。この意味で沖縄県下の自治体の首長、DX責任者のリーダーシップの発揮と一貫した政策立案が重要となる。また、自治体職員全体のDX推進への理解を深め、より良い地域社会を築くために、どのような行政サービスを提供するほうが望ましいのか、そのためにDXをどのように活用するのか考える必要がある。また、地域住民の利用者目線にたってDXを推進することが極めて重要である。

〈注釈〉

(1) 大平号声「情報経済論の系譜」、飯沼光夫・大平号声・増田祐司著『情報経済論』、有斐閣、一九九六年三月、一一六頁。

(2) 野村敦子「自治体のＤＸをいかにすすめるか—デジタル化からデジタル変革へ」『ＪＲＩレビュー』二〇二二年 Ｖｏｌ八 Ｎｏ一〇三 一〇三頁より引用。

(3) デジタル庁「オープンデータ一〇〇」、地方公共団体等による利活用事例より引用。

(4) デジタル庁「オープンデータ一〇〇」、民間事業者による利活用事例参照。

(5) 野村敦子「自治体のＤＸをいかにすすめるか—デジタル化からデジタル変革へ」『ＪＲＩレビュー』二〇二二年Ｖｏｌ八 Ｎｏ一〇三 八九—九三頁より引用。

〈参考文献〉

芦田萌子・渋田裕司「自治体ＤＸをより加速するために何をなすべきか」『NRI Public Manegement Review』、二〇二〇年

沖縄県『自治体ＤＸ推進計画』令和四年九月

沖縄県宜野湾市『持続可能な「まちづくり」に向けたＤＸ推進計画に関する調査研究』一般社団法人地方自治研究機構、令和五年三月

総務省『地方財政白書』令和五年度版

総務省『情報通信白書』令和五年版
野村敦子「自治体DXをいかに進めるか―デジタル化からデジタル変革へ」『JRIレビュー』二〇二二年Vol八 No一〇三
野村敦子「デンマークのデジタル・ガバメント―「一貫性」と「透明性」、「利用者中心」の視点が特徴―」『Research Focus』、日本総研、二〇二二年一〇月二五日
前村昌健「行政の情報化と電子政府について」沖縄国際大学公開講座一〇『情報革命の時代と地域』、ボーダーインク、二〇〇一年
前村昌健「情報化と行政について―情報化で行政はどうかわるのか―」沖縄国際大学公開講座二一『産業を取り巻く情報―多様な情報と産業―』、編集工房東洋企画、二〇一二年

ＤＸ時代における沖縄観光ビジネスの課題

李　相　典

李　相典・い　さんじょん

【所属】産業情報学部企業システム学科　准教授

【主要学歴】神戸大学大学院経営学研究科博士後期課程修了

【所属学会】日本商業学会、日本マーケティング学会、日本国際観光学会、韓国観光学会

【主要著書・論文等】

・「沖縄インバウンド観光市場の多角化のためのアジア・エマージング―マーケットの検討：ベトナムの若者世代への戦略的アプローチ」、『産業情報論集』、一九(一・二)、一一―二八頁、二〇二三、単著。

・「デスティネーション・ブランド・エクスペリエンスに関する理論的考察」、『地域産業論叢』、一八、一―二〇頁、二〇二二、単著。

・「Moderated mediation analysis of tourist-based destination brand equity: Structural differences by tourist nationality」、『International Journal of Tourism Sciences』, 21(1)、pp.25-37, 2022. 単著。

・「デスティネーション・ブランド・エクイティの構造モデルにおけるデスティネーション・ブランド・エクスペリエンスの調節効果」、『日本国際観光学会論文集』、第二七号、一五―二三頁、二〇二〇年、単著。

・「The relationship between destination brand experience and brand trust : difference by travel infromation search type」、『Asain Journal of Information and Communications』、Vol. 11 No1, pp.33-45, 2019. 単著。

・「デスティネーション・ブランド・エクイティの特徴と研究課題」、『日本マーケティング学会』、第三八号(一)、七〇―七七頁、二〇一八年。単著。　他

※役職肩書等は講座開催当時

一　はじめに

二〇二〇年から始まったコロナ時代は二〇二二年までおよそ三年間にわたって、人々のこれまでのやり方や暮らし方に大きく影響を与えた。人々は二〇〇〇年以降から我々の日常生活に浸透してきた情報技術基盤の様々なデジタル技術に徐々に慣れてきたが、コロナ時代を経て一層短い時間で、デジタル技術を日常生活に活用する人々の数は大幅に増加した。今や「デジタル時代」、または「デジタル経済時代」が本格的に開幕し、これからは個人と企業を問わず、デジタル転換は社会・経済からはじまり、観光産業を含めすべての産業領域にわたって多様な変化をもたらすと予測される。本稿で議論しようとする「観光ビジネス」においても、既にデジタル転換時代とともに、観光・旅行商品とサービスへの消費パターンが大きく変化し、その需要と供給のあらゆる側面に影響を受けている。例えば、過去数十年間観光需要に大きく影響を与えてきたのは、世界経済状況や外交摩擦及び武力衝突など、観光活動を物理的に制約させる外部環境であった。しかし、コロナ時代を経験した人々は外部活動を減らし、家で各種ＯＴＴ(Over The Top)チャネルを見ながら時間を過ごしたり、外食の代わりにデリバリー・アプリを利用したりする生活習慣を持つようになり、観光需要に影響を与えている。つまり、観光供給者である観光サービス提供企業は同じ領域の企業ではなく、デジタル技術を活用して人々の屋外活動の機会を抑制しているNetflixやUber Eatsのような企業との競争または共生を考えなければならないかもしれない。

また、観光客の観光消費意思決定プロセスでもデジタル転換の日常化が確認される。伝統的な観光客の消費プロセスは「欲求認知→情報探索→購買行動(予約)→観光活動(消費)→観光評価」という五段階で行われる。過去の観光客は相対的に購買行動(予約)と観光活動(消費)のような金銭的要素に関する要因を重要に認識し、情報探索は旅行社に依存する傾向が高かった。しかし、デジタル時代が到来し、観光客はすべての消費プロセスに自ら介入し、欲求認識段階から観光評価の段階まで積極的に参与している。このトレンドは多様なデジタル技術を活用した観光サービスが容易に各段階に利用可能になったからである。例えば、欲求認識や情報探索では、トリップアドバイザーのようなメタ検索エンジン・サービスが、購買行動や観光活動はグローバルＯＴＡ(Online Travel Agent)やアゴダ、Booking.comのようなサービスが、観光評価はFacebook、Instagram、そしてYoutubeのようなＳＮＳサービスがサポートしている。

本稿では、本格的なＤＸ時代を迎えている昨今、観光ビジネスにおけるＤＸの意味と基礎概念、そして関連事例や新しく登場している各種ビジネスのトレンドをまとめた上で、現時点での沖縄観光ビジネスの課題と今後沖縄に求められる対応に関して考えてみる。

二　ＤＸ時代と観光

1　デジタル転換と観光ビジネス

デジタル転換による各種プラットホームと観光ビジネスとの進化プロセスは大きく四段階に区別できる。まず、第一段階は二〇〇〇年までの「インターネット普及初期」である。この時期はまだ旅行社のパッケージツアーを利用する観光客が多数の時期であり、個人観光客は自ら制限された旅行情報を収集したり、宿泊や航空券のような簡単な予約システムを利用したりする時期であった。次に、第二段階は二〇〇〇年以降から二〇一〇年までの「インターネット拡散・普遍化時期」である。この時期はインターネット上の情報収集や観光関連予約システムが一層発展し、個人観光スタイルが一般化する時期である。特に、その段階から本格的に各種ＳＮＳ（Social Network Service）プラットホームが普及し、オンライン上での自分の観光経験を共有することが始まった。続いて、第三段階は二〇一〇年から二〇二〇年までの「ハイパーコネクティビティの時代」である。この時期は個人ＰＣの時代からモバイル・デバイスの時代に変わり、観光客は必要な情報取得や予約がリアルタイムでできるようになった。また、ＳＮＳの利用率は著しく伸び、観光客同士の情報共有のみならず、モバイルに最適化した観光サービス・プラットホーム企業の成長とオンライン・マーケティング手法が進化した。最後に、第四段階は二〇二〇年から二〇二二年までの「コロナ・パンデミック時代」である。この時期は自由な移動が制約された人々に仮想の観光体験を提供するため「メタバースや人工知能サービス・プラットホームデジタル技術を導入した観光サービス・プラットホーム企業が登場した。

ポスト・コロナ時代の観光パラダイムに関して、全世界観光産業のデジタル転換戦略樹立・実行の責任者である「UNWTO革新教育投資局長、Ms. Natalia Bayona氏」は『新型コロナウイルス感染症以降の観光産業はデジタル技術が観光市場をリードすると思います。新型コロナウイルス感染症期間中にデジタル技術が観光市場の回復に核心的なソリューションとして証明されたからです。旅行社、航空社のような観光企業ではデジタル技術の導入が競争的に行われることから確認できます。今後の観光産業とビジネスにおいては《データ》の活用によるデジタル転換がすべての領域で行われると思います。民間と公共の各種データを共有することはデジタル化の過程において必須条件となります。』と述べている(韓国経済新聞、二〇二二)。つまり、今後は四段階まで進化してきたデジタル技術をベースにして更なる多様なオン・オフの観光ビジネスが登場されると予測される。また、観光情報や予約、仮想体験などの観光活動につながるサービス外、観光客の安全と関連したサービス・プラットホームも成長すると予測される。

2　DXと観光DX

DX(Digital Transformation)とは、「デジタル変革」という言葉に翻訳される。このDXに関する明確な概念はその観点に活用分野や技術観点から多少の相違はあるが、日本の経済産業省の定義に従うと、「企業がビジネス環境の激しい変化に対応し、データとデジタル技術を活用して、顧客や社会のニーズを基に、製品やサービス、ビジネスモデルを変革するとともに、業務そのものや、組織、プロセス、企業文化、風土を変革し、競争上の優位性を確立すること」と定めている(経済産業省、二〇一八)。つまり、データやデジタル技術活用を軸とし、①従来なかった製品やサービス、またはビジネスモデルを生み出すこと、②プロセスを再構築し、既存ビジネスに生産性の向上やコスト削減、時間短縮をもたらすこと、③業務そのものを見直し、働き方に変革をもたらすこと、など、DXはデータやデジタル技術を駆使してビジネスに関わるすべての事象を根底から大きく変革させることを意味する。

DX時代を迎えるまで、デジタル技術は「IT化」と「デジタル化」を経てきた《図1》。IT化は特定業務のデジタル化を意味し、デジタイゼーション(Digitization)とも言う。これは各種ツール(ソフトフェア)を使用して特定業務をデジタル化するなど、アナログの情報をデータとして蓄積する初期デ

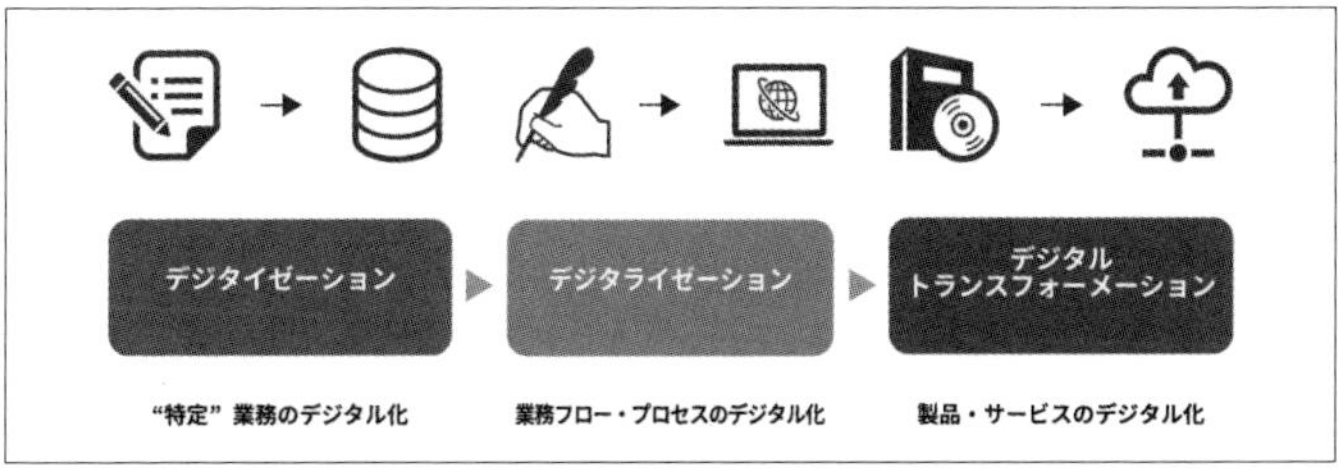

《図1．デジタル進化の三段階》

＊出所：株式会社エムエム総研（https://salesrenovation.jp/）

ジタル時代である。ＩＴ化の次に業務プロセスを本格的にデジタル化する「デジタライゼーション（Digitalization）」の時期を迎えた。この時期には企業や各種組織などの業務プロセスを最適化することで、生産性を高める様々なノウハウが蓄積された。そして、ＤＸ時代には製品やサービスのそのものがデジタル化され、新たなビジネス自体がデジタル技術をもとに新しく世の中に登場している。

現在、グローバル観光ビジネスのバリューチェーンから考えてみると、観光客の旅行計画段階から旅行完了後まで、すべてのプロセスでデジタル技術をもとに様々な企業から提供されているサービスが係わっている。例えば、観光に関する動機や刺激はGoogleやYahooなど、メタサーチ・サービスを提供するポータルで接触した各種情報から生じる。そのあと旅行活動に必要な宿泊や航空券、そして現地でのレンタカーと観光プログラムなどの予約はBooking.comやExpedia、AVISのような予約専門ウェブサイトで行われる。そして、現地での観光活動の時には、Google Mapや現地交通情報関連アプリを利用したり、予約した各種チケットをＱＲコードの形で使用したりする。また、観光中や観光後に自分の経験をInstagramやFacebook、YoutubeなどのＳＮＳを通じて共有する。要するに、観光客の観光活動に求められるすべてのプロセスで、デジタル技術をもとにしたサービス・ビジネスの環境がすでに定着している。つまり、観光産業全般にわたって、デジタル技術によるビジネス・バリューチェーンがすでに形成されているし、その傾向は今後さらに固定化していくと予測される。

3　ＤＸ時代の観光トレンド

デジタル技術をもとにオンライン・プラットホームで各種サービスを活用してビジネスが行われているＤＸ時代の核心ユーザーまたはターゲット市場はＭＺ世代と呼ばれている若者層である。一九八〇年半ば以降に生まれたこのＭＺ世代はインターネット技術から派生した各種のオンライン環境に見慣れている世代であり、価値観、ライフスタイルなど、既存世代とは多様な面から異なる特色を見せている。この特色は観光現象にも反映されている。例えば、韓国観光公社の調査報告によると、「二〇・三〇代の若い旅行者の観光トレンド」を、①短期で多頻度(Staycation)、②旅行経験の即時共有(Travelgram)、③一人の自由旅行(Along)、④不慣れな観光地選好(Regeneration)、そして⑤映像コンテンツからの影響による衝動的旅行(Tourist sites in TV programs)にまとめている。

このトレンドの背景にはデジタル技術をもとにした各種オンライン上のサービスに十分慣れていることがあると思われ

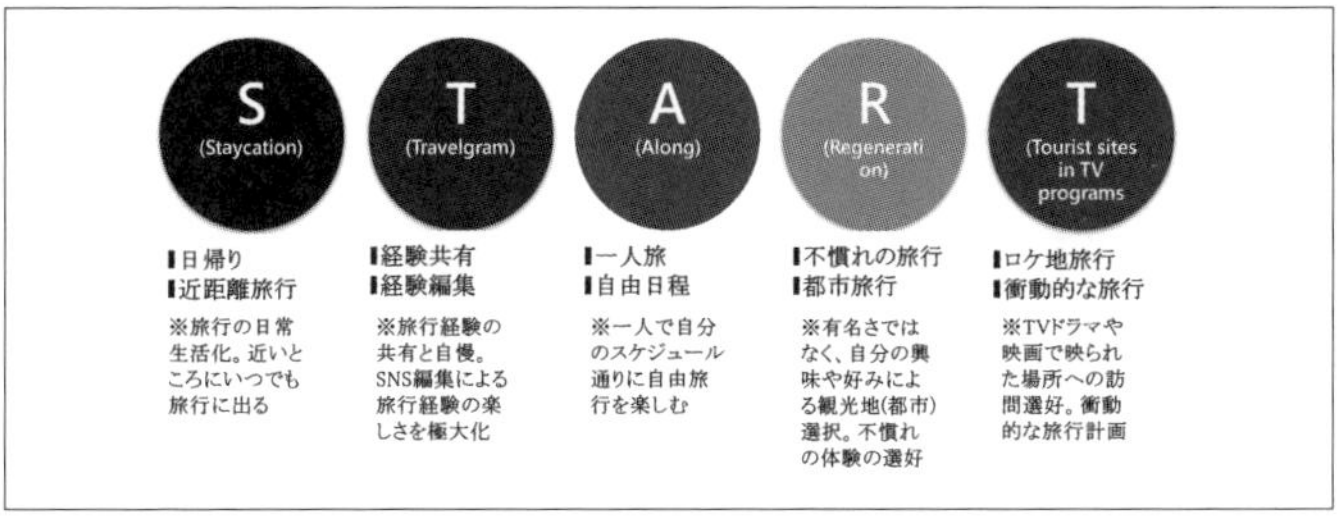

《図２．ＤＸ時代の若者層の観光トレンド》

＊出所：韓国観光公社（https://www.knto.or.kr/）資料参照、筆者再構成。

る。つまり、旅行のニーズが発生した時、関連情報を即時手元で獲得し、自分の旅行経験を旅行後ではなく、旅行中いつでも共有できる環境、そしてＯＴＴサービスによって一層多様な映像コンテンツに露出し、特定場所への魅力を衝動的に感じたりする現象などがこのような若者たちの新たなトレンドの背景となっているのである。若者だけではなく、デジタル技術にある程度見慣れているシニア層まで、このようなトレンドは拡散していく傾向である。したがって、今後観光産業はデジタル技術に見慣れた観光客とその市場を中心としてますます強く再編されていくと予測される。

三　観光分野のＤＸ化事例

1　メタバース(Metaverse)技術の活用事例

メタバースは仮想の空間（プラットホーム）でアバターを利用したユーザー間の相互作用を図る新たな技術である。メタバースはゲームやソーシャル・コミュニケーション、またはエンターテインメント・ビジネスなど、デジタル技術に見慣れているＭＺ世代に最適化されたプラットホームであり、新型コロナウイルス感染症時期から利用者が著しく拡散されている。韓国のNAVER Z Corporation社が二〇一八年から開始した「ＺＥＰＥＴＯ」は、仮想の空間でユーザーたちが自分のアバターを通じて他のユーザーたちとの相互作用を行うソーシャル・コミュニケーション専用プラットホームである。「ＺＥＰＥＴＯ」は多様な趣味活動や、アイテムの制作のようなクリエイティブ活動など、仮想空間（マップ）でユーザーが自分のアバターを通じた「代償行動」を楽しめるプラットホームであり、世界二〇〇ヶ国で三億人以上が利用している。

韓国観光公社は二〇二〇年一一月ＺＥＰＥＴＯで「漢江公園マップ」を開設した。これはＺＥＰＥＴＯユーザーを対象としたアンケート調査で、韓国で一番行ってみたい観光地として「漢江公園」が選定された結果を反映したものである。「漢江公園マップ」の開設した後一年間二九〇〇万人のユーザーがこのマップを訪れ、韓国観光広報に有意味な結果を得られた。その後、韓国観光公社は「キョンジュ市マップ」をはじめて観光主要観光地をマップや「ハンボク体験館」などに開設し、ＭＺ世代中心のＺＥＰＥＴＯユーザーに向けて広報活動を展開するなど、将来の韓国への訪問可能性を高めるため工夫している(Discoverynews, 二〇二二)。

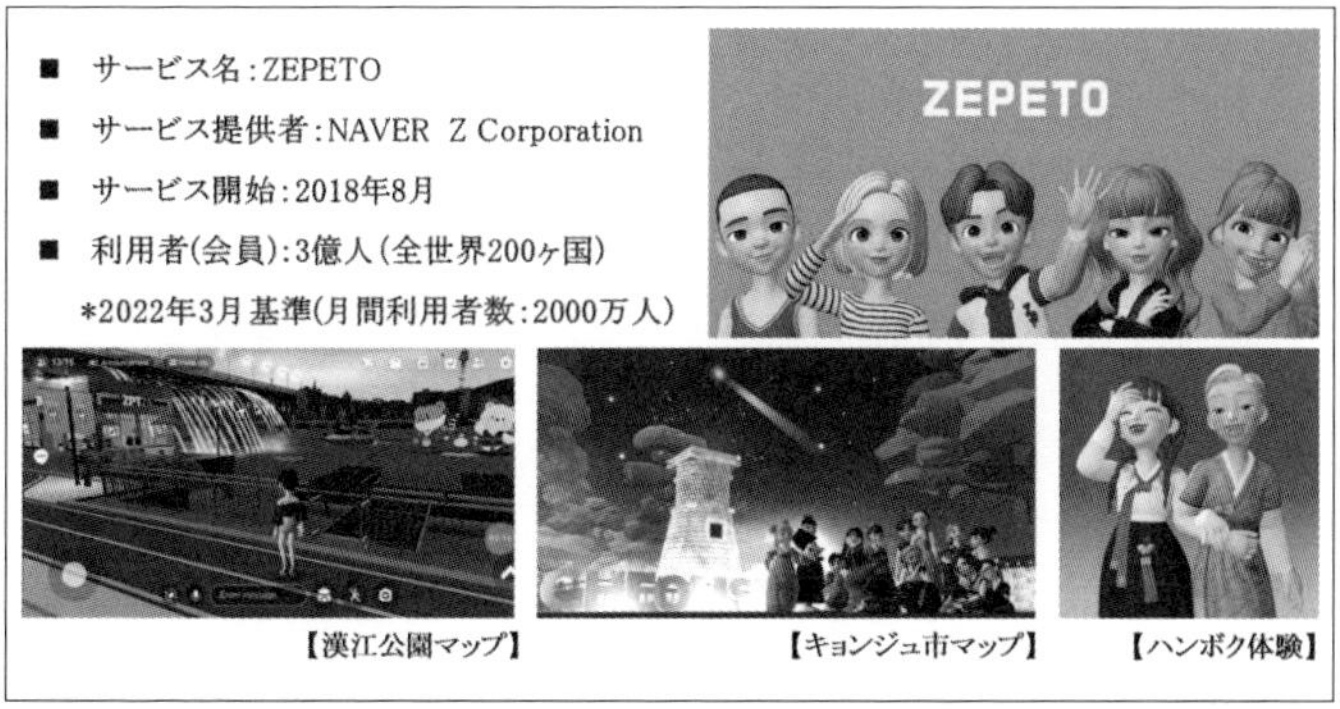

《図３．メタバース(Metaverse)の活用事例》

*出所:https://web.zepeto.me/ja参照、筆者再構成。

2　公式アプリケーションのリニューアル事例

世界中の大陸に生息している植物の中から、二、二〇〇種以上五〇万本の植物を展示しているシンガポールの「Gardens by the Bay」は世界最大の植物園の中の一つであり、二〇一二年六月に開園した。Gardens by the Bayは、最も人気のある「クラウドフォレスト(Cloud Forest)」と「フラワードーム(Flowe Dome)」をはじめ、一〇一ヘクタール(一・〇一百万平方メートル)にわたって世界の多様な植物を楽しめる膨大な規模の施設であるため、来園者の利便性中心のアプリケーション・リニューアルが求められた。

UX(ユーザーエクスペリエンス)を向上させるための改善策は、既存アプリケーションの口コミ分析やシンガポールを含む一二ヶ国からの来園者のインタビューを実施した結果を反映した。リニューアルしたアプリケーションは、ARを活用

《図４．公式アプリのリニューアルの事例》

＊出所：https://www.gardensbythebay.com参照、筆者再構成。

した道案内機能、ＵＸ中心のデザイン全面リニューアル、園内でアイテムを集めるＧＰＳ連動ゲーム機能、オンライン・チケット(ＱＲコード)、ダイナミック・プライシングなど、来園者の経験価値を向上させるため、新しいデジタル技術を一層強化したことが分かる(Monstarlab, 2021)。

３　ビックデータの活用事例

スマートフォンの普及により、テキストや動画、写真など日々膨大な個人データがリアルタイムで生成されている。観光ビジネスではこのデータを活用し、リアルタイムで観光客に多様な情報発信と広報マーケティングが行える。つまり、「ビックデータ」は観光ビジネスや地域観光振興に大きく活用できるリソースである。二〇二〇年ＵＮＷＴＯ(国連世界観光機関)で優秀事例として紹介された「韓国のチェジュ(ＪＥＪＵ)自治道」の事例は地域観光ビジネスにビックデータを如何に活用するべきなのかを見せている。

チェジュでは、既存「チェジュ訪問観光客実態調査」から観光客の消費特徴と移動特徴という二つの属性の重要性を認識し、観光客のクレジットカードやレンタカー利用情報(ナビゲーション情報)という二つの核心ビックデータを活用することに着目した。そのために二〇二〇年度「ビックデータ基盤観光サービス・プラットホーム」を開設し、収集されたデータの分析結果から、チェジュで観光客の密接度が高い八カ所を選定、その八カ所を「核心防疫クラスター」に指定など、新型コロナウイルス感染症からの安全観光活動を支援する政策に積極活用した。このサービスは混雑度の状況をリアルタイムで観光客が確認できること以外にも、チェジュ観光活動に有用な情報発信ツールとして活用されている。

4　観光情報プラットホームの開発事例

国家または都市(地域)観光において、各種情報をリアルタイムで発信することと、観光政策やマーケティングに必要なビックデータを確保することなど、DX化を叶えるためにはまずそれらを実現させられる基盤、つまりプラットホームが先行的に備えるべきである。シンガポールは新型コロナウイルス感染症をきっかけに政府主導のもとでDX転換が進められている。その変化の中心には、観光情報プラットホーム、TIH(Tourism Information & Services Hub)がある。

TIHは総計四、〇〇〇ヶ所以上のシンガポールの観光地や施設に関する情報、一万三、〇〇〇

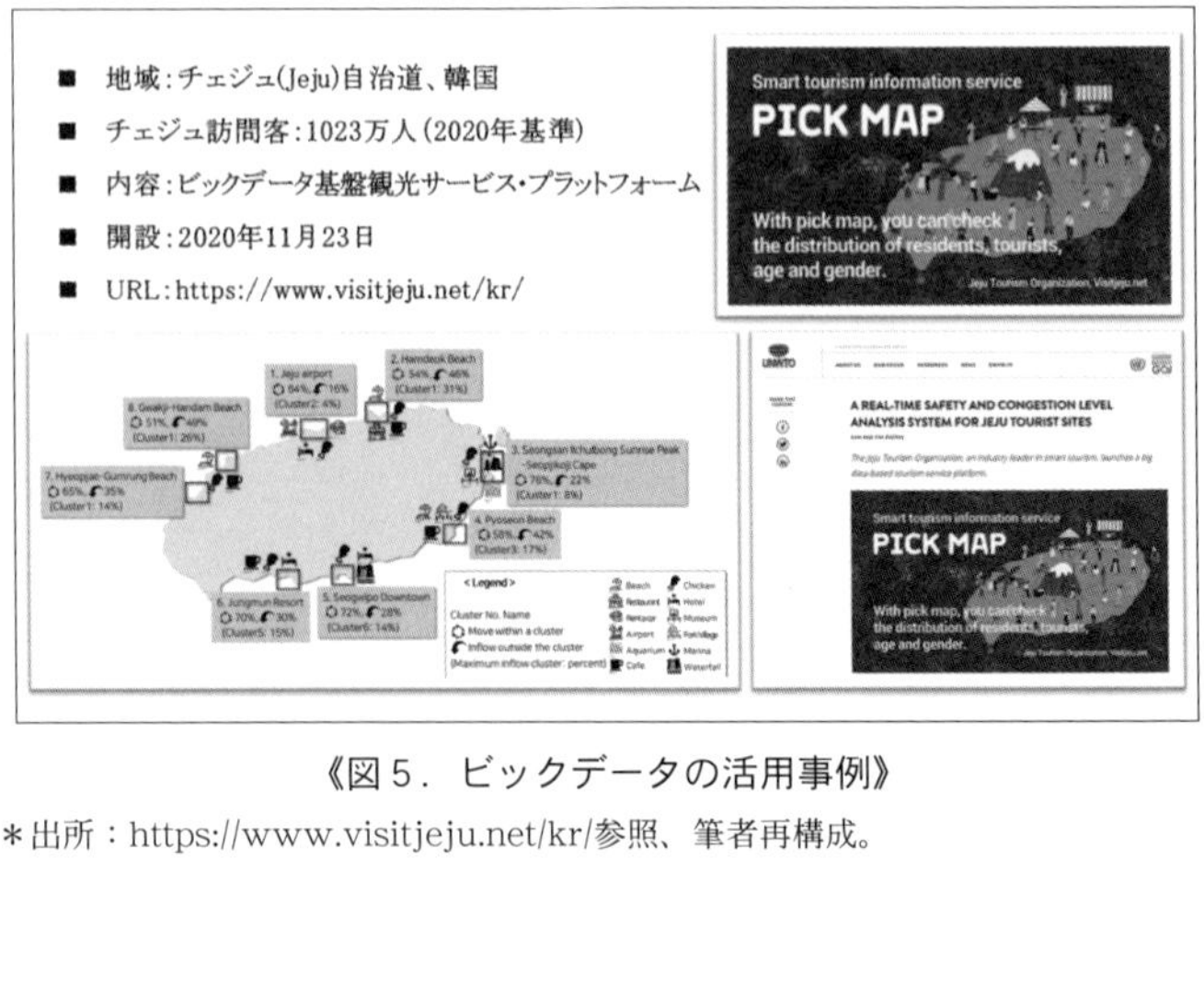

《図5．ビックデータの活用事例》

＊出所：https://www.visitjeju.net/kr/参照、筆者再構成。

個以上の観光商品とサービスが集められているオンライン・プラットホームであり、観光客をはじめ、シンガポールの旅行社やホテル・リゾート、観光アプリケーション・サービス企業、そして観光ベンチャー企業など、シンガポール観光ビジネスを構成する利害関係者すべてが利用できる「オープン・プラットホーム」である。各企業は登録のみで、ＴＩＨのすべてのコンテンツとソフトウェアなどデジタルリソースが利用可能であるし、また、観光客とのコミュニケーションツールとしてもＴＩＨを活用することができる。シンガポール政府はＴＩＨの利用者から集められるビックデータを活用し、改めて観光政策の樹立やマーケティング戦略を企画する好循環構造を図っている。その他、二〇二一年四月に開設した「Ｔｃｕｂｅ」はデジタル観光商品とサービスを開発するための研究機関と民間ビジネス関係者とのコワーキング機会を提供している。

《図６．プラットホームの開発事例》

＊出所：https://tih.stb.gov.sg/content/tih/en/home.html/参照、筆者再構成。

四　国内観光ＤＸ状況

１　アジア主要国家の観光競争力

「World Economic Forum」の二〇一九年度報告書を見ると、日本はアジア主要国家間の中で観光分野全般の競争力は一位（世界四位）と評価された。一方、観光ビジネス環境の評価では三位（世界一五位）、観光ＩＣＴ環境では三位（世界一〇位）に評価された。この報告書から見ると、アジア主要国家の間で、日本は今後の観光産業に対しては魅力的で潜在性の高い国家として評価されているが、観光ビジネス環境と観光ＩＣＴ環境では依然として重要な課題として確認される。特に、本稿で議論している観光ＤＸ環境を構想するにおいて、その基本デジタル技術環境を意味する「観光ＩＣＴ環境」の評価には今後関心を置くべきであろう。

《表１．アジア主要国家の観光分野競争力》

観光全般			観光ビジネス環境			観光ICT環境		
順位	国家	評価	順位	国家	評価	順位	国家	評価
4	日本	5.4	1	香港	6.1	1	香港	6.6
13	中国	4.9	2	シンガポール	6	7	韓国	6.3
14	香港	4.8	15	日本	5.4	10	日本	6.2
16	韓国	4.8	26	台湾	5.1	15	シンガポール	6.1
17	シンガポール	4.8	37	タイ	4.9	34	台湾	5.6
31	タイ	4.5	42	韓国	4.8	49	タイ	5.2
37	台湾	4.3	53	中国	4.7	58	中国	5

＊出所：World Economic Forum reports(https://www.weforum.org/)より、筆者編集

2　宿泊業・旅行業のデジタル化の現状

昨今、国内の観光ＤＸ推進を図っている観光庁の「観光ＤＸ推進の在り方に関する検討会の参考資料」を見ると、国内の宿泊業の中で各種業務から、顧客サービス関連及びマーケティングなどで「八〇％以上のデジタル化」を達している企業は「五〇人以下で三・一％」、「五一～一〇〇人以下で四・五％」、「一〇一～一〇〇〇人以下で九・六％」、そして「一〇〇〇人以上で一七・三％」をそれぞれ見せている。また、国内の旅行業の中でも、「八〇％以上のデジタル化」を達している企業は「五〇人以下で九・五％」、「五一～一〇〇人以下で二・四％」、「一〇一～一〇〇〇人以下で八・七％」、そして「一〇〇〇人以上で二六・三％」をそれぞれ見せている。全体的に一〇〇〇人以上の大手企業のほうで、五〇％水準のデジタル化が進んでいる状況であり、一〇〇〇人以下の中小規模

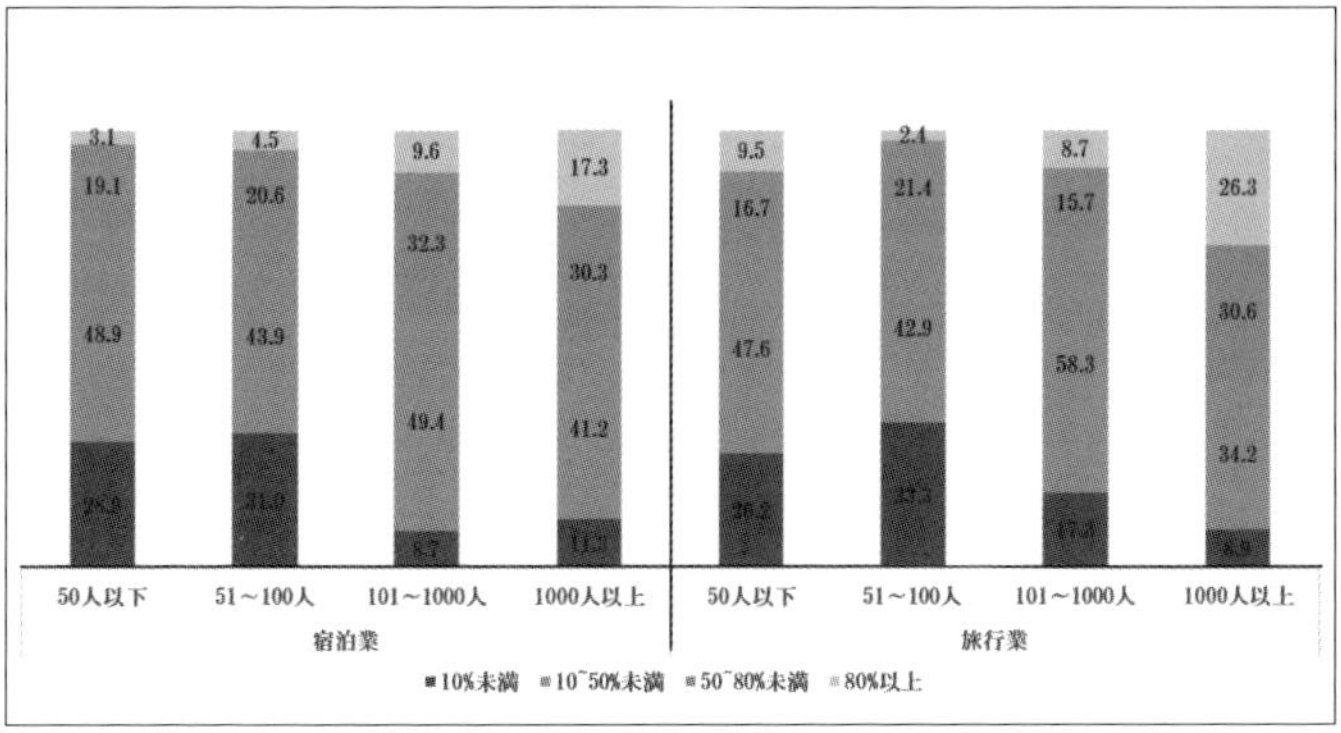

《図７．宿泊業・旅行業のデジタル化の現状》

＊出所：観光庁(https://www.mlit.go.jp/)の参考資料(令和５年３月)より、筆者編集

の企業では五〇％未満のデジタル化を見せている《図7》。

３　ＤＭＯのデジタル化の態勢

観光ＤＸにおいて、宿泊業と旅行業のようなビジネス領域とともに地域観光情報発信と多様な観光プロモーションなどの観光マーケティング分野の役を果たしているのは各地域の観光専門組織「ＤＭＯ(Destination Marketing/Management Organization)」である。ＤＭＯは各観光地を訪れた観光客が利用する各種デバイスに合わせて、アップグレードした最新観光情報を持続的に提供することが最も重要な役割となるため、デジタル化と観光ＤＸに関する諸戦略とともに、それに求められる最新デジタル基盤を備えておくべきである。しかし、観光庁の「観光ＤＸ推進の在り方に関する検討会の参考資料」を見ると、国内ＤＭＯのデジタル化及び観光ＤＸ戦略・方針の策定状況は期待に

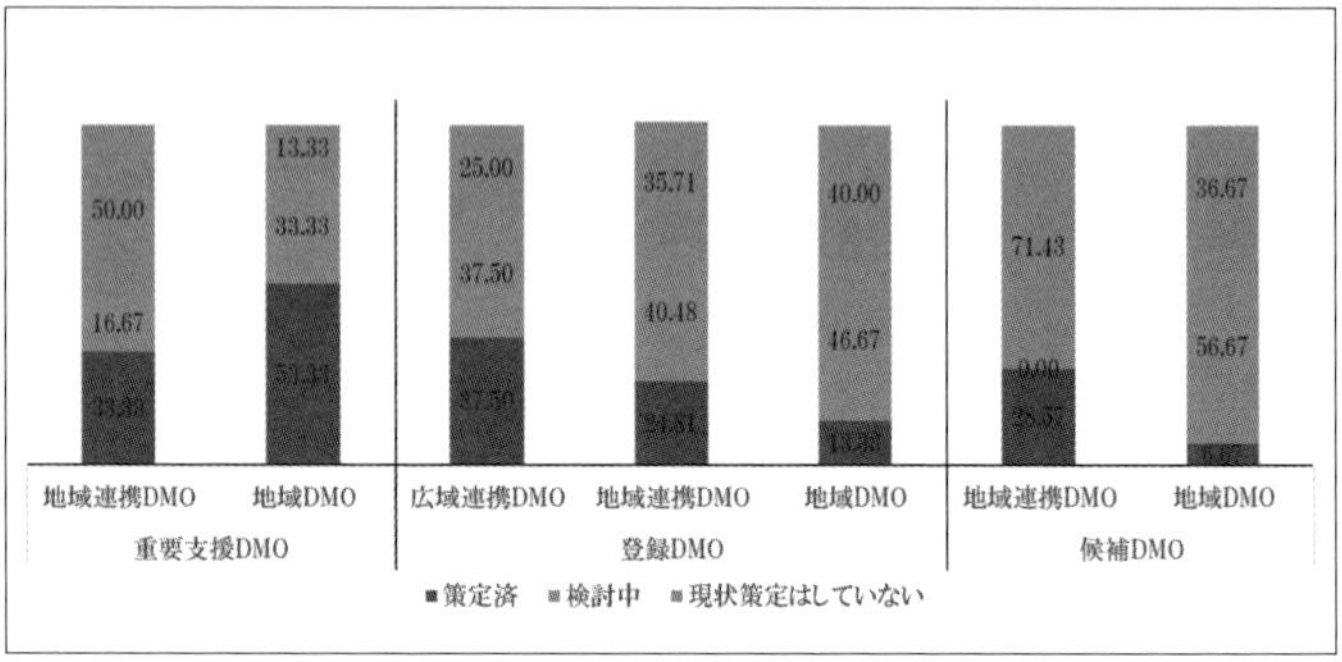

《図８．ＤＭＯのデジタル化及び観光ＤＸ戦略・方針の策定状況》

＊出所：観光庁(https://www.mlit.go.jp/)の参考資料(令和５年３月)より、筆者編集

応えていない。重要支援ＤＭＯの場合、関連策定済率が「地域連携ＤＭＯ三三・三三％」、「地域ＤＭＯ五三・三三％」で、多少高い水準を示しているが、登録ＤＭＯや候補ＤＭＯでは、策定済率が三〇％にも及ばない状況である《図8》。

4　国内のＤＸ支援策

新型コロナウイルス感染症の影響により観光産業が沈滞した令和三年度から、観光庁では旅行者や地域をより豊かにするため、観光ＤＸ事業を実施している。この事業の目的は、観光分野におけるＤＸの推進により、旅行者の利便性向上や観光産業における生産性向上等に取り組むとともに、地域間・観光事業者間の連携を通じた地域活性化や持続可能な経済社会の実現にある。具体的な事業内容をみると、旅行者に対する利便性の向上による消費機会の拡大、観光地域づくり法人（ＤＭＯ）・地方公共団体による観光地経営の高度化、宿泊業における情報管理の高度化による観光産業の生産性向上などのＤＸ関連事業を選定し、その事業推進に必要な支援を令和三年度から行っている。《表2》は令和五年度採択された七つの事業内容をまとめたものであり、観光地・観光産業全体の収益最大化のための、観光ＤＸモデル事業が採択されている。

《表２．令和５年度、観光庁の観光DX推進の採択事業》

No	応募団体名	応募事業名	地域	事業概要
1	Yamagata Open Travel Consortium	データ標準化と広域連携による販売システムの実証	山形県天童市、米沢市、尾花沢市	複数の地域が連携し、PMSの予約情報を基に相互送客を実施することで、エリア全体の消費拡大に取り組むもの
2	福井県観光DX推進マーケティングデータコンソーシアム	観光実態把握とマーケティングモデルケース造成事業	福井県	人流、POS、アンケート等の多様なデータをオープンデータ化することで、地域での商品造成や消費拡大に取り組むもの
3	箱根温泉DX推進コンソーシアム	快適な周遊、旅を満喫する箱根温泉まるごとDX事業	神奈川県足柄下郡箱根町	道路や駐車場等の混雑状況をリアルタイムで可視化し、旅行者に最適なルートを提案することで、消費拡大やオーバーツーリズム対策に取り組むもの
4	海の京都観光DX推進協議会	海の京都データ交換所プロジェクト	京都府福知山市の他6カ所	複数の地域が連携し、旅先でのふるさと納税に対して、地域通貨を発行することで消費拡大等に取り組むもの
5	しまなみ海道DXコンソーシアム	レンタサイクルを基軸としたしまなみ海道活性化事業	広島県尾道市、愛媛県今治市	サイクリスト向けに、位置情報・走行距離・天候等に基づくレコメンドの提供に取り組むもの
6	隠岐OTA推進共同事業体	隠岐4島の予約DX・CRM統合による経済循環プロジェクト	島根県隠岐郡	宿泊・体験・交通等の予約・決済が可能なシームレスな地域サイトを構築するとともに、島をまたいだ周遊を促進するためのCRMに取り組むもの
7	日本観光振興デジタルプラットフォーム推進コンソーシアム	「日本観光振興デジタルプラットフォーム」構築事業	－	全国観光情報データベース等を活用して、自治体やDMO等に向けたDMPサービスの提供に取り組むもの

*出所：観光庁(https://www.mlit.go.jp/)より、筆者編集

五　沖縄観光ＤＸ状況と課題

１　沖縄県ＤＸ推進の現状

沖縄県では、ＩＣＴ／ＤＸ関連施策の推進に向けた考え方や方向性、施策などを示すとともに、施策を計画的かつ効果的に推進し、「新・沖縄二一世紀ビジョン基本計画」において掲げる「安全・安心で幸福が実感できる島」の形式をデジタル技術の面から支えるための総合計画として、「沖縄県ＤＸ推進計画」を策定している(沖縄県、二〇二二)。この施策は「新・沖縄二一世紀基本計画」との整合を図り、前期(令和四年度から令和六年度まで)、中期(令和七年度から令和九年度まで)、そして後期(令和一〇年度から令和一三年度まで)に分けて推進される予定である。《表３》は令和四年度の沖縄ＤＸ推進計画(生活ＤＸ、産業ＤＸ、そして行政ＤＸ)の基本施策の中で観光

《表３．令和4年度、沖縄DX推進計画（全体まとめ）》

No	基本施策	施策展開	観光との関連性
生活DX	デジタル技術を活用した魅力あるまちづくりの推進	4施策展開/8施策	1施策(Life①)
	デジタル技術による沖縄のソフトパワーの発揮	2施策展開/11施策	3施策(Life②～④)
	デジタル技術による県民サービスの質の維持・向上	3施策展開/11施策	なし
産業DX	企業活動におけるICT利活動・DX推進	3施策展開/10施策	1施策(Indu①)
	産業におけるDXの推進	5施策展開/16施策	6施策(Indu②～⑦)
	データ活用ビジネスの普及促進	2施策展開/3施策	なし
行政DX	誰もがデジタルの恩恵を受けられる環境の整備	2施策展開/4施策	なし
	利便性の高い行政サービスの提供	2施策展開/5施策	なし
	生産性の高い行政プロセスの整備	4施策展開/9施策	なし
	利便性の高いオープンデータの整備・利活用促進	2施策展開/3施策	なし
	信頼性の高いデジタル・ガバメントの構築	2施策展開/6施策	なし

*出所：沖縄県(https://www.pref.okinawa.jp/)より、筆者編集

分野との関連性が高い施策をまとめたものである。全体三一施策展開で八六施策が計画・進行中であり、その中で一一施策が観光産業との関連性が高いと判断される。

続いて、観光産業との関連性の高い一一施策を具体的にみると、《表4》のようである。全体一一施策の中で、生活(Life)DXでは四施策・八事業、産業(Indu)DXでは七施策・一五事業が計画・進行中である。各施策と事業の担当部署を見ると、一一施策の中で、七施策が「文化観光スポーツ部」の担当であり、その他四施策の担当は「土木建築部」、「総務部・教育庁」、「企画部」、そして「商工労働部」にそれ

《表4．令和4年度、沖縄DX推進計画（観光部門まとめ）》

区分	施策名	事業数	担当部署
Life①	デジタル技術を活用した首里城公園及び周辺地域の新しいまちづくりの推進	1	土木建築部
Life②	琉球王国・首里城を含む沖縄の歴史資料のデジタルアーカイブ化と利活用の促進	4	総務部・教育庁
Life③	琉球文化の保存と世界への発信	1	文化観光スポーツ部
Life④	離島・過疎地域における関係人口創出のためのワーケーション環境の整備	2	企画部
Indu①	ワーケーション拠点形成と誘客活動の推進	2	文化観光スポーツ部
Indu②	データに基づく観光マーケティングの推進	3	文化観光スポーツ部
Indu③	リアルタイムな観光関連情報の提供	2	文化観光スポーツ部
Indu④	観光地・観光施設等におけるデジタル技術の導入促進	4	文化観光スポーツ部
Indu⑤	VR /AR等のデジタル技術を活用した体験型コンテンツ開発の促進	1	文化観光スポーツ部
Indu⑥	観光産業における戦略的プロモーションの強化	2	文化観光スポーツ部
Indu⑦	ResorTech Expoの開催による情報発信	1	商工労働部

*出所：沖縄県(https://www.pref.okinawa.jp/)より、筆者編集

ぞれ配置されている。その内容を見ると、デジタル技術を活用した情報発信やマーケティング活動、そして体験型コンテンツ開発など、観光客誘致及び沖縄での観光活動を促進させることを図っている。しかし、全体の施策と事業をコントロールできる体系性の観点から見ると、各施策と事業が多数の部署に分けられているため、今後の進行が懸念される。

2　沖縄県のResorTech事業

ResorTechは「ResortとTechnology」という二つの言葉から作られた新造語であり、平成三〇年一一月に「沖縄県アジア経済戦略構想推進・検討委員会」が取りまとめた報告書で最初に提唱された戦略的用語である。ResorTechは沖縄県の観光産業と情報通信産業が連携し、観光分野に情報技術を取り入れることにより、新たな付加価値の創出することと共に、沖縄をデジタル社会にシフトしていくため、経済活動の全体のＤＸ化を実現させる取組の総称である。ResorTechのイメージ《図9》を見ると、観光産業、製造業、建設産業、農林水産業、交通・物流業といった業界のＤＸ推進の取組を促進するとともに、ＩＣＴ・デジタル導入、企業ＤＸ、ＤＸ人材の育成、データ活用基盤など全産業に共通する取組を県内情報通信産業がサポートしていくことをビジョンとしている。

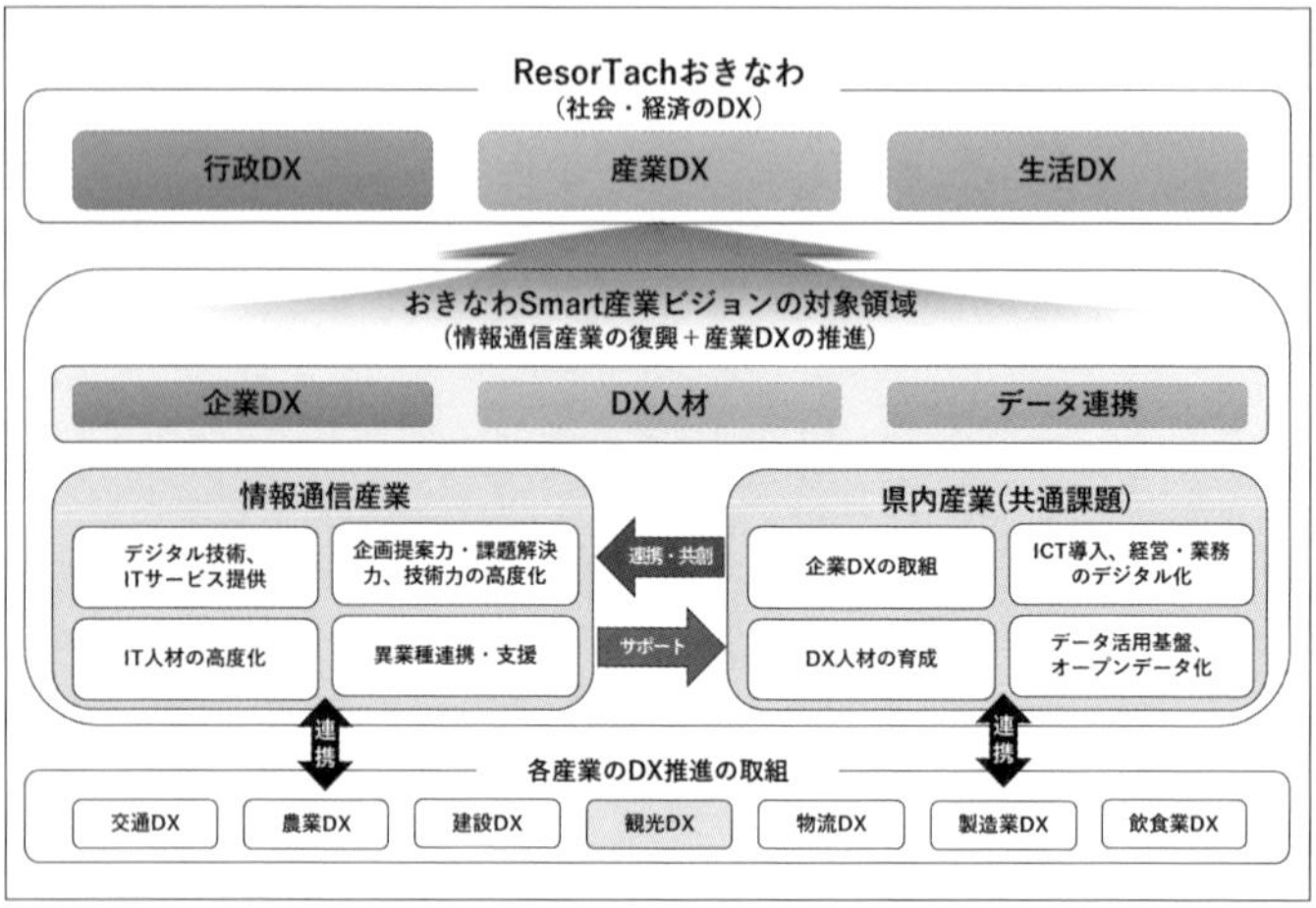

《図９．沖縄ResorTachのイメージ》

*出所：沖縄県(https://www.pref.okinawa.jp/)より、筆者編集

3　今後の沖縄観光ＤＸ推進に向けて

「新・沖縄二一世紀ビジョン基本計画」をもとに進められているResorTechと沖縄県ＤＸ推進の各種施策や事業を踏まえ、現時点での沖縄観光ＤＸ推進に関する諸課題をまとめた《表５》。すべてのプロジェクトや施策・事業はまだ初期であるが、まず、中長期的な観点からの各種施策や計画、組織構築のような体制は順調であると考えられる。また、ResorTechと沖縄県ＤＸ推進での観光部門の各種支援プログラムはタイムリーで適切な対応だと判断される。しかし、各種計画とそれを実現させることは別の話である。特に、ＤＸ推進を叶えるのは何よりＩＴ関連専門家と関連人材を如何に確保するのかにかかっているが、現段

《表５．沖縄DX推進における課題と現状》

課題	現状	備考
中長期的な政策・施策計画樹立	○	
各組織間の協調体制構築	○	各種事業の統合化
支援資金・予算編成	—	各政策・施策の支援資金・予算の確認不可
各種専門家の配置・育成	△	人材誘致・育成方案の多角化
各種支援プログラム開発	○	中小企業中心支援プログラム

*出所：筆者編集

階での沖縄ＤＸ推進とResorTechではこの問題に関する詳細な計画や方法は見えない。さらに、すべてのＤＸ関連環境の構築において、中核的な条件はデータ収集機能強化であるし、そのデータから具現化された様々なサービス（情報発信など）を観光客と連携させるプラットホームの可否である。しかし、専門家配置と人材育成計画、そしてビックデータ収集専用プラットホームに関する具体的な施策は現在見られない。

観光庁が令和三年度に調査した〈観光業界で「ＩＴ／デジタルの対応が不足している理由」〉の結果を見ると、観光産業分野では「必要性に関する認識不足」と「関連専門家と人材が不足している」ことが最も高い数値を見せている《図10》。これは観光産業とＩＴ関連技術との連携性に関して、まだその意味や価値を認識していないといった根本的な問題である。しかし、データをもとに分析・加工した情報のタイムリー提供が何より重要である観光産業こそ、ＩＴ関連技術を活用したデジタル化、つまり、ＤＸ転換が最も大きな効率化を実現できる分野であるかもしれない。

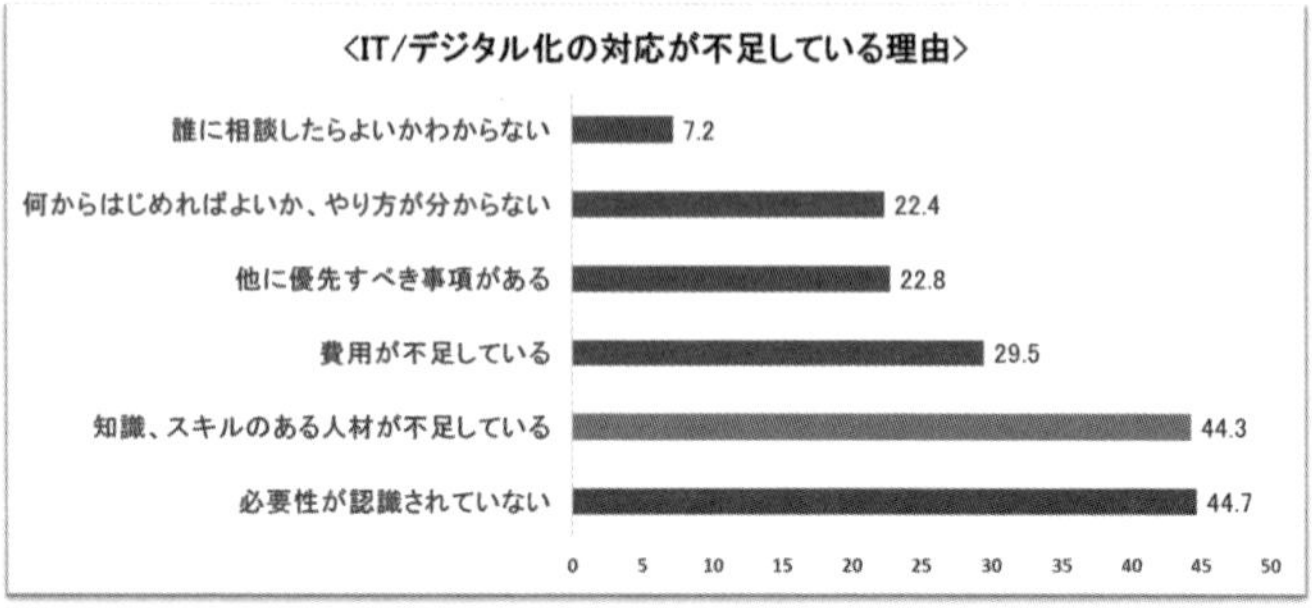

《図10. IT/デジタルの対応が不足している理由》

*出所：観光庁、令和3年5月、廣川(2022)

二〇一九年、沖縄の「情報産業分野の企業と雇用者数」を見ると、沖縄では四九〇社でおよそ三万人程度の従業員が働いている《図11》。これは二〇一〇年以降から右肩上がりの傾向を見せていることから肯定的なトレンドであると考えられる《図11》。しかし、具体的な数値までは確認できないが、コールセンターのようなシンプルな情報産業分野の従業員数が三万人の中で一番多くの割合を占めると知られている。したがって、今後情報産業関連の企業誘致において、ＩＴとデジタル関連専門性を持つ企業誘致に必要なインセンティブを拡大させる政策的準備が求められる。

加えて、沖縄の観光ＤＸ生態系造成のための中長期的なプロセスを図る必要がある。つまり、金融、技術、マンパワーそしてインフラなど沖縄から提供できる各種インセンティブを設け、現在国内で観光ビジネス分野にデジタル技術を活用しようと工夫している潜在能力のあるベンチャー企業を誘致して支援する仕組みを考えるべきである。

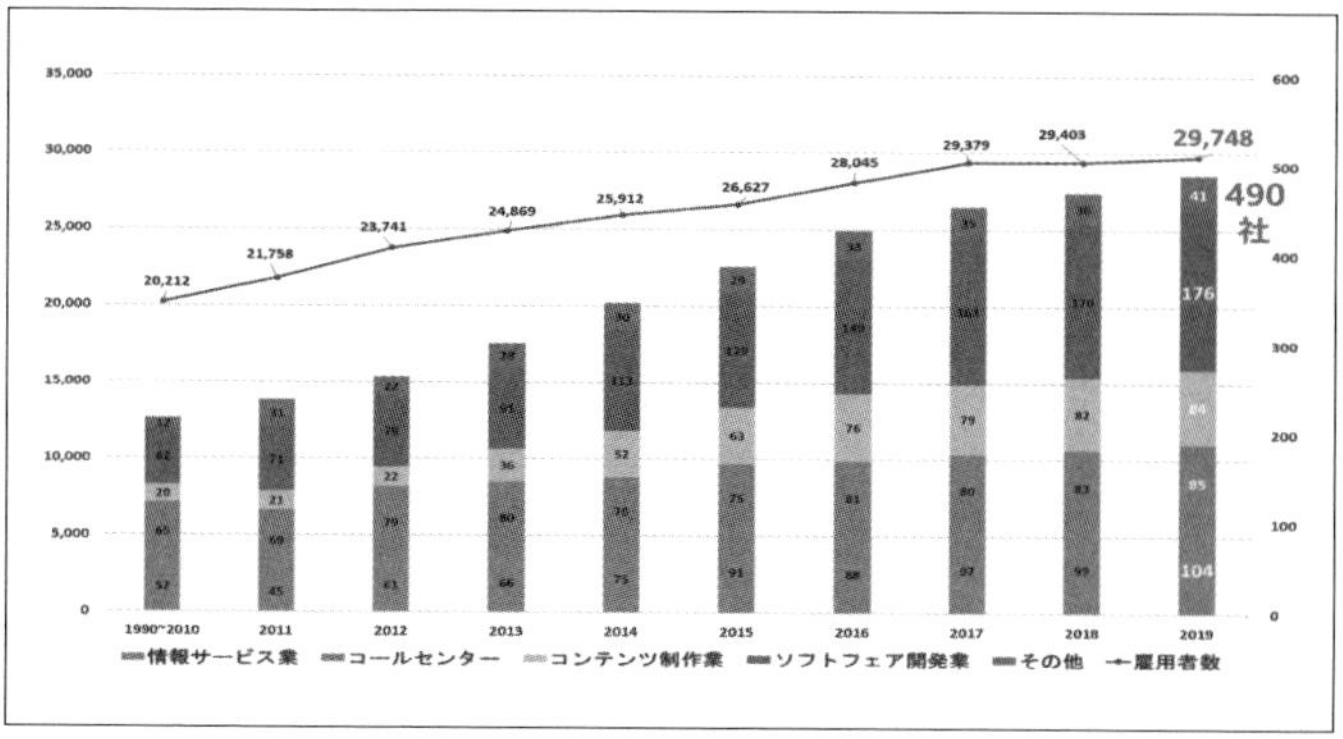

《図11．沖縄の情報産業分野企業数と雇用者数》

*出所：沖縄県、令和2年度沖縄振興推進調査、2021年3月、筆者編集

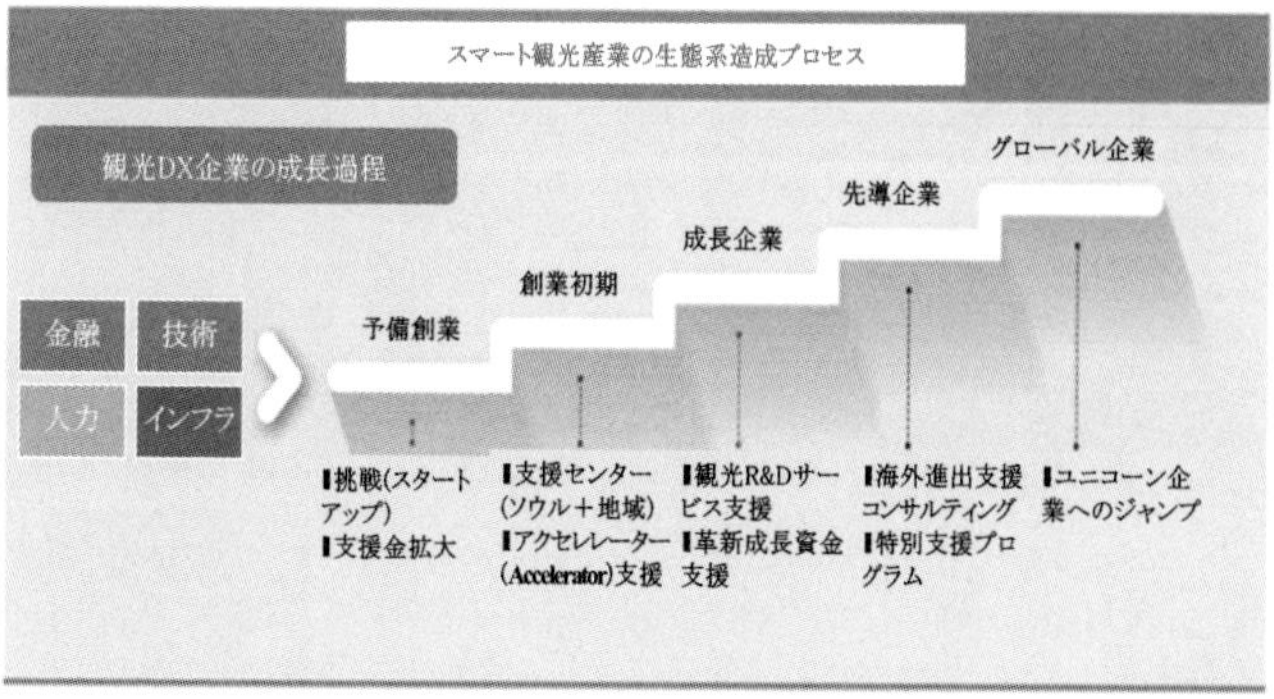

《図12．観光DXの生態系造成プロセス》

*出所：筆者編集

六　まとめ

デジタル転換時代では、人々のすべてのデジタル活動がデータとしてその跡を残す。事前・事後すべての観光プロセスで観光客の各種モバイル機器から生産される痕跡もデータとして残され、観光ビジネス企業や地域政府の観光政策などにビックデータとして活用される。しかし、観光ビジネスでこのビックデータ技術を活用した観光客個々人向けのサービス領域はまだ初期段階である。

今後、ＤＸ転換とそれにともなった観光分野のＤＸ化は一層短い時間で進んでいくと予測されている。時代の潮流に乗り、各国政府や自治体では、社会・経済などすべての領域にわたってＤＸ転換を急いでいる。本稿では、ＤＸ転換時代において、観光分野でのＤＸ化の意味とその重要性をまとめることと共に、観光分野でどのような形でデジタル技術が適用されているのかを事例を通じて検討した。また、日本と沖縄での観光ＤＸ対応状況を整理したうえ、今後の課題として次のような二つの課題をまとめた。

まず、観光分野でのＩＴ関連人材の育成と拡充という中長期的で戦略的な課題である。観光産業の特徴と意味を理解しながら、ＩＴ関連スキルや知識のある人材を拡充するのは短期間で解決できない。つまり、観光ＤＸを実現させる人材は融合的知識や感覚が求められるため、短期的にはＩＴ専門家に観光産業に関する理解度を高める教育プログラムとその人材たちに魅力のあるインセンティブを提供する必要がある。また、長期的な視点から観光関連教育機関（大学、専門学校など）でのカリキュラムにデジタル活用スキルや多様なコンテンツ開発、ビックデータ分析など、将来観光ＤＸ環境で働けるような仕組みを取り入れることも重要である。その他、県内外のＩＴベンチャー企業の中で、観光産業とビジネスに関連した開発プロジェクトを発掘し、その企業の誘致とサーポトできるシステム（予算と支援組織など）を構築することも考慮すべきである。

次に、観光ＤＸ転換において、その成果を上げるためには何よりデータ確報システムや体系を構築することにある。したがって、ビックデータ収集・分析のためのシステム(プラットホーム)に支援を惜しんではならない。さらに、過去アンケート調査などによる統計データより、観光客個々人の多様なデータがリアルタイムで集められる時に、データの価値は高くなるのである。ビックデータの収集・分析を専担する組織やシステムを構築すると共に、如何に価値のあるデータを収集するのかを官民で協力しなければならない。今後旅行社やホテルなど観光分野企業以外、クレジットカード会社や交通サービス関連企業など、充実したビックデータを確保するためには、国家または自治体の観光組織と観光関連民間企業とのデータ関連コンセンサスが必須条件である。

日本政府と沖縄県も新型コロナウイルス感染症の時期に本格的な観光ＤＸ政策と各種事業を展開している。各政策や事業内容を見ると、十分観光ＤＸに対して、その重要性を認識していることが分かる。今後は計画した政策と事業を順調に進行しながら、まだ不十分である課題を調べ、それに対するソリューションを設けることで、グローバル観光ビジネス環境で競争力を確保できるように慎重な姿勢を持つことを期待する。

参考文献

1．文献と資料

・韓国経済新聞(二〇二二)、『トラベル・イノベーション』、韓国経済新聞。
・経済産業省(二〇一八)、『ＤＸ推進ガイドラインver.1.0』、https://www.meti.go.jp/
・沖縄県(二〇二二)、『沖縄県ＤＸ推進計画(本編)』、https://www.pref.okinawa.jp/
・廣川邦伸(二〇二二)、『観光業ＤＸ：業界標準の指南書』、秀和システム。

2．各種ウェブサイト

・株式会社エムエム総研『ＤＸとは?-デジタル化にまつわる三用語を解説!』(https://salesrenovation.jp/ 閲覧日二〇二三年六月二〇日)
・韓国観光公社『ニューデジタル・プラットホーム及びチャネルを通した観光広報戦略報告書』(https://www.knto.or.kr/ 閲覧日二〇二三年七月一八日)
・World Economic Forum reports『The Travel and Tourism Competitiveness Report 2019』(https://www.weforum.org/publications/ 閲覧日二〇二三年七月二〇日)
・観光庁『「地域一体となった宿泊施設のＤＸ人材育成に向けたアドバイザー派遣事業」の選定事業公表』(https://www.mlit.go.jp/ 閲覧日二〇二三年八月一七日)
・観光庁『観光ＤＸ推進のあり方に関する検討会：参考資料』(https://www.mlit.go.jp/ 閲覧日二〇二三年

八月一七日）

・Discoverynews(2021)『韓国観光公社、ROBLOXとZEPETOでＭＺ世代を攻略：海外ＭＺ世代、メタバースで韓国を楽しめる』(https://www.discoverynews.kr/　閲覧日二〇二三年七月一七日）

・ZEPETO studio Website (https://web.zepeto.me/ja　閲覧日二〇二三年八月一〇日）

・Monstarlab(2021)『Gardens by the Bay（ガーデンズバイザベイ）｜公式アプリ』(https://monstar-lab.com　閲覧日二〇二三年七月二〇日）

中国企業のマーケティング管理

天野敦央

天野　敦央・あまの　あつおう

【所属】産業情報学部企業システム学科　講師

【主要学歴】平成三年三月 愛知大学大学院博士後期課程経営学研究科 満期退学

【所属学会】日本経営学会、経営学史学会、工業経営研究学会、アジア経営学会

【主要著書・論文等】

〈論文〉

・中国本土における工場管理 平成九年三月 アジアのダイナミズムと沖縄(ボーダインク)

・中国における経済改革と工場長（企業長）責任制 平成三年九月 工業経営研究第五巻

・中国国営工業企業の経営管理組織 平成二年三月 愛知論双第四八号

その他〈辞書項目〉

・クーンツ(人名)　平成二四年六月　経営学史事典第二版(文眞堂)

・事業部制組織(事項)　平成二四年六月　経営学史事典第二版(文眞堂)

※役職肩書等は講座開催当時

はじめに

本章では中国企業のマーケティング管理について簡潔に把握していく。すなわち、われわれの理解では中国企業の経営管理は主として生産管理・労働管理・財務管理などの諸部分管理によって説明せられるが、マーケティング管理はその一環である。まず中国企業のマーケティング管理の概略を述べ、つぎに管理の諸政策についてのべる。そして「場景マーケティング」についても紹介していく。

一　中国企業のマーケティング管理

この分野は従前においては購買管理ならびに販売管理として理解されてきた。中国のような東側国家においても将来の理想はいざしらず、現在のところ多くのばあい政策的に貨幣、商品生産、市場などが残存させられている。こういった社会構成体ではふつう財貨の交換は、多くのばあい商品交換の形であらわれる。すなわち貨幣を媒介とした労働生産物の交換が行われ、貨幣が商品へ、商品が貨幣へと転化する。(1) この過程は二つの独立した行為、つまり　購買（G—W）と販売（W—G）とから成っている。

われわれの理解では、企業における過程的職能ないしは基本職能は、資金調達職能・購買職能・

生産職能・マーケティング職能・収益処分職能の5つに分かち把握せられる。(2) こういった諸職能は合理的な基準によって整理・統合せられることにより、広義の生産職能・労働職能・マーケティング職能・財務職能の4つへと再編成される。経営管理は、こういった過程的職能ないしは基本職能を計画し遂行し統制するものとして再把握される。すなわち生産管理、労働管理などがそれである。いうまでもなく企業における経営活動は、マーケティングを基本としそれを軸として計画され遂行されることが理想的であるといえる。具体的には、たとえばまず販売予測に基づき販売計画が編成せられ、さらにそれにもとづいて生産計画が再編成せらるということである。

販売予測のためにはマーケット調査が必要となる。が、紙幅の都合もあり本章では議論しない。(3) マーケットにはそもそも本来的にいって無政府性が存在しているのだが、販売計画を考慮せずに生産を実施すれば、それは掛け値なしのことばの本来の意味での無政府主義生産・需要を上回る量の製品の垂れながしとなってしまう。このような事態はありうることではあるが、できるだけ精緻な販売予測と販売計画の編成により回避するようと努め、資源の浪費を防止せねばならない。

ところで中国企業のマーケティング管理を考察するばあい、われわれは国営商業の役割をのぞいて考えることはできない。中国の工業企業の活動を定式化すれば

$$G-W\begin{cases}Ak \cdots W'-G' \\ Pm\end{cases}$$

と表すことができると考えられるが、最後尾のW'—G' 部分を自己の責任のもと実行する（門市部

などが活動する）ばあいもあれば他人に委託して代行させるばあいもある。この代行の役割の主なものが国営商業である。国営商業はまず生産と消費を媒介することによって経済を発展させ、人民の需要を充足することで人民に奉仕することが基本的な立場となっている。国営商業は国が主導権をもっていることから国家計画の実施に必要な資源を適量ならびに適宜供給することによって国家計画の遂行を保証するとともに、資源の供給・製品の仕入量を調整することで国民経済を統制する役割をもっていた。また国営商業においては量的指標のみならず、たとえば買付けのさい製品の品質検査を堅持し、品質の劣っている、粗製乱造品の買付けを拒否しそうすることによって工業企業の品質の向上をうながす。[4] このようにして国家計画の実現を、質的指標の面から保証していた時代もあった。

一九九二年以降は民間部門と市場の役割も国民経済の中に正式に位置づけられるようになり、民間商業の発展がみられた。国営部門や国家計画にくらべて若干の「従属的」な傾向がみられるものの、民間商業と市場の健全な発展にも政策的に注意がはらわれているようにみえる。

組織と市場を対立的にみる観点からすれば、国営商業による買付けと供給などは「組織」による取引とみるのが妥当であろう。それにたいしてわれわれは民間部門での市場取引も、健全な発展を遂げるように援助していくべきであると考える。

二　マーケティング管理の諸政策

マーケティング管理においては経営活動をマーケットに適合させるために、さまざまな政策がとられる。具体的には1　産品政策、2　価格政策、3　渠道政策、4　促售政策の諸政策が、それである。以下にそれぞれについて、端的に考察してみよう。

1　産品政策

中国企業においてどのような製品を生産するかという課題を考察するのが産品政策である。この産品政策には単一製品を生産するのか、いくつかの種類の製品を生産するのか、あるいは同一業界に属する製品を多品種取揃えて生産するのかといった課題が存在する。また一方では特定の品種についていくつ生産するのかという生産量の決定が必要であり、他方ではある品種の品質を一定の水準において安定させるために仕様の決定が必要となる。高い品質を追求しすぎると生産原価が高くなり過ぎてつぎに述べる価格政策に影響せざるをえないし、また品質が低すぎると消費者の信頼を失ってしまう。そのため仕様の決定は慎重に行われなければならない。

また生産過程の特性に依存して、一定の不良品が発生することは避けられないが、歩留まりを安定させ、また不良品率をできるだけ低くおさえねばならない。

2　価格政策

価格決定の自由裁量は、さきに産品政策のところでのべたように、一製品あたりの生産原価（単価）の水準に依存している。この自由裁量を利用して市場において競合企業よりも優位に立とうとする政策が成本優勢政策である。それにたいして自企業の資源上の優位性を充分に活用し高い仕様を実現することで、競合企業の製品よりも優位に立とうとする政策が差異化政策である。例としては製品機能をたくさん備えさせることにより、競合企業の類似の製品よりも比較的高価格で販売しようとする政策などが、それである。

価格政策においては競合企業の歩留まり率や生産原価の水準を参照し、競合企業との関係で自企業がいかなる地位を占めたいかを考慮し、慎重な政策決定が行われねばならない。

3　渠道政策

自企業の製品の特性に依存して、自企業の製品をどちらの販売経路をへてマーケットへ導入するべきかを決定するのが渠道政策（きょどうせいさく）である。渠道政策においては、企業はたとえば自企業の製品を目抜き通りに自社ブランドの店舗を設けるのか、百貨店内に自社ブランドのブースを設けて売るのか、モールでの販売を中心とするのか、スーパー・専門店へ卸して売るのか、自動販売機販売か対面販売かなどの主要販売経路の決断をせまられる。セールスマンに訪問販売をさせたり、Eコマースサイトでネット販売する、函購（通信販売での購入を）させるなどの選択もあるであろう。

また前節で述べたような販売を他人に代行させるのか、自企業の責任において実行するのかの選択も、この渠道政策にふくまれているといえる。

中国はＤＸ先進国でもあり芝麻信用個人属性評価システム（阿里巴巴社が開発）などにより、民間企業でもかなり確度の高い与信管理を遂行しやすい環境にある。理論上、企業は顧客を選ぶことができるようになるので、その意味でも企業にとっては、今まで以上に取引の安全性が確保できることになるとおもわれる。

４　促售政策

マーケティング管理においては右の１～３の政策の実現を保証するために、これらとは別に促售政策が実施せられる。たとえば顧客の目にとまるような魅力的な包装を思慮することなどは、この促售政策に含まれる。広告であれば紙媒体（新聞、雑誌）を用いるもの、電波媒体（テレビ、ラジオ）を用いるもの、ＩＣＴネットワークを用いるものなどがある。

以上の１～４の政策は企業においては単独で用いられることは少ない。実際には複数の諸政策が同時に組合わせて活用せられる。これを営銷組合（えいしょうそごう）とよぶ。世にいう、マーケティングミックスである。たとえば減価優待券（割引券）であれば、主として上述の価格政策と促售政策との営銷組合なのである。

なお一部の工業企業においては産品政策と価格政策の問題は、商業部門や顧客との「契約」上の課題として理解されている。また包装はもともと促售政策上の課題であるが、一部の企業においては出荷・運輸などとともに渠道政策の課題として把握されることがある。(5)

三　場景マーケティング

中国企業のマーケティング管理についての議論には最近では姚群峰教授の「場景マーケティング論」がある。興味深い内容であるので以下に簡潔に摘要してみよう。

姚教授によれば場景マーケティングとは、特定の環境・場面を背景とした顧客の特定ニーズに対応して売上げを向上させるマーケティング手法であるという。たとえば飲食店で飲酒をしてしまったドライバーが帰宅時に代わりに運転してくれるひとを派遣する（代行運転）サービスを利用する例などが、「場景」の例であるという。自家用車の持参と店舗内飲酒という特定の環境・場面を背景として、はじめて成り立つビジネスモデルだからである。(6)

こうした場景マーケティングは工業企業も利用できると考えられる。たとえば華彬飲料社はタイ王国のＴＣＰＩ社との契約の下、一九九五年以降（子会社の中国紅牛社を通じて）中国国内で「紅牛（レッドブル）機能性健康飲料」の製造・販売を手掛けてきた。「車にはガソリンが要るが、ドライバーにはレッドブルが要る」、「渴いたらレッドブル」などの惹句のもと高速道路サービスエリア（寝不足のドライバー向け）、スポーツジム（スポーツマン向け）などへと着実に販路をひろげてきたという。

われわれからみればこれらは販売経路政策ないしは渠道政策の問題であるが、こうした「環境・場面をベースとした場景マーケティングにより企業は売上げ増大をめざすべきである」[7]というのが姚教授の考えである。

中国企業はＤＸやＩＣＴネットワークの利用についても熱心であるのでこんごのあたらしいマーケティング管理の形にも注目していくべきだといえよう。

むすび

本章では中国企業のマーケティング管理を概観した。すなわち、中国企業では（一）市場へむけて経営活動を適応させている、（二）中国企業のマーケティング管理では、われわれの４Ｐに似たような諸政策が取られている、（三）場景マーケティングという特別な視点の主張がみられる、というのがそれである。

注

(1) 野崎幸雄、『中国経営管理論』、ミネルヴァ書房、一九七四年刊、第二二一ページ。

(2) 同右書、第二二一ページ。
(3) 上海財経学院工業経済系、『社会主義工業企業管理』、上海人民出版社、一九八〇年刊、第三九六ページ。
(4) 姚管「中国の社会主義商業」、『北京週報』一九六四年、第八（二月二十五日）号。
(5) 上海財経学院工業経済系、前掲書、第三九九から四〇〇ページまで。
(6) 姚群峰「場景営銷与産品創新」、『企業管理（月刊雑誌）』北京・企業管理雑誌社刊、二〇二三年七月号、第九十四ページ。
(7) 同右雑誌、二〇二三年七月号、第九十五ページ。

Z世代のデジタル観光消費行動

―ＤＸとＳＮＳマーケティングの影響―

原田優也

原田　優也・はらだ　ゆうや
【所属】産業情報学部企業システム学科　教授
【主要学歴】国際基監教大学大学院博士課程 修了
【所属学会】消費者行動研究学会、日本中小企業学会、
　日本タイ学会　等

【主要著書・論文等】

〈著書(共著)〉

・「「タイのコンビニ」としてのセブン-イレブン」『コンビニからアジアを覗く』　日本評論社、二〇二一年

・「タイの近代的小売業の発展におけるセブンイレブンのビジネス展開」『公開講座シリーズ№二九　産業と情報の科学～未来志向の産業情報学～』　編集工房東洋企画、二〇二〇年

・「アジア新中間層における日本エンターテインメントの消費行動」『公開講座シリーズ№二五　産業情報への招待―経営・観光・情報・経済、多彩な視点から学ぶ―』　編集工房東洋企画、二〇一六年

・「海外市場における日本製娯楽ソフトの不正利用状況と消費メカニズム」『公開講座シリーズ№二一　産業を取り巻く情報』　編集工房東洋企画、二〇一二年　他

〈論文、研究ノートなど〉

・(二〇二三年)「ソーシャルメディア時代の情報発信プロセスにおけるZ世代の顧客エンゲージメントとシェアリング行動意図」『産業総合研究所』第三一号

・(二〇二二年)「SNS時代におけるソーシャルメディアインフルエンサーが購買意図に及ぼす影響」『産業総合研究』第三〇号　他

※役職肩書等は講座開催当時

一　はじめに　―Z世代の消費意欲と購買行動について―

本稿は、二〇二三年度うまんちゅ定例講座における第九回セッション「Z世代の沖縄デジタル観光―DXとSNSマーケティングの影響― (Generation Z's Okinawa Digital Tourism Consumption Behavior: The Effect of Digital Transformation and SNS marketing)」での発表を基礎にしている。この発表の内容は、より幅広い読者を対象とするために一部修正し、二〇二三年度うまんちゅ定例講座の全体的なテーマ「DX時代における地域活性化」の一環である。本稿では、Z世代のデジタル観光消費行動が地域の活性化に及ぼす影響を深く考察する。具体的には、Z世代の観光行動に関する実証的調査結果を分析し、DX及びSNSマーケティングの理論と実践に関する議論を展開し、Z世代を対象としたデジタル観光のためのマーケティング戦略の立案を行っている。この戦略は、デジタル技術の進展とソーシャルメディアの普及がもたらす新たな機会を活用し、Z世代に特化した効果的なアプローチを目指すものである。

本稿の目的は、デジタル化が進む現代の観光業界において、Z世代の消費行動が地域経済及び観光産業全体に与える影響について、深い洞察を提供することである。Z世代は、一般的に一九九〇年代後半から二〇一〇年代前半に生まれた世代とされる。この世代はデジタル技術やインターネットが身近な存在として育っており、特にスマートフォンやソーシャルメディアが日常生活の一部として当たり前のように存在する時代に育っていることが特徴である。彼らはデジタルネイティブとして育ち、その結果、伝統的なメディアよりもデジタルメディアを優先し、情報収集やコミュニケーションにおいて新しい形態を取り入れる傾向が見られる。また、Z世代は多様性と包括性を重視し、ソーシャルメディアを通じて自己表現やコミュニティ形成を行う特性を持つ。相澤（二〇二二）によれば、Z世代の特徴は「ミレニアル世代同様に、バブル世代の親からの価値観を継承しつつ、デジタル社会に適応している。また、シェアリングエコノミーなど新しい経済形態に対する抵抗がない。自分たちは「ゆとり」世代とは異なるアイデンティティを持っている」とされている。この世代はまた、個性と自己表現を重視し、独自のスタイルとブランドへの忠誠心を大切にする。(1)

二〇二三年にSVPジャパンが行った「Z世代の消費意欲と購買行動」に関するトレンド調査では、Z世代が「デジタルネイティブ」、「多様性」、「LGBTQ」、「サステナビリティ」、「現実主義」といったキーワードで表現されていることが明らかになっている。この世代は、自分らしさを追求し、新しい良いモノ、コト、イミを積極的に取り入れ、社会の矛盾を解消し、より良い世界を創造する意志を持って行動していると定義されている。SVPジャパンの調査結果によると、Z世代の消費現状は二極化しており、一方では収入の大部分を預貯金に充てる保守層が存在し、他方では趣味や交際費、ファッションへの消費を積極的に行う積極層も見られる。この二極化は、経済的安定と個人的嗜好のバランスを模索する彼らの心理を反映している。

Z世代の購入場所については、ネットショッピングと実店舗の両方を利用しており、経済的なメリットやネットの利便性、実店舗の魅力を考慮している。サービス受容性に関しては、物質的な所有よりもサブスクリプション形式の動画や音楽配信サービスの利用が高く、新しいサービスに対する受容性もあるが、ファッションや車、家具、インテリアのサブスクリプションサービスの利用は非常に低い。消費意欲に関しては、経済的な余裕があるにも関わらず消費につながらない傾向が見られる。大金を手にしても消費よりも預金を優先する保守層が多いが、消費積極層では旅行や趣味、美容など、自己の経験や体験に重きを置いた消費が中心となっている。これらの傾向は、Z世代の社会や個人の価値観に対する深い洞察を反映しており、その意識が消費行動に影響を与えていることが示唆されている。

「一カ月のうち、**最もお金をかけているものは何ですか**」という質問（図1）に対して、Z世代における支出傾向は、預貯金への支出が最も高く、その次に趣味、交際費、推しメン[(2)]、ファッションへの支出が続くという特徴がある。この世代は好景気を経験したことがなく、貯蓄を中心とした現実的な支出傾向が見られる可能性が高い。しかし、趣味や交際費、推しメン、ファッションなど、自分が好きなことへの消費を行う人も多くいる。一方、Y世代においても、Z世代と同様に預貯金への支出が最も多く、その次に趣味への支出が続く展開となっている。ただし、推しメン活動費・グッズ、趣味、交際費の支出はZ世代に比べて約四ポイント程度低く、これは世代間の流行りやライフステージによる違いが反映されていると考えられる。

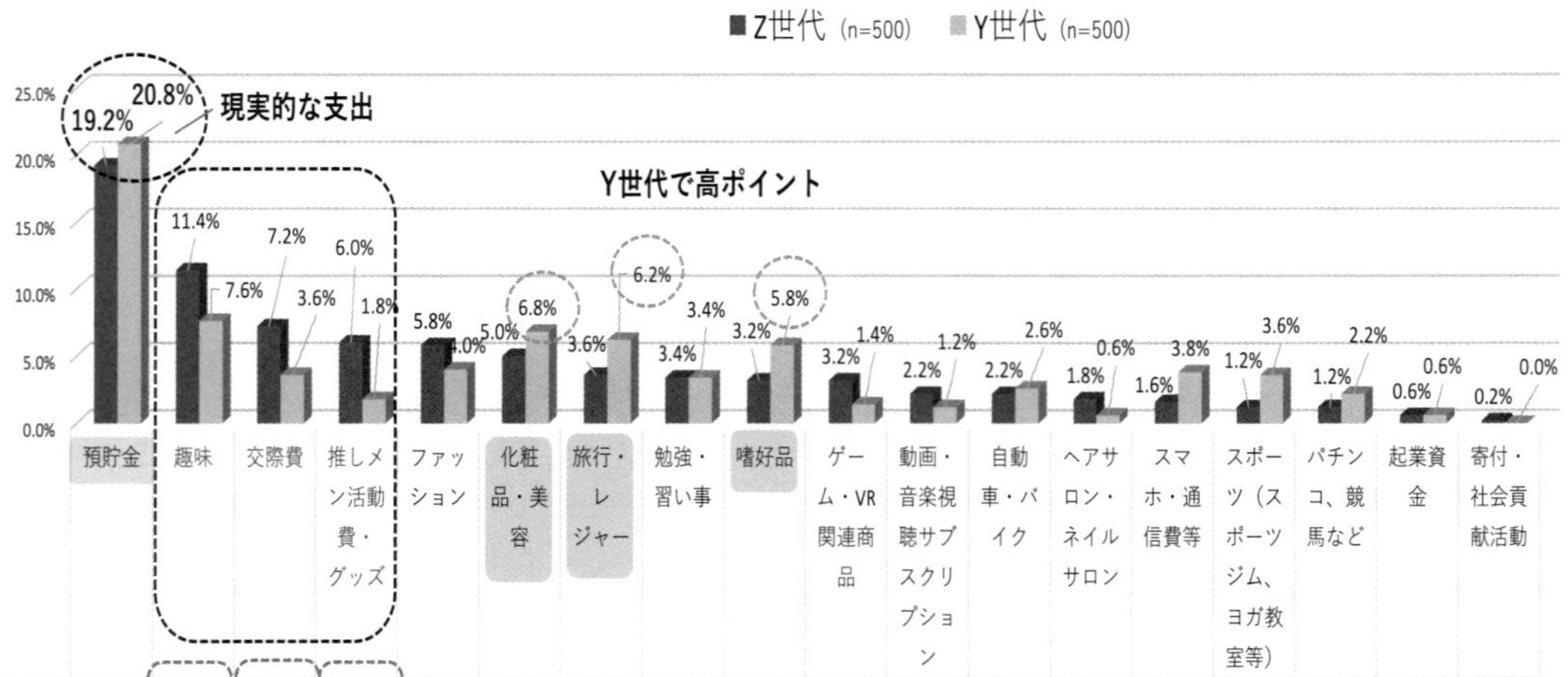

	預貯金	趣味	交際費	推しメン活動費・グッズ	ファッション	化粧品・美容	旅行・レジャー	勉強・習い事	嗜好品	ゲーム・VR関連商品	動画・音楽視聴サブスクリプション	自動車・バイク	ヘアサロン・ネイルサロン	スマホ・通信費等	スポーツ（スポーツジム、ヨガ教室等）	パチンコ、競馬など	起業資金	寄付・社会貢献活動
Z世代	19.2%	11.4%	7.2%	6.0%	5.8%	5.0%	3.6%	3.4%	3.2%	3.2%	2.2%	2.2%	1.8%	1.6%	1.2%	1.2%	0.6%	0.2%
Y世代	20.8%	7.6%	3.6%	1.8%	4.0%	6.8%	6.2%	3.4%	5.8%	1.4%	1.2%	2.6%	0.6%	3.8%	3.6%	2.2%	0.6%	0.0%

図１　１カ月のうち、最もお金をかけているものは何ですか。

出所：SVPジャパン調査Vol.1, 2023, p.9

または、「一カ月のうち、最もお金をかけているもの〈男女比較〉」の回答（図２）は男女別での支出傾向を見ると、Ｚ世代およびＹ世代において男性は女性に比べて「預貯金」への支出割合が高いことが明らかである。一方、女性は「預貯金」の次に「化粧品・美容」への支出が多い傾向にある。世代別の違いとして、Ｚ世代では男女ともに「交際費」がランクインしているが、Ｙ世代では男女共に上位五位以内にはランクインしていない。さらに、Ｙ世代では男女間に違いが見られ、四位に男性は「スマホ・通信費等」を、女性は「ファッション」を選んでいる。五位には、男性は「スポーツ（スポーツジム、ヨガ教室等）」を、女性は「勉強・習い事」を選んでおり、どちらも自分自身にとって有益なものやことが選ばれている。

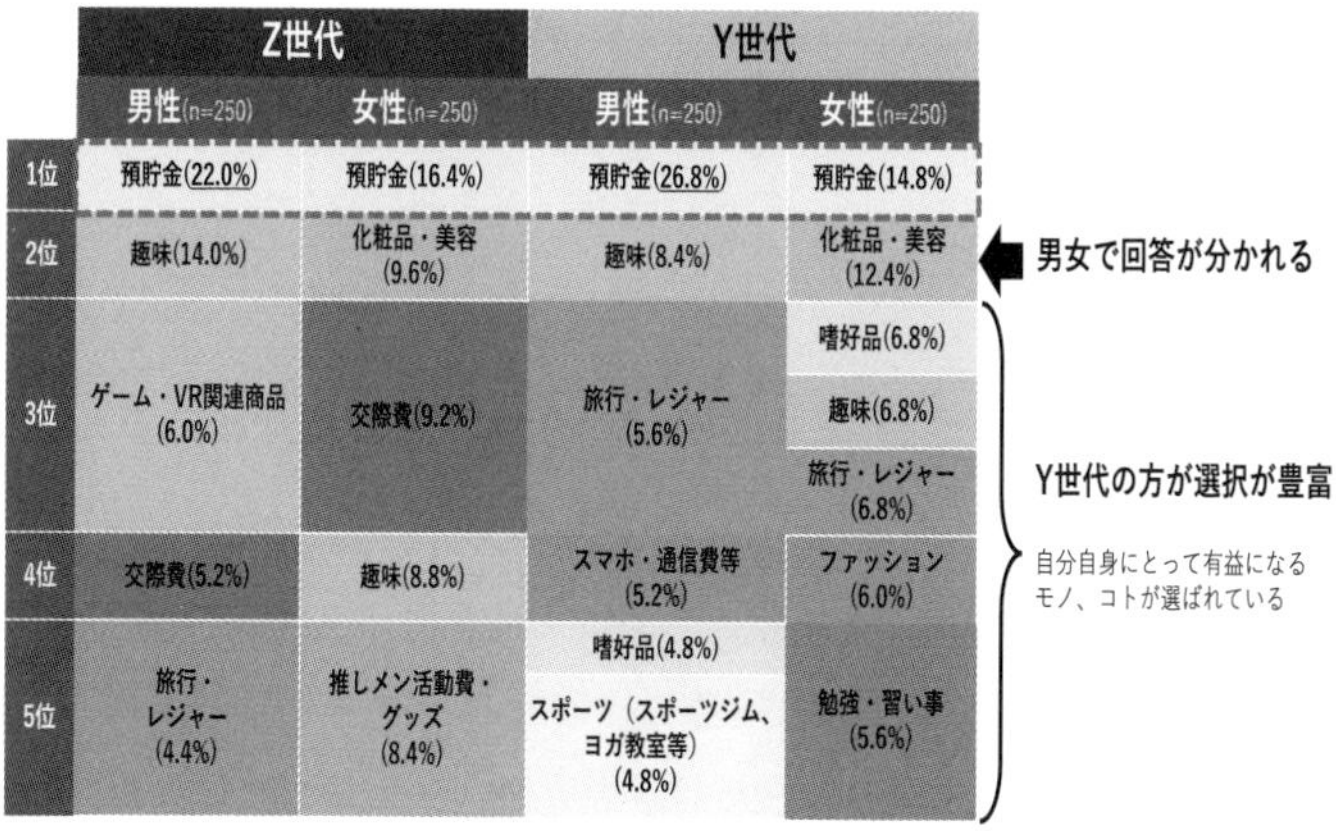

| | Ｚ世代 | | Ｙ世代 | |
	男性(n=250)	女性(n=250)	男性(n=250)	女性(n=250)
1位	預貯金(22.0%)	預貯金(16.4%)	預貯金(26.8%)	預貯金(14.8%)
2位	趣味(14.0%)	化粧品・美容(9.6%)	趣味(8.4%)	化粧品・美容(12.4%)
3位	ゲーム・VR関連商品(6.0%)	交際費(9.2%)	旅行・レジャー(5.6%)	嗜好品(6.8%)
				趣味(6.8%)
				旅行・レジャー(6.8%)
4位	交際費(5.2%)	趣味(8.8%)	スマホ・通信費等(5.2%)	ファッション(6.0%)
5位	旅行・レジャー(4.4%)	推しメン活動費・グッズ(8.4%)	嗜好品(4.8%) スポーツ（スポーツジム、ヨガ教室等）(4.8%)	勉強・習い事(5.6%)

→ 男女で回答が分かれる

図２　1カ月のうち、最もお金をかけているもの＜男女比較＞

出所：SVPジャパン調査Vol.1, 2023, p.10

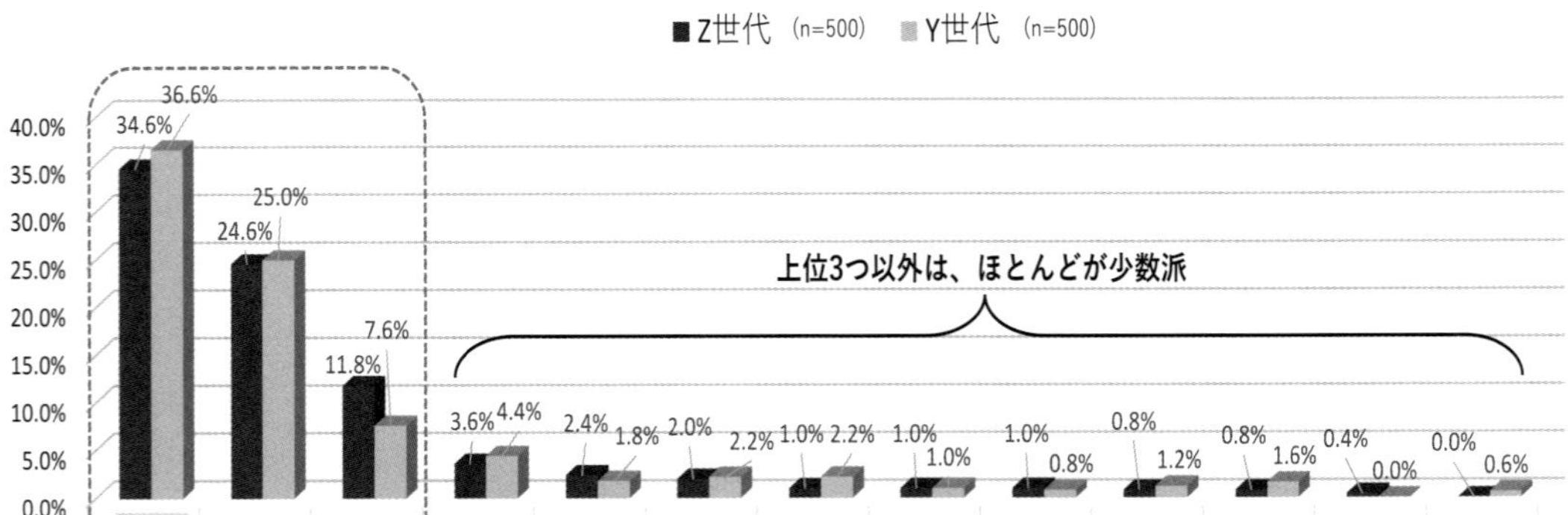

	価格	品質・機能の良さ	見た目やデザインが好みであること	長く使えそうであること	新品かどうか	日本製であること	口コミ、他人の評価が高いこと	流行のものであること	流行とは関係ないものであること	他人と被らない個性的であること	有名ブランドであること	サステナブルであること	外国製であること
Z世代	34.6%	24.6%	11.8%	3.6%	2.4%	2.0%	1.0%	1.0%	1.0%	0.8%	0.8%	0.4%	0.0%
Y世代	36.6%	25.0%	7.6%	4.4%	1.8%	2.2%	2.2%	1.0%	0.8%	1.2%	1.6%	0.0%	0.6%

図３　商品を購入する際に、最も重視していることは何ですか。

出所：SVPジャパン調査Vol.1, 2023, p.11

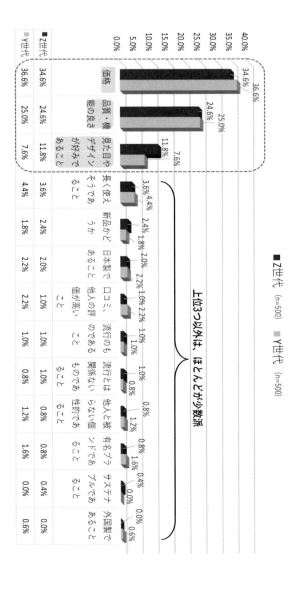

図3は商品を購入する際に、最も重視していることに関する質問である。消費の決定要因として、「価格」が三四・六％で最も高く、これに「品質・機能の良さ」が二四・六％で続いている。この結果は、コストパフォーマンスを重視しつつ、自身の好みに合った選択を行う傾向を示している。コストパフォーマンスが良い選択肢の中から、自身の好みに合ったものを選ぶ傾向が強く、有名ブランドや日本製であることは重視されていない。さらに、Z世代とY世代間でこの質問に対する違いはほぼないが、Z世代の方がY世代よりも見た目やデザインが自分好みであることを重視していることが分かる。

Z世代の情報収集方法に関しては、VALUES Consulting & Creation Group（二〇二三）が分析している。同グループによると、Z世代は多様なシーンで情報を収集し、媒体を使い分けてい

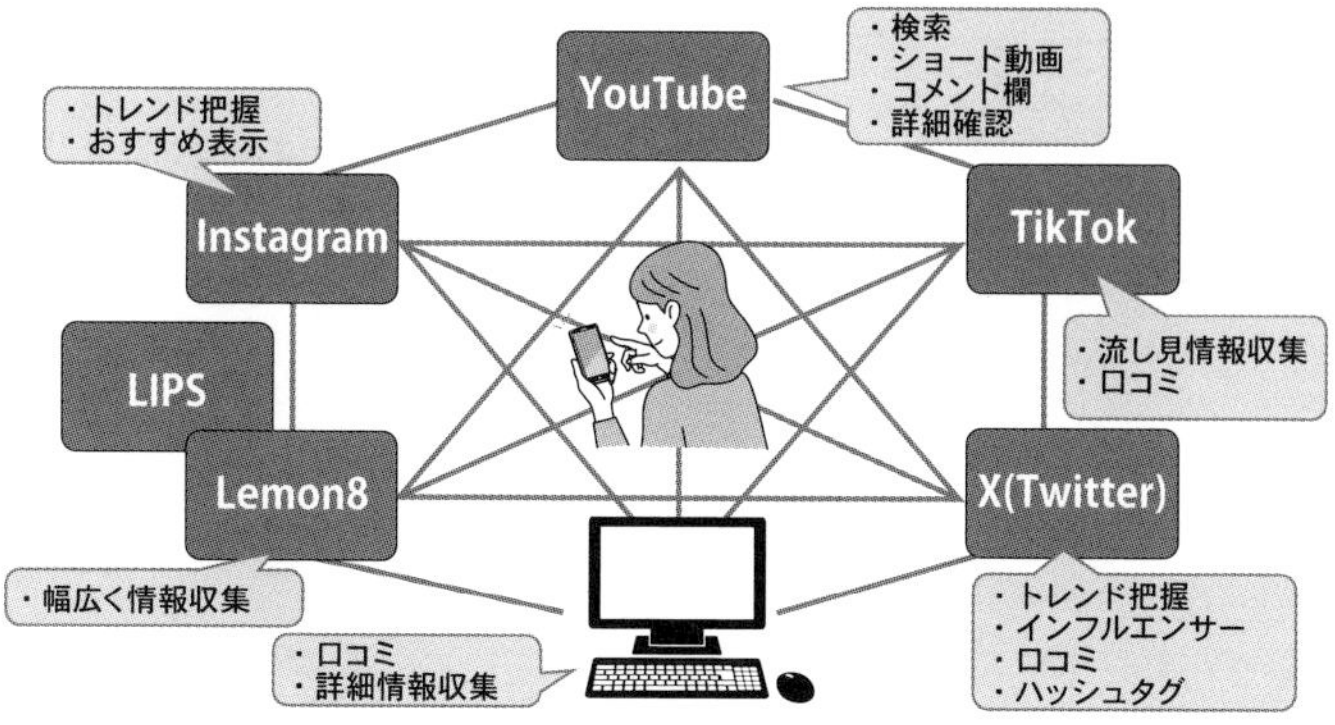

図4　Z世代のコンテンツの収集・共有方法

出所：「VALUES Consulting & Creation Group. (2023). Z世代の美容意識調査～Z世代女性の「ありたい理想像」p.12、取得元 https://www.valuesccg.com/whitepaper/20231117-6502/」を一部修正して作成

る（図4）。例えば、幅広い情報を収集する際にはLEMON8のようなサイトを利用し、商品情報や使用方法、ユーザーコメントを把握する。商品のトレンドを把握するためにはTwitterを利用し、トレンド情報やインフルエンサーの動向、ユーザーコメント、ハッシュタグを通じた宣伝活動に注目する。また、TikTokではユーザー生成コンテンツ（UGC）や口コミ情報を得る。より詳細な情報が必要な場合には、YouTubeなどのプラットフォームで長い形式のコンテンツを探求する。Z世代の情報収集方法は、彼らに向けたマーケティング戦略において非常に重要であり、購買意思決定において情報源の多様性と質が重要な役割を果たしている。

二 Z世代の観光行動

Z世代の観光行動は、自己表現と個性的な体験を追求する特徴を持ち、一般的な大衆観光よりも多様な経験を求める傾向にある。彼らは自分らしさをテーマにした旅行を好み、具体的な目的地や活動を重視している。[(3)] 一般的な大衆観光よりも個性化された多様な経験を求め、冒険や自己啓発を旅行の目的としている。さらに、一人旅を含む多様な旅行スタイルを受け入れ、コストパフォーマンスと地域社会との繋がりを重視している。

情報収集においては、従来の旅行代理店よりも自らのデバイスを通じてオンラインで情報を得ることを好み、特にソーシャルメディア上のインフルエンサーからの情報を重視する。ミレニアル世代と比べて、主にオンラインでスマートフォンやタブレット端末で旅行に関する情報を収集し探索行動を行い、彼らは旅行情報に関して徹底的なリサーチを行い、リアルタイムでの双方向の情報交換を好む。また、Z世代は情報共有を積極的に行い、特に非日常的な体験や特別感を表現するためにSNSを活用し、情報を発信し共有する傾向にある。

それに、他の旅行者のオンラインレビューを参考にし、自分自身の経験も積極的に共有し、観光に関するレビューを作成する。さらに、Z世代の旅行者はデジタルネイティブであり、テクノロジーの最新動向に精通しているため、ARやVRなどの新しい技術を取り入れた観光体験にも興味を持ち、オンライン旅行にも参加する傾向が高い。観光先の移動手段は滞在先で環境にやさしい交通手段を使用することにも積極的に参加する。Z世代の技術活用について、Z世代の旅行者は旅行の計画段階から帰宅後の共有までテクノロジーを駆使して旅行体験を最大限に活用する。また、コロナ禍での旅行意向については、コロナ収束後、旅行にもっとも意欲的に参加する傾向が高いことがわかった。このように、Z世代の旅行はテクノロジー、パーソナライゼーション、そしてソーシャルメディアの活用が特徴であり、彼らの旅行スタイルは今後もさらなる進化を遂げる可能性がある。

SHIBUYA109Lab.のZ世代実態調査(4)によると、Z世代が親しい友人とお出かけや旅行に行く際に参加している情報源は「インスタグラム（七二・五％）」、「動画配信サービス（五三・八％）」、「Twitter（四六・五％）」となっており、特に女性の場合、インスタグラムの利用率（八六・五％）が男性よりも高い傾向にある。一方で、情報を検討する際の主な情報源は「インスタグラム

（五二・五％）」、「Googleなどの検索エンジン（三七・三％）」、「動画配信サービス（二八・五％）」、「Twitter（二六％）」の順である。また、親しい友人との旅行やお出かけを楽しむために、お金をかける項目としては「ファッション（四八・五％）」、「化粧品（二九・五％）」、「美容院（二〇・五％）」が挙げられる。全体的にみると、旅行やお出かけの際にお金をかけることがある人は約七〇％であり、「特にない」と回答した人は三〇％である。図５はＺ世代における旅行決定後の情報取集やＳＮＳの使用実態調査の結果である。旅行情報収集、旅行決定後の検索方法または、旅行中のＳＮＳ投稿はＺ世代がインスタグラムをよく使用することが確認できた。

ＪＴＢＦ旅行実態調査トピックス(5)（二〇二二）によれば、今やＳＮＳの利用率は七八・七％と年々上昇傾向にあり、特にＺ世代の利用率は九割を上回っている。観光においても、ＳＮＳを活用した情報発

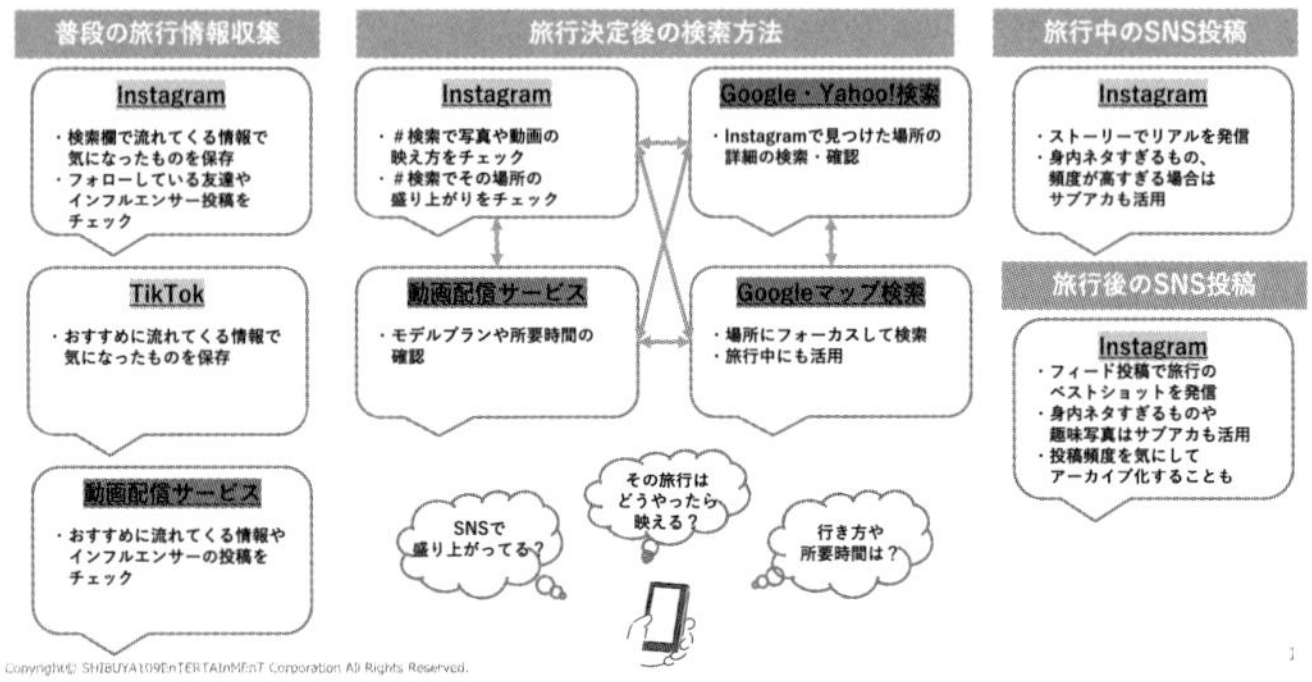

図５　普段・旅行決定後の情報収集やSNSの使用実態（インタビューの発言より）

出所：SHIBUYA109 lab.調べ

信が注目を浴びており、旅行者も情報収集をSNSで行うことが多くなり、スマートフォンのカメラの発展によって誰もが気軽に旅行中に写真を撮り、それらの写真をSNS上に公開することもできるようになっている。調査結果によれば、若い世代（例、Z世代）ほど旅行先選択にSNSからの情報を高く重視する傾向がある。Z世代の国内旅行の主な情報収集は「インターネットの検索エンジン（男性：五一・二％、女性：四三・五％）」と「SNSやブログ、動画投稿サイト（男性：三七・二％、女性：四七・八％）」となっているが、宿泊施設のホームページはほとんど参考にしない傾向がある（男性：九・三％、女性：一三％）。他の世代間と比べて、一番低いことが分かった（表1）。

　以上の調査結果から、Z世代の観光における情報収集源は主にインスタグラムであることが

表1　国内旅行の実施にあたり、旅行の計画を立てる際にどのように情報収集しましたか

（%）、Z世代：19-25歳、ミレニアル世代：26-41歳、X世代以上：42歳以上

		インターネットの検索エンジン（Google、Yahoo! など）	宿泊施設のHP	インターネットの旅行専門サイト	SNS（Instagram、facebookなど）やブログ、動画投稿サイト（YouTubeなど）	家族や友人・知人	旅行ガイドブック	観光施設のHP	旅行雑誌	観光協会や自治体のHP	旅行会社のHP	口コミサイト（トリップアドバイザー、フォートラベルなど）	旅行会社のパンフレット	観光パンフレット	旅行先の観光協会、宿泊施設などに問い合わせ	旅行会社に問い合わせ（店頭や電話、メールなど）	その他	自分で情報収集しない
全体（n=1,448）		51.7	27.5	20.9	15.3	14.3	13.5	10.4	10.2	10.1	8.1	7.5	7.3	4.4	2.3	2.0	2.1	10.2
男性	全体（n=735）	56.2	26.5	23.4	10.6	13.5	15.5	11.7	12.7	11.0	9.5	6.7	7.5	5.2	2.0	2.3	2.3	7.3
	Z世代（n=43）	51.2	9.3	27.9	37.2	20.9	7.0	11.6	4.7	4.7	9.3	9.3	2.3	4.7	2.3	2.3	2.3	9.3
	ミレニアル世代（n=196）	55.6	21.4	25.5	13.8	18.4	18.9	12.8	15.8	6.6	11.7	6.6	9.2	7.7	4.1	5.1	1.0	6.6
	X世代以上（n=495）	56.8	29.9	22.0	6.9	10.9	14.7	11.1	12.1	13.1	8.5	6.3	7.3	4.2	1.2	1.2	2.8	7.5
女性	全体（n=713）	47.1	28.5	18.2	20.1	15.1	11.5	9.1	7.6	9.1	6.7	8.4	7.0	3.5	2.5	1.7	2.0	13.0
	Z世代（n=46）	43.5	13.0	4.3	47.8	19.6	19.6	10.9	13.0	8.7	8.7	4.3	13.0	8.7	2.2	0.0	0.0	10.9
	ミレニアル世代（n=170）	48.8	20.0	14.1	46.5	18.8	12.4	6.5	10.0	5.9	4.7	12.9	4.1	2.9	1.2	2.4	1.2	12.9
	X世代以上（n=496）	46.8	32.7	20.8	8.3	13.5	10.5	9.9	6.3	10.3	7.3	7.3	7.5	3.2	3.0	1.6	2.4	13.3

出所：JTBF旅行実態調査トピックス（2022）

確認される。したがって、Z世代向けの広告戦略ではSNSマーケティングを中心に行うべきである。

三　DXとSNSマーケティングの概要

Z世代はデジタル技術やインターネットが身近な存在として育っており、新しい技術革新に対して、抵抗感が少ないと言われている。このセッションは観光DXとSNSマーケティング概要について説明する。まず、DX（デジタルトランスフォーメーション）とテクノロジーディスラプション（Technology Disruption）の違いについて、概説する。また、観光DXというのは何か、を説明し、その後、SNSマーケティングの概要を紹介する。

1　DXの概要

DXとは、「企業がビジネス環境の激しい変化に対応し、データとデジタル技術を活用して、顧客や社会のニーズを基に、製品やサービス、ビジネスモデルを変革するとともに、業務そのものや、組織、プロセス、企業文化・風土を変革し、競争上の優位性を確立すること」と定義されている。[(6)] 企業や組織がデジタル技術を活用して、既存のビジネスモデルや経営プロセスを根本から変革し、新たな価値を創造するプロセスである。DXの目的は、競争力の強化、効率性の向上、イノベーションの促進、顧客満足度の向上などである。DXを成功させるためには、組織内の意識改革や文化変革も必要となる。一方、テクノロジーディスラプションとは、新しい技術が既存の市場や業界の価値提案を根底から覆し、既存のビジネスモデルや市場構造を破壊する現象である。[7]テクノロジーディスラプションは、しばしば予測が難しく、急激な市場変化をもたらす。スマートフォンの登場やオンラインストリーミングサービスの普及などが、テクノロジーディスラプションの典型例である。

ＤＸとテクノロジーディスラプションの違いについて、以下の二点にまとめることができる。

(1)**主体の違い**：ＤＸは企業や組織が主体的に行う変革であるのに対し、テクノロジーディスラプションは外部からの技術革新がもたらす影響である。(2)**目的の違い**：ＤＸはビジネスの持続可能性と成長を目指すものであるのに対し、テクノロジーディスラプションは既存の市場や業界の破壊を目的とするものではない。ＤＸとテクノロジーディスラプションは、今後も企業や組織にとって重要な課題となるであろう。ＤＸによってテクノロジーディスラプションに対応し、ビジネスの持続可能性と成長を実現することが求められる。ＤＸとテクノロジーディスラプションの比較は表２のようにまとめている。

観光分野において、観光ＤＸとは、業務プロセスのデジタル化による単なる効率化を超えるものであり、収集されたデータの分析と活用を通じてビジネス戦略の再考や新たなビジネスモデルの創出を目指す戦略的アプローチである。観光業界においては、COVID-19パンデミックによる観光需要の減少が深刻な影響を与えたことから、観光地の再活性化と既存の課題を克服するために、地域

表2　DXとテクノロジーディスラプションの特性

特性	テクノロジーディスラプション (Technology Disruption)	DX(デジタルトランスフォーメーション) (Digital Transformation)
定義	新しい技術の導入によって業界や市場に突然かつ根本的な変化をもたらすこと	デジタル技術の採用によって組織内に漸進的かつ継続的に変化をもたらすこと
目的	新しい市場を創造し、既存の技術やビジネスモデルを駆逐すること	効率性を向上させ、顧客体験を強化し、新しいビジネスチャンスを創造すること
ビジネス事例	スマートフォンの普及とモバイルアプリの登場により、従来のタクシー業界が破壊された	eコマースの導入により、小売業界のビジネスモデルが変革された
ターゲット市場	すべての業界と市場	すべての業界と市場
Z世代の消費者行動への影響	Z世代の消費者は、新しい技術を早期に採用し、新しい体験を求める傾向がある。そのため、沖縄の観光業界は、Z世代の消費者のニーズを満たすための施策を検討する必要がある。	Z世代の消費者は、よりパーソナライズされた体験を求め、利便性やスピードを重視する傾向がある。
Z世代のライフスタイルへの影響	Z世代は、デジタル技術が普及した時代に成長してきたため、デジタル技術を日常的に活用している。	Z世代は、デジタル技術を活用することで、より便利で快適なライフスタイルを送ることができる。
沖縄観光業界への影響	テクノロジーディスラプションにより、沖縄観光業界に新しい観光ビジネスやプラットフォームが誕生する可能性がある。	デジタル変革により、既存の観光ビジネスがオペレーションを改善し、観光客に更好的サービスを提供できるようになる可能性がある。
ブランドイメージへの影響	テクノロジーディスラプションにより、ブランドイメージが急速に変化する可能性がある。	デジタル変革により、企業はより魅力的で顧客中心のブランド体験を創造できるようになる可能性がある。
ブランド戦略への影響	テクノロジーディスラプションに対応し、新技術を活用できる企業は競争優位性を獲得できる可能性がある。	デジタル変革を推進できる企業は、より持続可能で収益性の高いビジネスモデルを構築できる可能性がある。
SNSマーケティングへの影響	テクノロジーディスラプションにより、新しいソーシャルメディアプラットフォームが誕生し、人々がソーシャルメディアを使用する方法が変化した。	デジタル変革により、企業はソーシャルメディアをより効果的に活用して、ターゲットオーディエンスにリーチし、エンゲージメントを図ることができるようになった。

コミュニティや関連事業者と協働してDXを実施することが不可欠である。DXの実装においては、旅行者の利便性を向上させることによる消費機会の拡大、観光地域開発組織（DMO）や地方公共団体による観光地管理の高度化、宿泊施設の情報管理システムの強化による業界全体の生産性の向上、そしてこれらの取り組みを支えるデジタル人材の育成と活用が重要である。これらの施策は、それぞれの地域の実情に合わせて慎重に計画し、実行されるべきである。現在、観光庁は図6のようにDX推進しているため、各地域の「事業者間・地域間におけるデータ連携等を通じた観光・地域経済活性化実証事業」を募集し、地域へ貢献をして

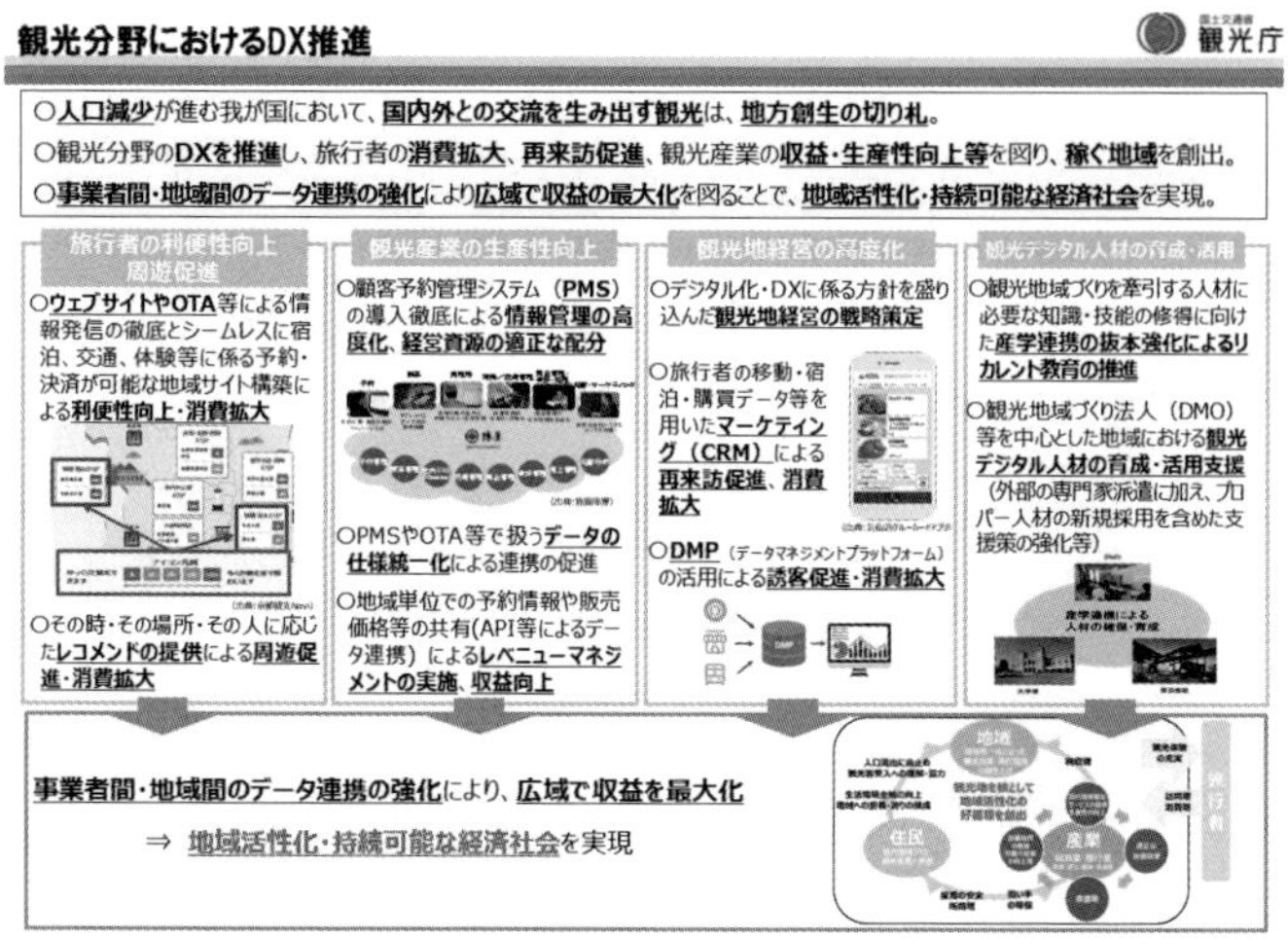

図6　観光分野におけるDX推進

出　所：観光庁HP（https://www.mlit.go.jp/kankocho/page05_000223.html）
閲覧日：2023年9月30日

いる仕組みを採用している。

2　ＳＮＳマーケティングの概要

ＳＮＳマーケティングは、ソーシャル・ネットワーキング・サービス（ＳＮＳ）を利用した現代的なマーケティング手法の一つである。この手法は、企業がユーザーと直接コミュニケーションを取ることで、商品やサービスのブランド認知度の向上を目指し、顧客とのエンゲージメントを深めることを可能にする。ＳＮＳマーケティングの主要な特徴は、ターゲットオーディエンスとの直接的かつパーソナライズされたコミュニケーションの実現と、精密なターゲティングによるマーケティング効果の最大化である。ＳＮＳマーケティングの実践には、企業の自社ＳＮＳアカウントの運用、ターゲットユーザーに特化したＳＮＳ広告の配信、影響力のあるインフルエンサーを用いたマーケティング戦略などが含まれる。

このマーケティング手法の成功の鍵は、顧客視点を重視した戦略の策定と、集められたデータの効果的な活用にある。これには、顧客のニーズや行動パターンを深く理解し、それに基づいた価値のあるコンテンツを提供すること、さらにユーザーの行動データや属性データを分析し、マーケティング戦略を効果的に調整することが含まれる。特にＺ世代をターゲットにしたマーケティングでは、この世代の特性を理解することが不可欠である。Ｚ世代はデジタルネイティブ世代として知られ、ＳＮＳの普及と共に成長してきた。彼らは日常生活の中でＳＮＳを頻繁に活用し、商品やサービスに関する情報を収集し、購入の意思決定を行う。さらに、ＳＮＳ上で商品やサービスに関する意見や感想を積極的に共有し、その影響力を生かすことで、マーケティング戦略において大きな影響を及ぼすことが可能である。彼らは企業やブランドのＳＮＳアカウントをフォローし、積極的に情報を収集する傾向があるため、企業やブランドは自社のＳＮＳアカウントを効果的に運用し、関心を引くコンテンツを定期的に投稿する必要がある。また、ＳＮＳ広告の配信は、Ｚ世代に特化することで、より効果的な認知度の向上を図ることができる。Ｚ世代の興味や関心に合わせたターゲティングを行い、効果的な広告配信を実施することで、マーケティングの効率を高めることが可能である。インフルエンサーマーケティング[8]も重要な要素であり、Ｚ世代はＳＮＳで活躍するインフルエンサーの提案や情報を重視し、商品やサービスの購入に影響されることが多い。そのため、影響力のあるインフルエンサーとの協力によるマーケティング戦略は、Ｚ世代の購買意欲を効果的に刺激する。

日本航空（ＪＡＬ）のＳＮＳマーケティング事例（図７）は、ＳＮＳプラットフォームを活用して、企業の商品、観光先、オペレーション、サービスを顧客とのコミュニケーションを通じて伝達する手法を示している。この事例において、Ｚ世代が流行のＳＮＳを介してＪＡＬの広告に容易にアクセスできる点は注目に値する。

同様に、沖縄観光のブルーシールアイスクリームに関するＳＮＳマーケティング事例（図８）では、若年層がインスタグラムを利用し、観光地で撮影した写真を自身のアカウントで投稿し、共有する

図7　日本航空（JAL）のSNS

出所：インスタグラム、X（Twitter）、TikTokの公式アカウントより

図8　沖縄観光のマーケティング例（若者がどのようにSNSを活用したのかの事例）

出所：インスタグラムより

様子が描かれている。これらの若者は、自らの体験を共有することで情報を広め、SNSを企業と顧客間のコミュニケーションツールとしての有効性を示している。

表3は、SNSマーケティング活動がZ世代の旅行先選択に及ぼす影響についての分析を詳細に示している。これらの活動は、Z世代における旅行選択に直接的な影響を及ぼす可能性が高いとされ、特にSNSの普及に伴い、彼らの旅行行動における顕著な変化が確認されている。SNS上での情報共有、トラベルインフルエンサーによる推奨、ユーザー生成コンテンツの拡散がZ世代の旅行先選択に重要な役割を果たしていることが明らかである。インスタグラム、X（Twitter）、TikTok、YouTubeなどのプラットフォーム上で共有される旅行地

表3　SNSマーケティングとZ世代の旅行先選択への影響の一例

SNSマーケティングの活動	影響内容	Z世代の旅行先選択への影響
トラベル関連のコンテンツ共有	旅行先やアクティビティ、宿泊施設などの情報が拡散される。	ある地域や施設に対する認知や興味が高まる。
ユーザー生成の旅行コンテンツ	旅行者が実際の体験や写真、感想を共有し、リアルな情報が得られる。	他の旅行者の体験を基に、旅行先の魅力や実際の様子を知る。
トラベルインフルエンサー	インフルエンサーが特定の旅行先や体験を推薦し、その魅力を伝える。	インフルエンサーの推薦により、旅行先の関心が高まる。
ダイレクトメッセージやQ&A	旅行関連のブランドやサービスが、質問や懸念に直接応答する。	旅行先やサービスに関する疑問が解消され、選択が容易になる。
ターゲティング広告	Z世代の旅行傾向や興味に合わせて、旅行関連の広告が表示される。	個人の関心や旅行スタイルに合った旅行先に対する関心が高まる。
リアルタイムなプロモーション	限定的な旅行パッケージやキャンペーン情報がリアルタイムで伝わる。	短期的な旅行の動機付けが生まれ、特定の旅行先への関心が急増する可能性がある。

の画像や体験談は、旅行先に対する興味を刺激し、選択過程に影響を及ぼしている。友人やフォロワーからの推奨は、他の情報源に比べて信頼性が高いと考えられている。加えて、ＳＮＳマーケティングは、個々のユーザーの興味や過去の行動に基づいたパーソナライズされた情報提供を可能にしている。この結果、Ｚ世代の旅行者は自身の嗜好や関心に合致する旅行情報に簡単にアクセスし、それを旅行計画の決定要因として利用している。旅行業界におけるＳＮＳの影響力は、新たなマーケティング戦略の必要性を示唆している。従来の広告やプロモーション手法に加え、ＳＮＳを介したエンゲージメントやユーザー体験の向上が重要視されている。Ｚ世代が主要な顧客層として台頭する中で、彼らの旅行選択行動を理解し、それに適応するマーケティングアプローチの開発は、旅行関連企業にとっての主要な課題となっている。

四　Ｚ世代の消費行動特徴とデジタル観光マーケティング

　このセッションでは、Ｚ世代の特性とデジタル観光マーケティング戦略の結びつきについて深く掘り下げて分析する。Ｚ世代は、デジタルネイティブとしての特徴を持つことが強調され、ＳＮＳやオンラインコンテンツに対する高い関与と親和性を示している。また、彼らは新しい体験やカスタマイズされたサービスに対して高い期待を持ち、特に購買意思決定プロセスにおいてソーシャルメディアの影響を大きく受けることが指摘されている。このようなＺ世代の特性を考慮に入れることで、沖縄観光業界で適用されている観光マーケティング戦略は、Z世代のニーズ、関心および特徴に深く根ざしたアプローチを取り入れている。

表4に示された観光マーケティング戦略には、デジタルストリートビューツアー、デジタルスタンプラリー、VR体験ツアー、AR伝説探求、デジタルインフルエンサーコラボが含まれる。これらの戦略は、デジタルメディ

表4　Z世代と観光マーケティングの実施方法

	観光マーケティング戦略	主要内容	実施方法	期待される成果
1	デジタルストリートビューツアー	沖縄の人気スポットや隠れた名所をデジタルで巡る体験	Google Street Viewや専用アプリでガイド付きバーチャルツアー	観光地の認知度向上、オフシーズンの集客増
2	デジタルスタンプラリー	観光地やお店でのデジタルスタンプ収集	専用アプリでスタンプを集め、限定グッズや割引券と交換	地元ビジネスの活性化、再訪意向の向上
3	VR体験ツアー	沖縄の歴史や文化を深く体験	VRで沖縄の歴史や文化を再現し、実際に体験	文化的魅力の伝達、歴史への理解深化
4	AR伝説探求	沖縄の伝説や神話のAR体験	AR技術で沖縄の神話を現実の風景に重ね、探求	文化的つながりの深化、地域への興味向上
5	デジタルインフルエンサーコラボ	Z世代の人気インフルエンサーとのコラボ	インフルエンサーとの連携で特定の観光スポットやアクティビティの紹介	SNSの露出増、Z世代からの高評価取得
6	ローカルとのデジタル交流	地元の人々とのデジタル上での交流	Zoomなどで地元の人々との料理教室や話し合い	地元住民と観光客との絆の強化、リピート訪問の促進
7	デジタルアートギャラリー	沖縄のアートをデジタル展示	VRやARで沖縄のアーティスト作品のバーチャル展示	アーティストの支援、文化的価値の共有
8	ゲーム化された観光	観光をゲームのように楽しむ	沖縄の名所巡りのゲームアプリ開発	若年層の参加意欲向上、長時間滞在の促進
9	デジタルショッピング体験	沖縄の伝統品や特産品をオンラインで購入	バーチャルショップでの商品紹介やVR体験購入	地元産業の活性化、オンライン収益の拡大
10	オンライン言語交流	沖縄の言語・方言を学ぶオンライン体験	地元の人々とのZoom会話、方言レッスン	沖縄文化への理解深化、地域への興味向上
11	デジタル料理教室	沖縄の伝統料理を学ぶオンラインクラス	Zoom等を使用した実際の調理手順の実演	地元の食文化の普及、次回訪問時の食事体験への期待感向上
12	リアルタイム360度ライブカメラ	人気スポットのリアルタイムの風景提供	高解像度の360度カメラ設置とストリーム配信	訪問意向の刺激、沖縄の現在の様子の伝達
13	デジタル伝統芸能体験	沖縄の伝統的な舞踊や音楽のオンライン視聴	オンラインでの伝統芸能のパフォーマンスや教室	伝統文化の価値の伝播、芸能家の支援

アを通じて沖縄の文化的魅力を効果的に伝え、Z世代に特に魅力的な体験を提供することを目的としている。たとえば、デジタルストリートビューツアーは、Google Street Viewや専用アプリを利用して、沖縄の人気スポットや隠れた名所をバーチャルで巡る体験を提供する。この戦略は、新しいテクノロジーに対して積極的なZ世代の好奇心を刺激し、SNSを介した共有によって観光地の認知度向上に寄与する。さらに、デジタルスタンプラリーは専用アプリを使用して観光地やお店でのデジタルスタンプ収集を行い、地元ビジネスの活性化や再訪意向の向上に効果的である。

VR体験ツアーは、沖縄の歴史や文化をVR技術を使用して再現し、Z世代に対して実際に体験するような感覚を提供する。これは、教育的な側面を持ち、Z世代が求める没入型の体験を提供する。インタラクティブな学習体験は、彼らの知識欲を満たし、沖縄の文化への興味と理解を深める。一方、デジタルインフルエンサーコラボは、人気のインフルエンサーと連携し、特定の観光スポットやアクティビティをSNSで紹介する戦略であり、Z世代の間での高い評価を獲得し、旅行先選択に直接的な影響を与える。加えて、AR伝説探求では沖縄の神話をAR技術を利用して現実の風景に重ね、探求する体験を提供し、文化的つながりの深化や地域への興味を高める。このような戦略は、沖縄観光業界がデジタル技術を活用して特にZ世代のような若い世代の観光客を惹きつけるために革新的なアプローチを採用していることを示している。デジタルスタンプラリーやVR体験ツアーは伝統的な観光体験に新しい次元を加え、訪問者に記憶に残る体験を提供し、沖縄観光の魅力を増大させる効果が期待される。また、ローカルとのデジタル交流、デジタルアートギャラリー、ゲーム化された観光などの戦略は地域経済の活性化に寄与し、観光業界におけるデジタル化の重要性を強調している。これらの戦略はZ世代の消費行動に大きな影響を与え、沖縄観光業界におけるマーケティングアプローチの革新と成長を促進している。Z世代の特性を理解し、デジタル技術を活用して彼らにアピールするための革新的なアプローチを採用していることがこれらの事例から明らかである。デジタルストリートビューツアーやVR体験ツアー、デジタルインフルエンサーコラボは、伝統的な観光体験に新しい次元を加え、Z世代に記憶に残る体験を提供し、沖縄観光の魅力を高める効果が期待される。

五　まとめ

本稿の主な内容は、「二〇二三年度うまんちゅ定例講座における第九回セッション『Z世代の沖縄デジタル観光―DXとSNSマーケティングの影響―』の一部の発表」である。技術的進歩と社会的変動の中で成長したZ世代が、現在および将来の観光業界、特に沖縄観光産業において中核的な役割を担う世代であることが論じられている。この世代が持つ固有の消費行動と価値観は、マーケティングに新たな挑戦が求められると指摘されている。したがって、企業やマーケターは、Z世代の特性を理解し、それに合わせたマーケティング戦略を採用する必要があるとされる。具体的には、従来の市場戦略の見直し、商品開発、ブランディング、コミュニケーション手法における革新的なアプローチが求められる。さらに、パーソナライズされた製品やサービスを好むとされるZ世代は、自身の意見が反映されることを価値あるものと考えている。このことから、彼らからのフィードバックを収集し、それを製品開発やサービス提供に活かすことが、魅力的なオファーを市場に提供する鍵となると考えられる。企業はZ世代との継続的な対話を通じて信頼を築き、製品やサービスに対する彼らの期待を超えることを目指すべきである。持続的な関係の構築は、顧客のロイヤルティ向上と長期的な企業の成功に不可欠である。さらに、Z世代とのコミュニケーションの重視、関係性の深化によって、競争の激しい市場における企業の位置づけを強化することが可能である。Z世代の視点を取り入れた製品開発やブランディング、コミュニケーション方法は、市場における企業の差別化要因となり得る。この世代の動向をいち早くキャッチし、それに応じた戦略を展開することで、企業は成長と発展を遂げることができるだろう。Z世代の持つ潜在的な購買力とブランドに対する影響力は、企業が未来の市場を形作る上で非常に重要な要素である。

特に、沖縄観光産業においては、既存顧客のファミリー層、修学旅行、高齢世代だけでなく、Z世代の特徴を理解し、沖縄観光の特性を生かして、Z世代の観光客とのコミュニケーションを取り、肯定的な観光イメージを構築することが重要である。Z世代の特性と好みに焦点を当てたマーケティングアプローチが不可欠であり、彼らは個性を尊重し、パーソナライズされた体験を求める傾向がある。沖縄の観光業者は、新しい技術を活用して、Z世代の訪問者にカスタマイズされた観光体験を提供することが求められる。例えば、デジタルストリートビューツアーやVR体験ツアーなど、革新的なデジタルメディアを活用して、沖縄の美しい景色や文化を魅力的に紹介することが可能である。また、Z世代は社会メディアに対する高い関与を持ち、SNSを通じて情報を共有し、新しい場所や体験を発信する。

したがって、沖縄の観光業界は、インフルエンサーマーケティングやSNSキャンペーンなど、デジタルプラットフォームを活用してZ世代に訴求する方法を模索すべきである。さらに、Z世代との持続的なコミュニケーションを通じて、彼らのフィードバックを収集し、製品やサービスの改善に活かすことが重要であり、継続的な関係の構築が長期的な成功の土台となり、顧客のロイヤルティを築く手助けとなる。企業はZ世代とのコミュニケーションと関係性を維持・深化させることで、市場での競争力を強化できる。彼らの影響力と購買力を活用し、沖縄観光業界が持続的な成長を達成するための重要な要因となるであろう。

注

(1) 相澤(二〇二二)によれば、日本のミレニアル世代は「プレゆとり世代」と「ゆとり世代ミレニアル世代」に分けられている。両タイプのミレニアル世代は日本の景気が良かった時代を知らないため、現状に特に不安も持ってない、または、現状への不満は少ない。しかし、この世代はブランドなど好む一面があり、一〇代の後半からスマホ利用も多い。

(2) 「推しメン」とは、ファンが特に好きで支持しているアイドルグループのメンバーや歌手、芸能人を指す言葉である。ファンは、推しメンのライブ参加、CDや関連グッズの購入、SNSを通じた支持表明など、さまざまな方法で彼らを応援する。

(3) Z世代の観光行動の特徴について、相澤(二〇二二)は「Z世代」「ミレニアル世代」の特徴の整理を行い、旅行目的やスタイル、旅行に対する価値観、情報探索行動、情報共有、移動手段、技術活動、コロナ禍での旅行意向の区分を分けて、説明している。

(4) 本調査はコロナ禍のZ世代の旅行や遊び方に対する意識調査であり、WEB調査形式で採用し、二〇二二年五月に行った調査結果である(回答者数:四〇〇名(男性二〇〇名/女性二〇〇名))。

(5) 国内旅行におけるSNS・写真に対する意識/実態~JTBF旅行実態調査トピックス~(二〇二二年四月調査)

(6) 経済産業省は二〇一八年に、DX(デジタルトランスフォーメーション)を推進するための『DX推進ガイドライン』を公表した。

(7) テクノロジーディスラプションは以下の二つの要素を含む。一)価値提案の変化:新しい技術によって、既存の市場や業界の価値提案が根本から変わること。二)市場構造の変化:新しい技術によって、既存のビジネスモデルや市場構造が破壊されること。

(8) インフルエンサーマーケティングとは影響力がある人(例、タレント、政治家、有名なYouTuber、スポーツ選手など)を通じて製品やサービスなどを宣伝するマーケティング手法である。

参考文献

○相澤美穂子（二〇二二）「特集三 次世代観光地～「Z世代」「ミレニアル世代」が求める「経験価値」への対応」『観光文化二五二号』日本交通公社

○経済産業省（二〇一八）「デジタルトランスフォーメーションを推進するためのガイドライン【https://www.meti.go.jp/policy/it_policy/dx/dx_guideline.pdf】

○経済産業省(二〇二三)『デジタルトランスフォーメーション（ＤＸ）』【https://www.meti.go.jp/policy/it_policy/dx/index.html】

○マナミナ(二〇二三)「Z世代とは?·年齢や特徴、X世代・Y世代からα世代までの違い総まとめ」【https://manamina.valuesccg.com/articles/2123】

○ＪＴＢＦ旅行実態調査トピックス～（二〇二二年四月調査）【https://www.jtb.or.jp/wp-content/uploads/2022/07/sns_pictures_report_JTBF220728.pdf】

○SHIBUYA109lab.（二〇二二）「Z世代の旅行・おでかけに関する意識調査無料フラプレポート」配信日：二〇二二年六月一四日。【https://shibuya109lab.jp/article/220614.html】

○ＳＶＰ ＪＡＰＡＮ（二〇〇三）「Z世代の消費意欲と購買行動について【調査報告書】」『ＳＶＰトレンド調査Vol.1』【https://www.svpjapan.com/insight/download/enq_report_20230316_01.pdf】

○VALUES Consulting & Creation Group（二〇二三）「Z世代の美容意識調査～Z世代女性の「ありたい理想像」【https://www.valuesccg.com】

インバウンド観光と「地域の食」

兪　炳強

兪　炳強・ゆ　へいきょう

【所属】産業情報学部産業情報学科　教授
【主要学歴】北海道大学大学院博士課程修了
【所属学会】日本農業経済学会、日本農業経営学会、食農資源経済学会

【主要著書・論文等】

〈論文〉

・「沖縄におけるクルーズ船客の観光行動に関する統計的分析」沖縄国際大学大学院『地域産業論叢』第一七集、二〇二二年。

・「沖縄における外国人旅行者の満足度とロイヤルティの影響要因に関する計量分析」沖縄国際大学大学院『地域産業論集』第一六集、二〇二一年。

・「イタリアにおけるツーリズムとフード産業のグローバル化」沖縄国際大学産業総合研究所『産業総合研究』第二七号、二〇一九年。

・「中国人海外旅行者の満足度に関する国際比較研究」（共著）沖縄国際大学『産業情報論集』第一二巻一・二合併号、二〇一六年。

・「アジアにおける国際観光の構造と旅行者流動」（共著）沖縄国際大学『産業情報論集』第一一巻第二号、二〇一五年。

・「順序プロビットモデルを用いた沖縄における外国人観光満足度の分析」（共著）沖縄国際大学『産業情報論集』第一〇巻第二号、二〇一四年。他

〈著書〉

・『沖縄の観光・環境・情報産業の新展開』（共著）泉文堂、二〇一五年。

・『地方は復活する北海道・鹿児島・沖縄からの発信』（共著）日本経済評論社、二〇一一年。

・『生活目線のネットワーク社会「ゆんたく」de IT とくらし』（沖縄国際大学公開講座一七）（共著）、二〇〇八年。

・『沖縄における地域内格差と均衡的発展に関する研究』（共著）泉文堂、二〇〇七年。他

※役職肩書等は講座開催当時

一　はじめに

日本では二〇〇三年のビジット・ジャパン・キャンペーンをはじめとする観光立国宣言を機に、二〇一二年以降様々な外国人観光客の誘致政策の導入に伴い、東アジアを中心とした国々から多くの外国人観光客が訪れ、インバウンド観光が急速に拡大してきた。しかし、二〇二〇年春から新型コロナウイルスの感染拡大により人の移動が世界的に制限されたことで、インバウンド観光が壊滅的な影響を否応に受けた。二〇二二年後半から新型コロナウイルスの感染収束傾向に伴い、インバウンド観光が急速に回復しつつある。

一方、「和食：日本の伝統的な食文化」が二〇一三年一二月ユネスコ無形文化遺産に登録されたことを機に、地域は外国人観光客に「地域の食」を如何に体験してもらい、地域の活性化につなげていくかを模索している。「地域の食」は、地域独自の風土や歴史に根差した食文化を表し、それに関連する地域の一次産業や二次産業、三次産業が密接に関わっている。また「地域の食」とは、その土地で取れた、またはその土地ならではの食材で、その土地固有の、またはその土地ならではの調理法で、その土地の料理人が、またはその土地で修行をした料理人が料理し、その土地の食べ方で、その土地らしい食事場所で食べることをいう（安田（二〇一三））。

こうした中、最近「地域の食」とインバウンド観光についての研究が盛んになっている。その中で、食を活かした観光地づくりに関する研究が多い（安田(二〇一三)、金丸(二〇一八)、中村(二〇二二)、尾家ほか(二〇二三)、など)。そして鈴木ら(二〇二二)は、フードツーリズムの課題について食と農と観光の新たな連携のあり方を指摘している。池上(二〇二一)は、インバウンド観光に焦点を当て、インバウンド・アウトバウンド・ループ（ＩＯＬ）というインバウンドとアウトバウンドが循環して発展する枠組みを提起し、地域再生のインバウンド・ビジネス戦略を論じている。このような既存研究を踏まえ、「地域の食」は観光を通じて地域再生や地域活性化につなげていくには、観光客の「地域の食」に対する体験価値の向上が大きな課題となる。

そこで本章では、インバウンド観光と「地域の食」との関係を考察し、「地域の食」の体験がインバウンド観光の旅行満足度や観光地ロイヤルティ[1](再訪意識・紹介意識)に与える影響について定量的に分析し、インバウンド観光における「地域の食」を活用するための課題について提言する。

二　インバウンド観光の課題と方向性

1　インバウンド観光の重要性

総務省統計局によれば、二〇二三年四月一日現在の総人口は一億二、四五五万人で、前年同月に比べ五一万七千人減少した(〇・四一%減少)。年齢別では、一五歳未満人口は一、四三四万六千人で、前年同月に比べ三〇万三千人(二・〇七%)減少、一五〜六四歳人口は七、四〇一万人で、前年同月に比べ一七万人四千人(〇・二三%)減少、六五歳以上人口は三、六一九万八千人で、前年同月に比べて四万人（〇・一一％）減少した。一方、七五歳以上人口は一、九七五万五千人で、前年同月に比べて七五万四千人（三・九七％）増加した。このように、人口の減少や少子高齢化が進んでおり、二〇五〇年の人口推計に基づき、一人当たり年間消費額の平均を一三〇万円と仮定した場合、人口減少により、二〇五〇年までに国内の消費額が三〇兆円以上消滅する見込みである。

また、観光庁(二〇二一 a)によれば、二〇一九年国内の内部観光消費は二九・二兆円（国際基準）である。その内訳は、日本人・国内宿泊旅行が一七・五兆円（六〇・〇％）、日本人・国内日帰り旅行が四・八兆円（一六・四％）、日本人・海外旅行（国内分）が一・五兆円（五・二％）、訪日外国人旅行が五・四兆円（一八・四％）である。これらに基づき、定住人口一人当たりの消費額は、国内旅行者（宿泊）二三人分（一人一回当たり旅行支出五五、〇五四円）、国内旅行者（日帰り）七五人分（一人一回当たり旅行支出一七、三三四円）、訪日外国人観光客八人分（一人一回当たり旅行支出一五八、五三一円）にそれぞれ相当することとなる（観光庁(二〇二一 b)。

そして、二〇一九年の訪日観光支出（五・四兆円）の日本における経済波及効果として、生産波及効果は一〇・四兆円（二〇一九年産出額の一・〇％）、付加価値効果は五・一兆円（二〇一九年名目GDPの〇・九％）、雇用効果は九〇万人（二〇一九年全国就業者の一・三％）となる。さらに、財務省貿易統計によれば、二〇一九年日本の対世界主要品目別輸出額では、自動車が首位で一一・九七一二兆円（対総額構成比一五・六％）、第二位が半導体等電子部品で四・〇〇六兆円（同、五・二％）、第三位が自動車の部分品で三・六〇一七兆円（同、四・七％）、第四位が鉄鋼で三・〇七四兆円（同、四・〇％）、第五位が原動機で二・七二七九兆円（三・五％）である。したがって、先述した二〇一九年のインバウンド観光消費額（五・四兆円）は、商品輸出額首位の自動車に続く第二位に相当することになる。

このようなことから、人口減少・少子高齢化社会の到来において、インバウンド観光による消費拡大が大きく期待され、インバウンド観光の重要性が非常に高いといえる。

2　インバウンド観光の課題

図1は二〇一〇年以降の訪日外国人（一般客）の一人当たり旅行消費額を示した。これをみると、二〇一〇～二〇一三年は一三万円余りであり、その後二〇一七年に一時的に一七・六万円に増加したが、二〇一六年からコロナ前二〇一九年の間は一五万円余りの水準である。二〇二二年は二三・五万円に増加し、二〇一九年と比べ四七・九％の増加となる。しかし、それには円安効果が大きいとみられる。日本銀行の月中央値平均では、二〇一九年の為替レートは一〇九・〇一一円／米ドル、二〇二二年は一三一・三八四円／米ドル、つまり、二〇二二年の米ドル円レートは二〇一九年と比べ二二・五％の円安となる。

さらにインバウンド観光客の一人当たり旅行支出に関する政府観光局の最新データとして、二〇二三年七～九月は二一・〇八一万円で、コロナ前二〇一九年同期の一六・二八六万円より二九・四四％増加した。一方、為替レートは二〇二三年七～九月は一四四・五五〇円／米ドルで、二〇一九年同期の一〇七・三〇〇円／米ドルと比べ三四・七二％増加した。つまり、インバウンド観光客の一人当たり旅行支出がコロナ後に増加したが、それには円安効果が大きく寄与している。

　このように、訪日旅行消費額が伸び悩む傾向で、インバウンド観光の消費額単価の向上が重要な課題の一つであり、また顕在化しているオーバーツーリズム（観光公害）問題に対処するためにもインバウンド観光の「量」から「質」への転換が求められている。

　次に、図2はコロナ前二〇一九年の訪日外国人（観光・レジャー目的）の地域別訪問率を示した。これをみると、訪問率が最も高いのは大阪府で四三・四％、次に東京都が四一・四％、京都府が三二・八％、千葉県が三一・三％となっており、首都圏および大阪圏が際立って高い。地

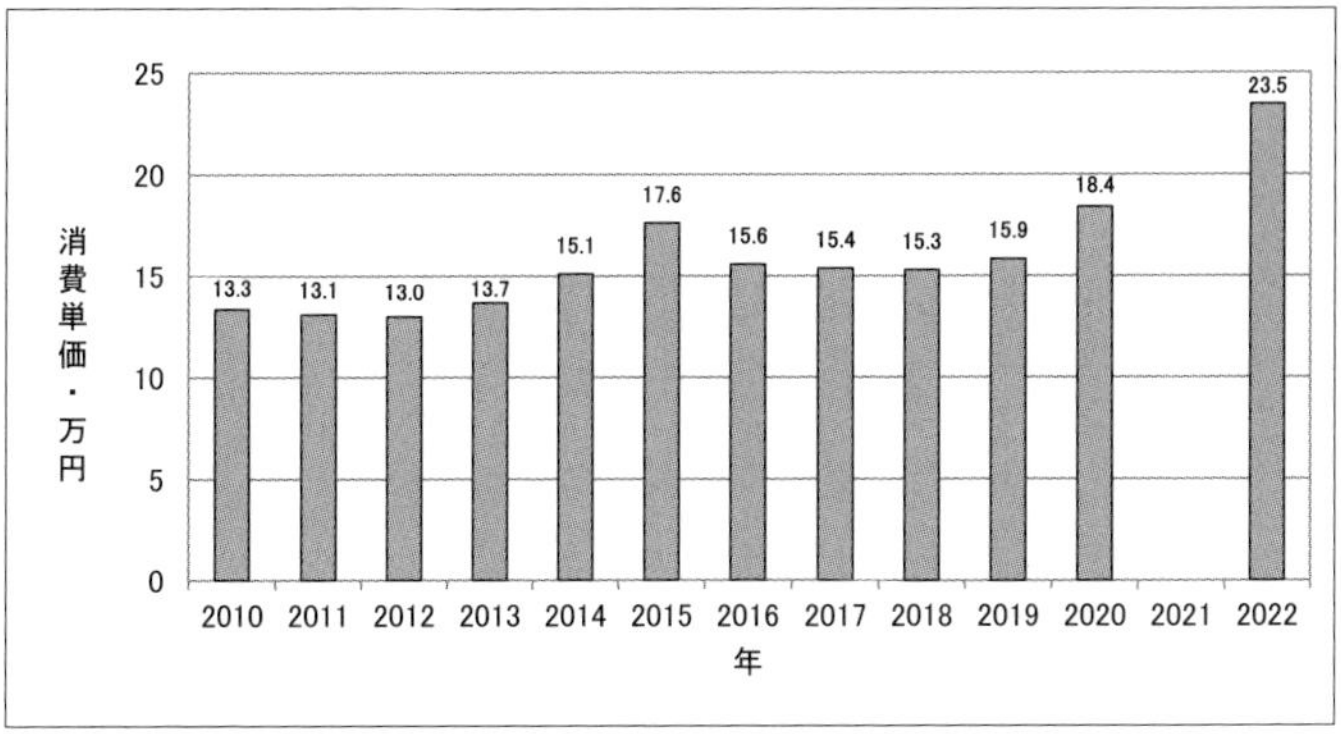

図１　訪日外国人（一般客）一人当たり旅行消費単価

註：訪日外国人（一般客）１人１回当たり旅行消費単価（パッケージツアー参加費内訳含む）。
出所：観光庁「訪日外国人消費動向調査」（各年）より作成。

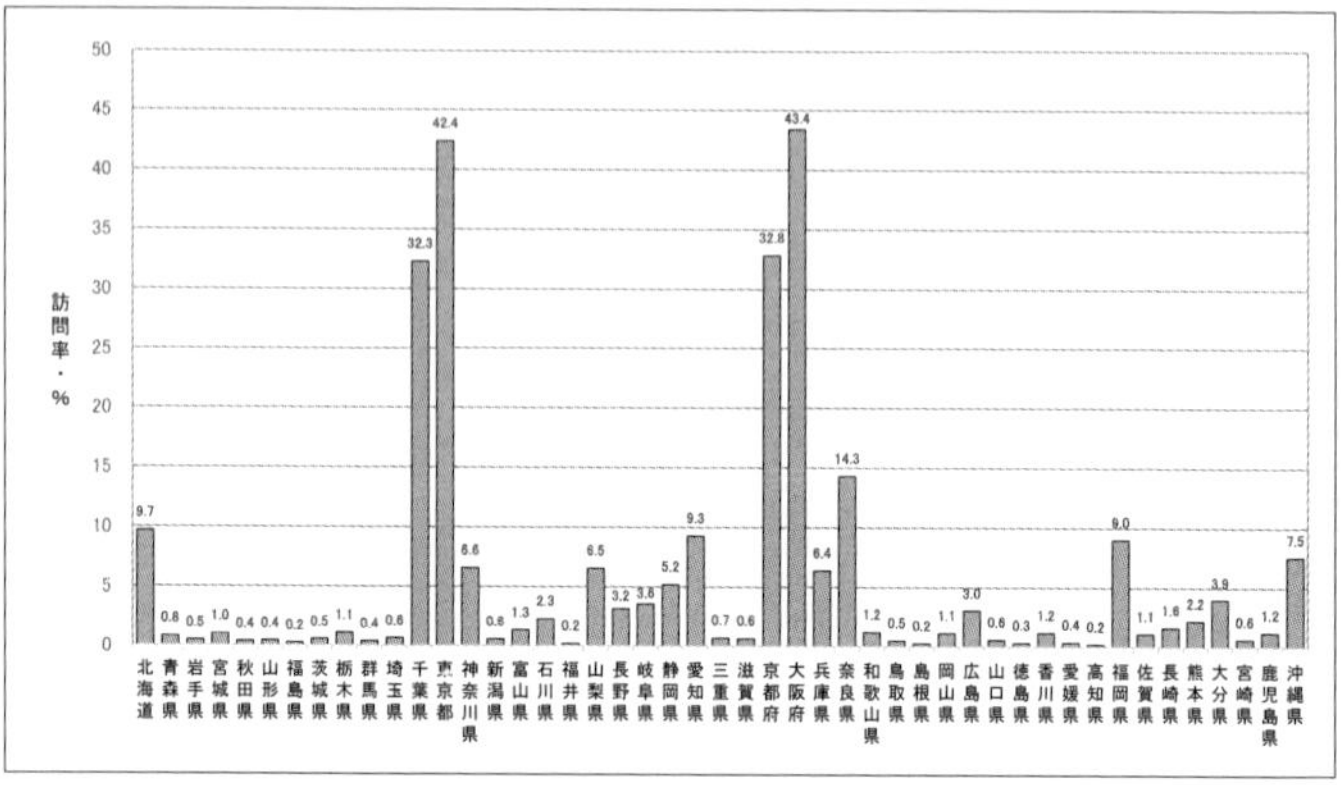

図2　訪日外国人（観光・レジャー目的）の都道府県別訪問率（2019年）

出所：観光庁「2019年訪日外国人消費動向調査」より作成。

方圏で比較的高いのは、北海道九・七％、愛知県九・三％、福岡県九・〇％、沖縄県七・五％で、その他多くの地方は一％未満となっている。

　このように、インバウンド観光における大都市圏と地方圏との格差が著しく、外国人観光客の地方への誘致が大きな課題の一つとなっており、地方において豊富な「地域の食」など地域資源の観光的活用が望まれる。

3　インバウンド観光の今後の方向性

日本政府は、大阪・関西万博も開催される二〇二五年に向けて、「持続可能な観光」「消費額拡大」「地方誘客促進」をキーワードに、「持続可能な観光地域づくり」「インバウンド回復」「国内交流拡大」といった三つの戦略に基づき、全国津々浦々に観光の恩恵を行きわたらせるために、二〇二三～二〇二五年度を計画期間とした「観光立国推進基本計画（第四次）～持続可能な形での観光立国の復活に向けて」を推進している。

持続可能な観光地域づくり戦略については、「観光地・観光産業の再生・高付加価値化」「観光DX、観光人材の育成・確保」「自然、文化の保全と観光の両立等、持続可能な観光地域づくり」を目指している。インバウンド回復戦略については、「コンテンツ整備、受け入れ観光整備」「高付加価値なインバウンドの誘致」「アウトバウンド・国際相互交流の促進」を目指している。また国内交流拡大戦略については、「国内需要喚起」「ワーケーション、第二のふるさとづくり」「国内旅行需要の平準化」を目指している。

インバウンド観光に関わる具体的な政府目標としては三つ挙げられている。一つ目は、訪日外国人旅行消費額について、旅行消費額五兆円の早期達成と消費額単価二〇万円である。そのための取り組みの方向性は、富裕層など高付加価値旅行者の誘致、各市場から旅行消費単価が大きい層の誘客、欧米豪からの誘客強化、宿泊・アクティビティ等の支出増につながるコンテンツの発信、旅行消費単価の高いインセンティブ旅行の誘致が挙げられている。二つ目は、訪日外国人旅行者一人当たり地方部宿泊数について二泊に設定していることである。そのための取り組みの方向性は、リピーターや地方訪問意向の高い層の誘客、アドベンチャートラベル等の長期滞在・地方誘致が見込めるテーマ旅行の推進、周遊型旅行の促進、国際会議の地方誘致が挙げられている。三つ目は、訪日外国人旅行者数について二〇一九年（三、一八八万人）越えである。その取り組み方向性は、観光再始動事業との連携、欧米豪の訪日無認知層の掘り起こし・新規訪日客の誘客、アジアのリピーター誘客、万博を契機とした誘客が挙げられている。この三つ目の目標は、昨今のインバウンド回復ぶりから見ると早期に達成できるとみられる。

三　インバウンドと「日本の食」

1　「日本の食」のグローバル化

二〇一三年一二月「和食：日本の伝統的な食文化」がユネスコ無形文化遺産に登録されたことを機に、海外における日本食レストラン数が大きく増加した。二〇〇六年は二・四万店であったが、二〇一三年は五・五万店、二〇一五年は八・九万店、二〇一七年は一一・八万店、二〇一九年は一五・六万店に大きく増加してきた。二〇二一年は新型コロナウイルスによる世界的なパンデミックにもかかわらず一五・九万店に増加した。(2)

二〇二一年海外における日本食レストラン数の地域別構成では、アジアが圧倒的に多く一〇〇、九〇〇店で全体の六三％を占める。次に北米が三一、二〇〇店で全体の二〇％、欧州が一三、三〇〇店で全体の八％、中南米が六、一〇〇店で全体の四％、ロシアとオセアニアがそれぞれ三、一〇〇店と二、五〇〇店で、それぞれ全体の約二％、中東が一、三〇〇店で全体の一％を占めている。このように、日本食は特にアジアの人々に親しまれており、訪日外国人観光客の大半がアジアからの旅行者であることから、「日本の食」はインバウンド観光における消費拡大の可能性が大きいといえよう。

次に、図3は日本におけるフード輸出額と対商品輸出額に占める比率を示した。上述した海外における日本食レストラン数の大きな増加に伴い、日本のフード輸出額も大きく増加している。二〇〇六年フード輸出額は三一億米ドルであったが、二〇一三年は四六億米ドルに増加した。特に、二〇一五年からは大きく増加し、二〇一九年には七二億米ドル、二〇二一年には九三億米ドル、二〇二二年は九〇億米ドルに達した。また、フード輸出額の対商品輸出額に占める比率をみると、インバウンド観光が急速に拡大しはじめた二〇一二年以降は大きく増加した。二〇一二年は〇・六%、二〇一九年は一・〇%、二〇二一年と二〇二二年は一・二%に増加した。このように、「日本の食」が海外による

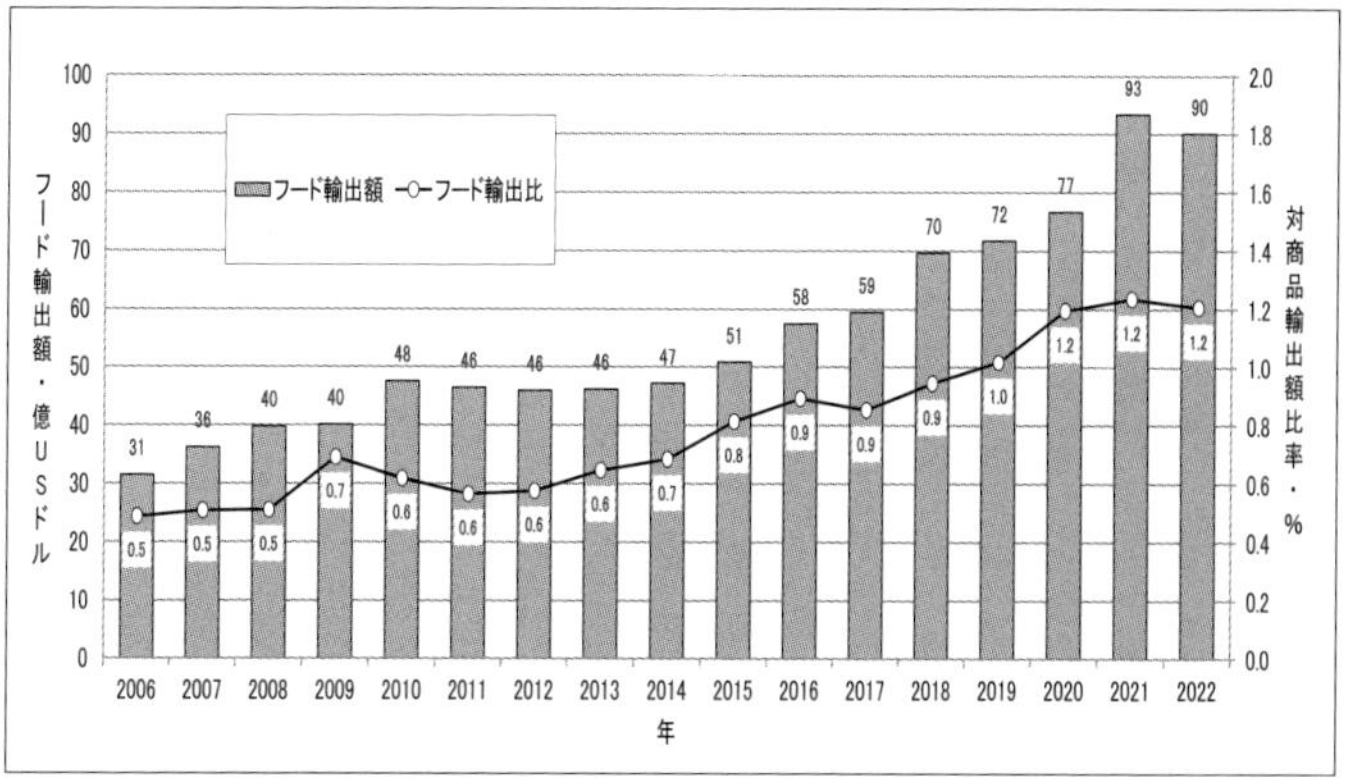

図3　日本におけるフード輸出額と比率の推移

出所：World Bank, World Development Indicatorsより作成。
https://databank.worldbank.org/source/world-development-indicators/preview/on#（アクセス日：2023年9月12日）

消費が拡大してきており、さらに日本の商品輸出に占める位置づけが大きくなっていることがわかる。

2　インバウンドと「日本の食」

二〇二三年ビジット・ジャパン・キャンペーンの開始を機に、二〇一四年に免税制度の拡大、二〇一六年に中国ビザの緩和拡大など様々な外国人観光客の誘致政策の実施に伴い、図4で示したように、外国人観光客数は二〇一二年以降コロナ前二〇一九年までの間は急速に増加してきた。

地域別構成をみると、アジア市場のシェアは二〇一二年七六・四％、二〇一九年八四・一％となっており、インバウンド観光がアジア市場に依存していることがわかる。観光立国推進基本計画（第四次）（二〇二三〜二〇二五年度）では、米欧豪からの観光客の誘致が強化されるが、地理的近接性、人口規模、中間層人口の数などを踏まえると、日本のインバウンド観光にとってアジア圏は今後とも主力市場になると考えられる。

図5はコロナ前二〇一九年とコロナ後二〇二二年の外国人観光客が訪日旅行で今回したことについての回答結果（観光活動の項目別選択率）である。これにより、二〇二二年選択率の高い順でみると、「日本食をたべること」が最も高く九八・七％で二〇一九年の九六・六％より高くなっている。第二位の「ショッピング」が八四・〇％で二〇一九年の八六・五％よりやや低く、第三位の「繁華街の街歩き」が七〇・七％で二〇一九年の七九・七％よりやや低く、第四位の「自然・景勝地観

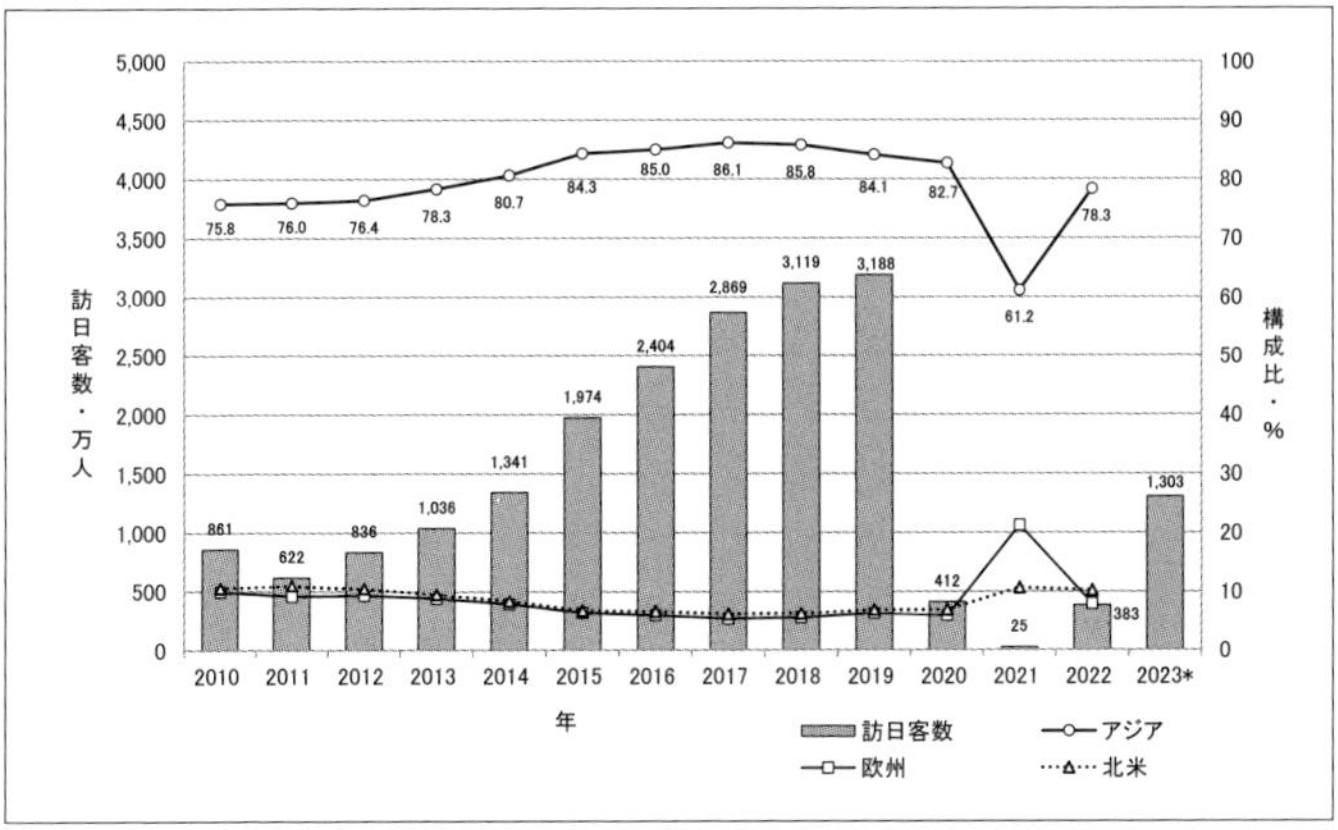

図４　訪日客数および主要地域の構成比

註：2023年は7月までの累計暫定値である。
出所：日本政府観光局（JNTO）より作成。

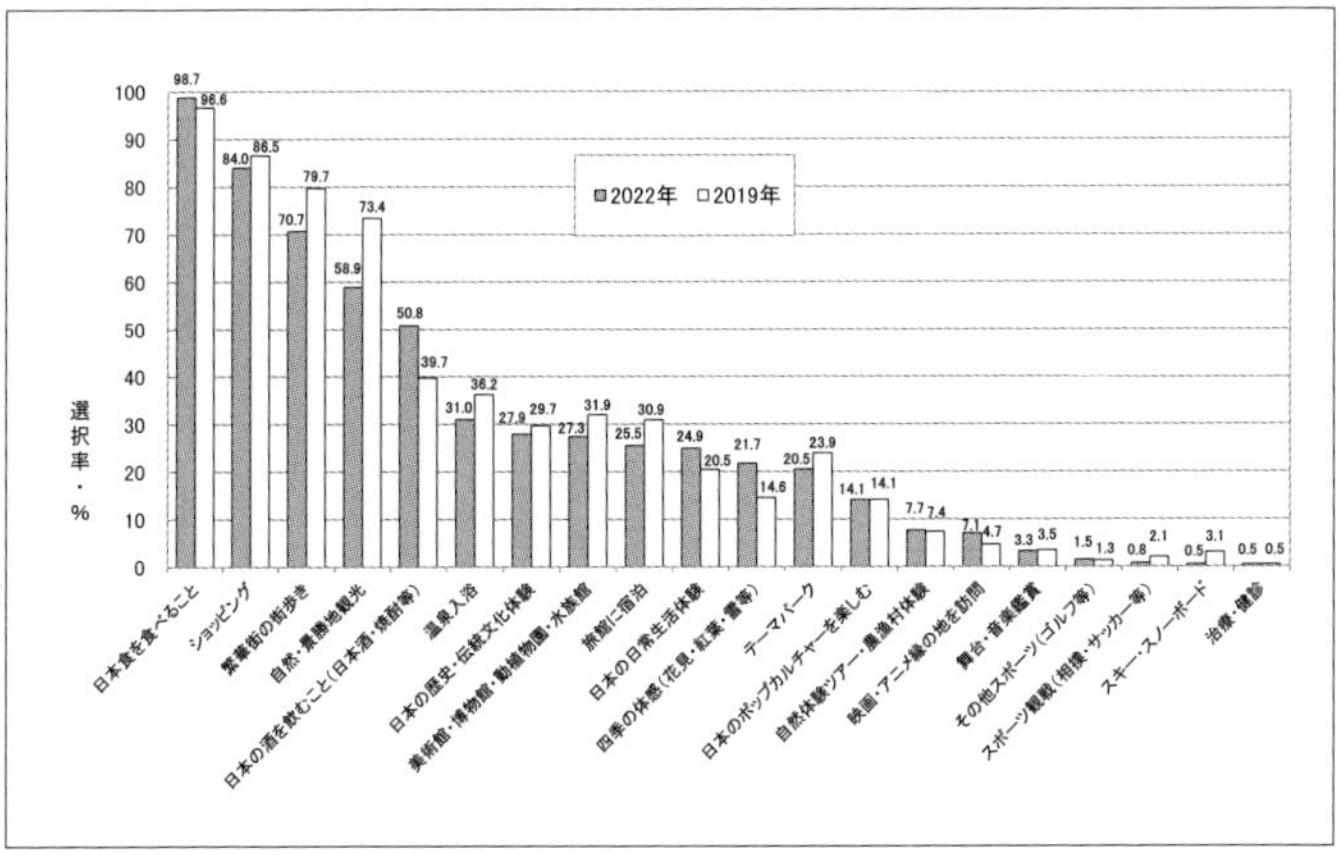

図5　訪日旅行で今回したこと（観光レジャー目的、複数回答、2019年・2022年）

註：項目は2022年選択率の降順で示した。
出所：『訪日外国人消費動向調査』2019、2022年より作成。

光」が五八・九％で二〇一九年の七三・四％より低くなっている。その背景には、コロナ後に訪日中国人観光客の回復の遅れが影響していると考えられる。そして第五位の「日本の酒を飲むこと」が五〇・八％で二〇一九年の三九・七％より大きく増加した。このように、「日本食を食べること」を体験した外国人観光客が圧倒的に多く、しかもコロナ前と比べ拡大している。

次にコロナ前二〇一九年とコロナ後二〇二二年の外国人観光客の訪日前に期待していることについてみよう（図6）。二〇二二年選択率の高い順でみると、「日本食を食べること」が最も高く八五・九％であり、コロナ前二〇一九年の七一・八％より大きく増加した。第二位の「ショッピング」が六〇・五％で二〇一九年の五六・九％よりやや高く、第

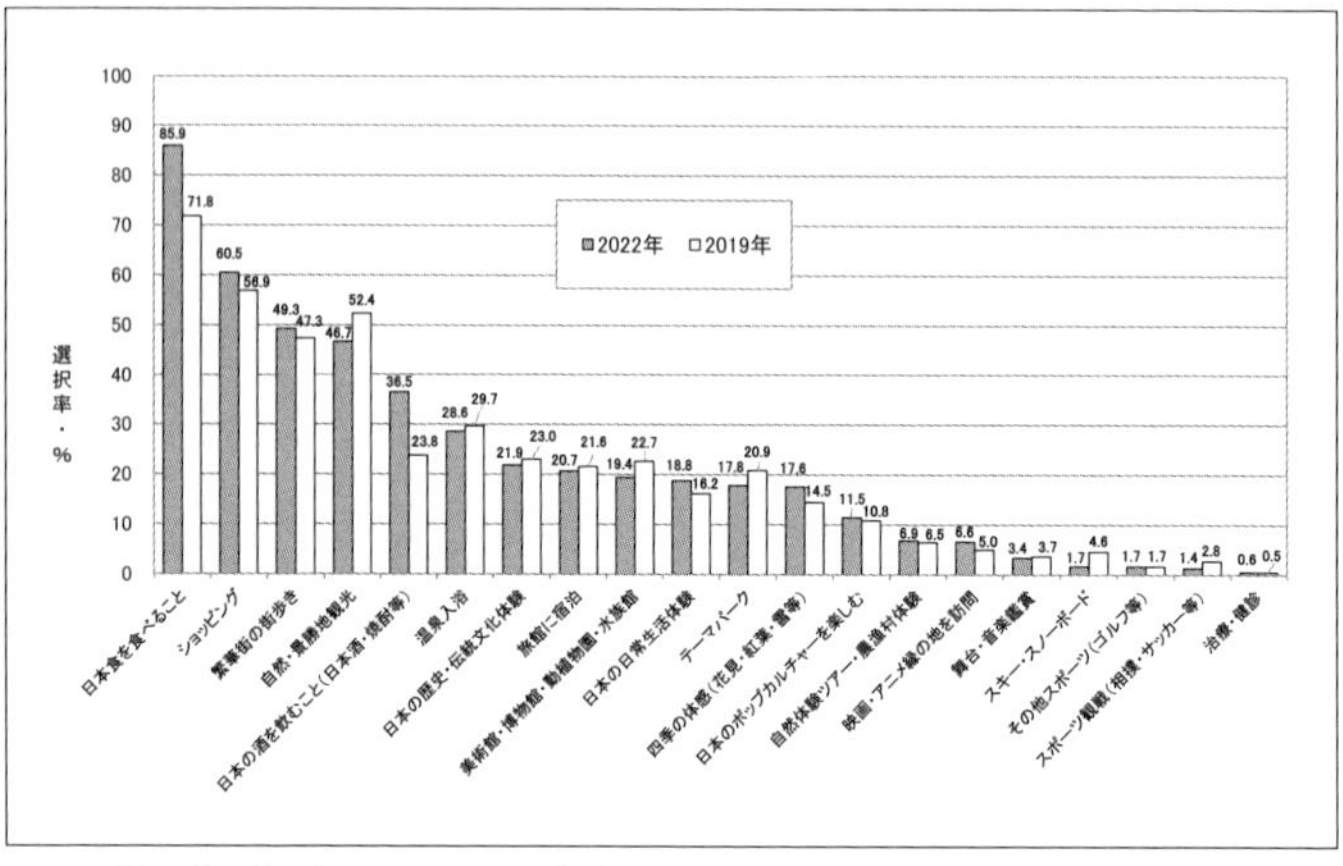

図6　訪日前に期待していたこと（観光レジャー目的、複数回答、2019年・2022年）

註：項目は2022年選択率の降順で示した。
出所：『訪日外国人消費動向調査』2019、2022年より作成。

三位の「繁華街の街歩き」が四九・三%で二〇一九年の四七・三%よりやや高くなっている。「ショッピング」「繁華街街歩き」について、今回したことの選択率では二〇二二年が二〇一九年より逆に低くなっている。これには、一部の外国人観光客は訪日前に期待してきたが、訪日時に体験できなかった。また、二〇二二年には国内の商業施設や繁華街は完全にコロナ前に回復していないことなどが影響していると考えられる。第四位の「自然・景勝地観光」が四六・七%で二〇一九年の五二・四%より低下した。第五位の「日本の酒を飲むこと」が三六・五%で二〇一九年の二三・八%より高くなっている。このように、「日本の食を食べること」を期待していた外国人観光客が圧倒的に多く、しかもコロナ前より大きく増加している。

図7はコロナ前二〇一九年とコロナ後二〇二二年の外国人観光客の訪日前に最も期待していことについての回答結果である。これにより、二〇二二年選択率の高い順でみると、「日本食を食べること」が最も高く三七・三%で二〇一九年の二五・〇%より大きく増加した。第二位の「自然・景勝地観光」、第三位の「ショッピング」が二〇一九年より減少した。第四位の「温泉入浴」が二〇一九年とほぼ同様、第五位の「テーマパーク」が二〇一九年よりやや減少した。このように、「日本食を食べること」が訪日前に最も期待しており、すなわち最大の訪日観光動機となっている。

次に、図8はコロナ前二〇一九年とコロナ後二〇二二年の次回訪日でしたいことについての回答結果である。これにより、二〇二二年選択率の高い順でみると、「日本食を食べること」が最も高く七三・四%で二〇一九年の五八・〇%より大きく増加した。第二位の「温泉入浴」が五〇・八%、

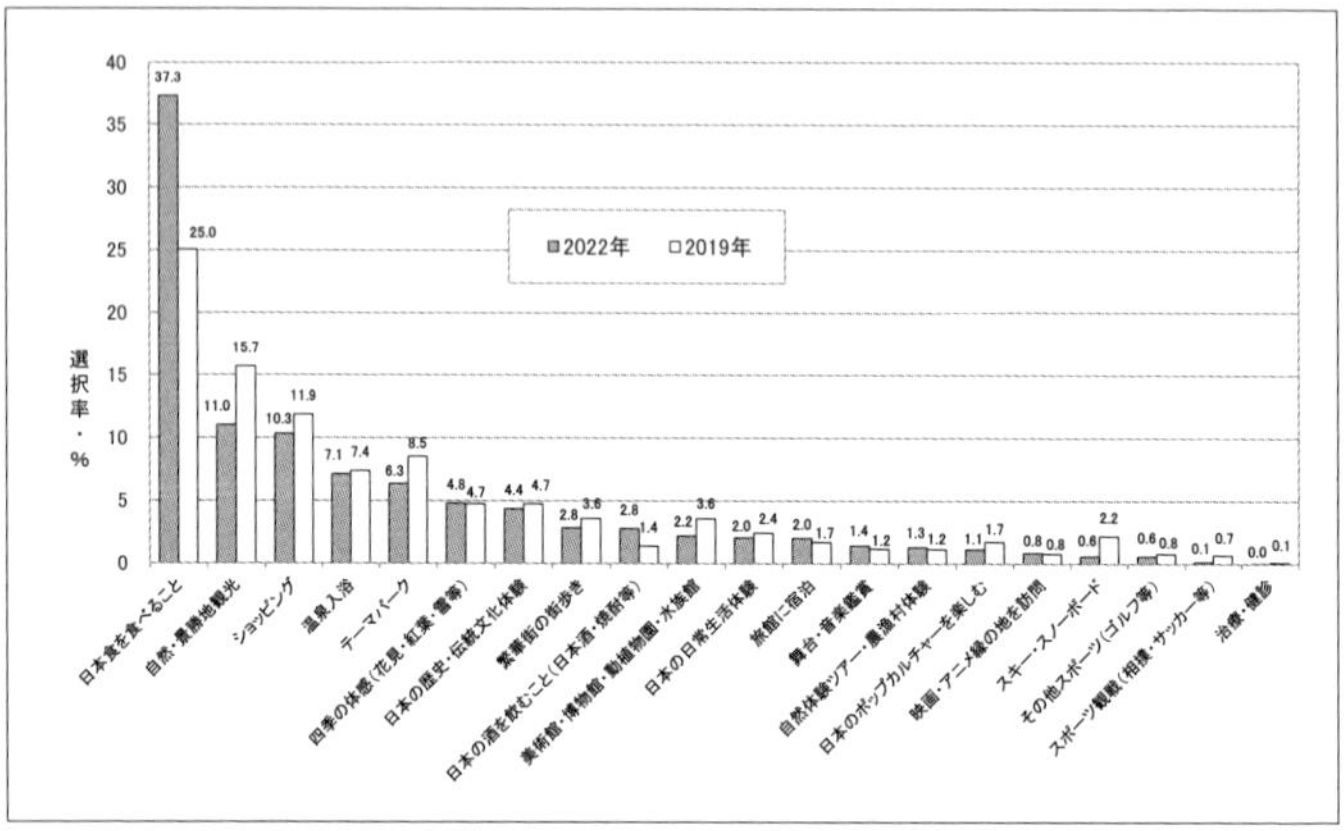

図7　訪日前に最も期待していたこと（観光レジャー目的、複数回答、2019年・2022年）

註：2023年は7月までの累計暫定値である。
出所：日本政府観光局（JNTO）より作成。

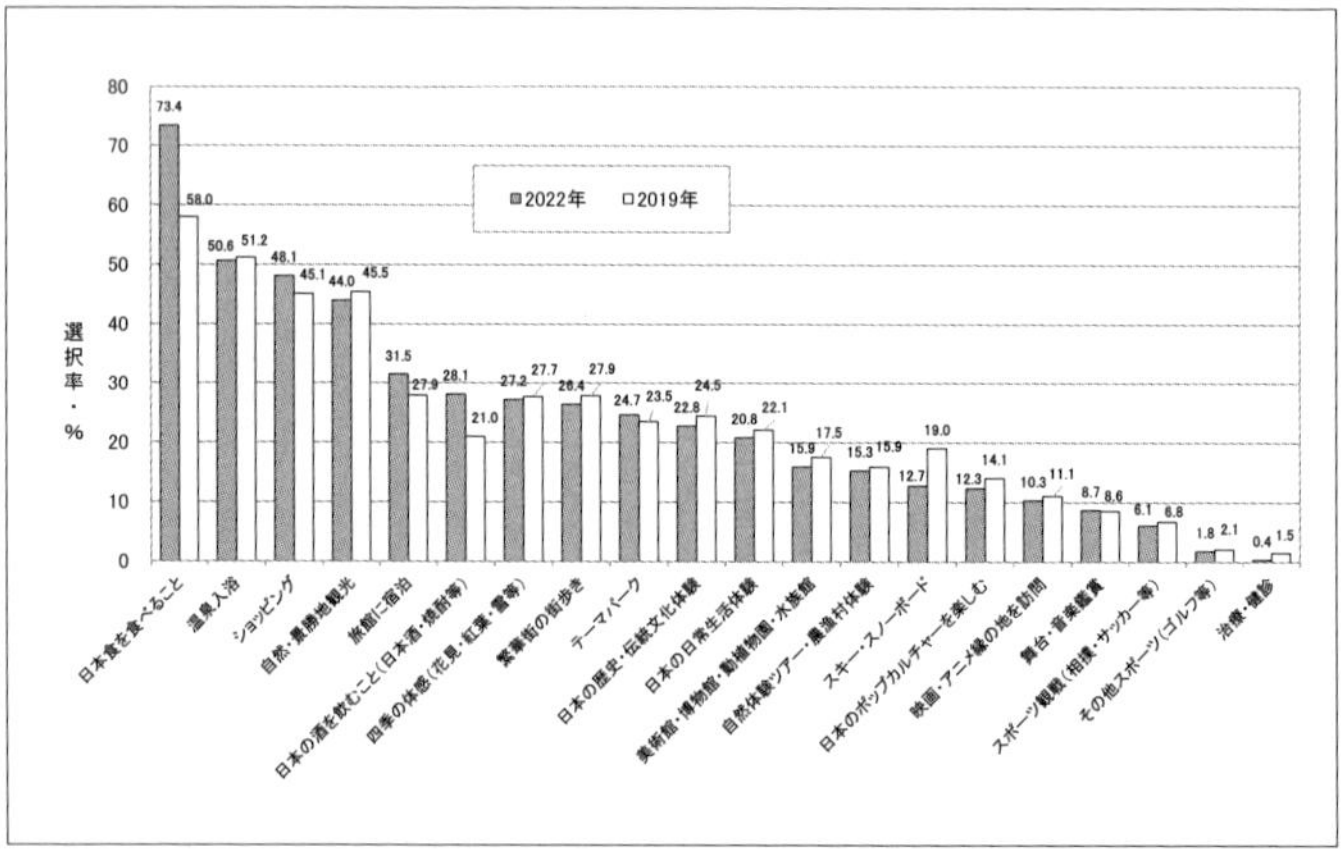

図８　次回したいこと（観光レジャー目的、複数回答、2019年・2022年）

註：項目は2022年選択率の降順で示した。
出所：『訪日外国人消費動向調査』2019、2022年より作成。

第三位の「ショッピング」が四八・一％、第四位の「自然・景勝地観光」が四四・〇％、第五位の「旅館に宿泊」が三一・五％であり、コロナ前と比べてあまり大きな変化が見られない。このように、「日本食を食べること」がリピーターの主な動機であり、またそのような動機をもつインバウンドが増えていることがわかる。

さらに、日本交通公社（二〇二二）によれば、訪日旅行で体験したいことの上位五位をみると、第一位は「自然や風景の見物」で五五・三％（アジア居住者五六・五％、欧米豪居住者四九・九％）、第二位は「桜の鑑賞」で五二・三％（アジア居住者五三・四％、欧米豪居住者四七・一％）、第三位は「有名な史跡や歴史的な建築物の見物（説明の充実度含む）」で四三・八％（アジア居住者四四・一％、欧米豪居住者四二・三％）、第四位は「伝統的な日本料理」で四三・五％（アジア居住者四四・三％、欧米豪居住者四〇・〇％）、第五位は「温泉の入浴」で四二・九％（アジア居住者四六・一％、欧米豪居住者二八・六％）となっている。このように、「伝統的な日本料理」はアジア居住者のみならず、欧米豪居住者にも高い人気がある。

以上、訪日外国人観光客の「旅マエ」（訪日前期待していたこと、最も期待しいていたこと、体験したいこと）、「旅ナカ」（今回したこと）、「旅アト」（次回体験したいこと）において、「日本食を食べること」、つまり「日本の食」体験のニーズが高く、しかもコロナ前より高まっている。インバウンド観光における「日本の食」の魅力や体験価値の潜在力が高いことが読み取れる。

四　インバウンドと「沖縄の食」

1　インバウンドと「沖縄の食」

二〇一二年以降の全国的なインバウンド観光の急拡大に伴い、沖縄におけるインバウンド観光も大きく拡大してきた。コロナ前二〇一九年の外国人観光客数は約二九三万人に達した。入域経路別では、空路が一六八・二万人、海路が一二四・八万人である。国・地域別では、台湾が最も多く約九四万人で全体の三二・一％、中国本土が約七五万人で全体の二五・七％、韓国が約三八万人で全体の一三・〇％、香港が約二五万人で全体の八・八％を占める。これらの国・地域は合わせて全体の約八割を占める。しかし、二〇二〇年春からの新型コロナウイルスの感染拡大に伴い、二〇二〇～二〇二二年は外国人観光客数がほとんど皆無の状態で、二〇二三年から回復の兆候がみられるが、コロナ前の水準への回復がまだ遠い。

図9はコロナ前二〇一九年度の沖縄における外国人観光客の観光活動別体験率と満足率を示した。これにより、体験率が一〇％以上の活動項目に注目してみると、「ショッピング」の体験率が最も高く九二・七％、満足率が八二・五％である。次に「沖縄料理、及び特産品を使用した料理を楽しむ」（以下、「沖縄料理」と略す）の体験率が八九・一％、満足率が八一・三％である。「自然・景勝地観光」の体験率が八八・六％、満足率が八九・一％である。「都市観光、街歩き」の体験率が八七・三％、満足率が八二・五％である。「沖縄料理・特産料理以外の日本料理を楽しむ」（以下、「日

本料理」と略す）の体験率が七九・〇％、満足率が七九・九％である。「歴史的・伝統的な景観、旧跡観光」の体験率が五七・四％、満足率が七九・五％である。「海水浴・マリンレジャー（シュノーケル含む）」の体験率が二〇・七％、満足率が九〇・六％、「保養・休養」の体験率が一一・一％、満足率が六八・八％となっている。このように、「食」に関する活動項目について、「沖縄料理」「日本料理」の体験率や満足率がおよそ八割前後を占めている。

また、沖縄県(二〇二〇)によれば、二〇一九年度沖縄における外国人観光客の項目別満足度について、「観光施設等でのおもてなし」の満足度が最も高く七五・二％、次に「宿泊施設」が七三・七％、「観光施設」が七一・八％、「食事施設」が七〇・八％、「交通

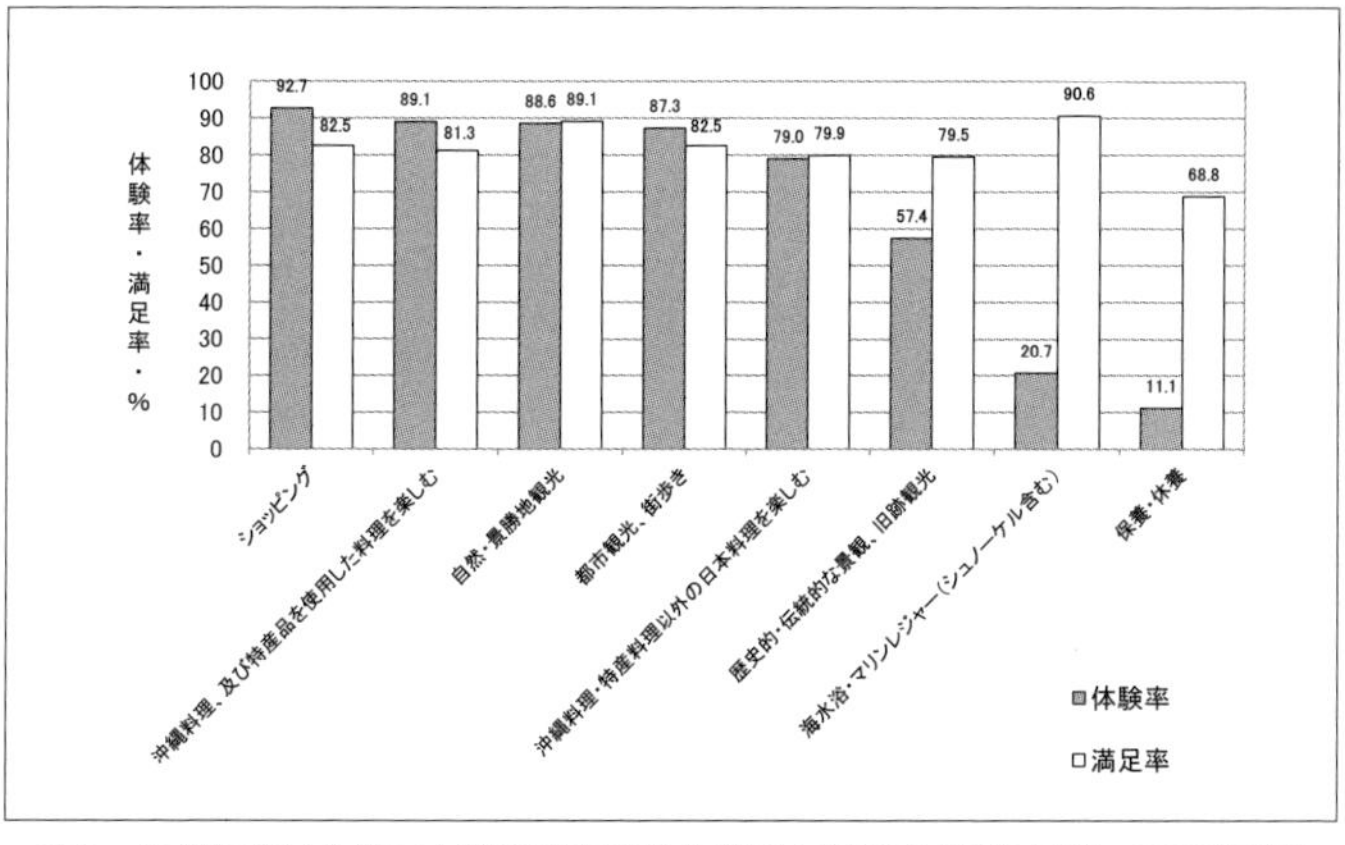

図9　沖縄における外国人観光客の活動体験率と満足率（複数回答、2019年度）

註：項目は体験率の降順で、また選択率10％以上の項目を示した。
出所：沖縄県『令和元年度外国人観光客実態調査』より作成。

機関」が六六・四％、「案内標記のわかりやすさ」が六四・六％、「食事のメニュー・味」が六四・六％、「土産品」が六二・二％、「キャッシュレス決済への対応」が五九・八％、「Ｗｉ－Ｆｉ」が五五・〇％、「両替の利便性」が五三・八％、「外国語対応能力」が五二・一％である。このように、「沖縄の食」に関連する項目である「食事施設」「食事のメニュー・味」の満足度は比較的高いが、改善の余地はあると思われる。

2 「地域の食」と旅行満足度・ロイヤルティの影響要因

本項では、「地域の食」に関する「沖縄料理を楽しむ」「沖縄料理以外の日本料理を楽しむ」など観光活動の個別項目の満足が、総合的旅行満足度およびロイヤルティ（再訪意向・紹介意向）への影響について、順序選択モデル（順序プロビット・モデルおよび順序ロジット・モデル）を用いて計量的に分析して検証する。[(3)]

分析対象は、沖縄のインバウンド観光の主要市場である台湾、中国本土、韓国および香港といった四カ国・地域からの観光客である。分析データは、沖縄県『平成三〇（二〇一八）年度外国人観光客実態調査』における那覇空港調査の個票データで、無回答や個人属性が不明な標本一四四件を除外した一、四四四件である。分析標本の国・地域別構成では、「韓国」が三二・三％、「台湾」が三七・九％、「香港」が一四・二％、「中国」が一五・七％となっている。性別では、「男性」が四七・一％、「女性」が五二・九％で女性が若干多い。年代別では、「二〇代以下」が二九・四％、「三〇代」が四一%、「四〇代」が二〇・三%、「五〇代以上」が九・三%で、三〇代が比較的に多い。

説明変数については、表1で示した沖縄滞在中に体験した・満足した活動項目等に加え、観光客の個人属性を示す「国・地域」「性別」「年代」、訪問時期を示す「四半期」(第一四半期：四～六月、第二四半期：七～九月、第三四半期：一〇～一二月、第四四半期：一～三月)を説明変数に加えた。

被説明変数については、

表1　主な分析指標の記述統計量

変数名	内容	平均値	標準偏差
沖縄泊数	沖縄滞在中の泊数	3.788	1.324
沖縄訪問回数	沖縄に来訪した回数	1.411	1.333
体験数	体験したこと（項目）の数	5.492	1.821
(体験)	「体験したこと」、体験した=1、体験していない=0		
旧跡観光	歴史的・伝統的な景観、旧跡観光	0.625	0.484
自然観光	自然・景勝地観光	0.825	0.380
都市観光	都市観光、街歩き	0.848	0.359
保養休養	保養・休養	0.141	0.348
海水浴	海水浴・マリンレジャー	0.237	0.425
ショッピング	ショッピング	0.843	0.364
沖縄料理	沖縄料理を楽しむ	0.819	0.386
日本食	沖縄料理以外の日本食を楽しむ	0.636	0.481
(満足)	「満足したこと」、満足した=1、満足していない=0		
旧跡観光	歴史的・伝統的な景観、旧跡観光	0.481	0.500
自然観光	自然・景勝地観光	0.706	0.456
都市観光	都市観光、街歩き	0.714	0.452
保養休養	保養・休養	0.108	0.311
海水浴	海水浴・マリンレジャー	0.204	0.403
ショッピング	ショッピング	0.696	0.460
沖縄料理	沖縄料理を楽しむ	0.647	0.478
日本食	沖縄料理以外の日本食を楽しむ	0.530	0.499

註：1）「今回の沖縄滞在中に何をしましたか。これらには満足しましたか。」という問いの選択項目は、その他を含んで計19項目あるが、ここでは選択率が10%以上の項目を説明変数とした。
2）ただし「体験数」には、選択率が10%未満の項目も含まれる。
3）「沖縄泊数」の中央値は4、「沖縄訪問回数」は1、「体験数」は5である。
出所：兪（2021）表2より引用。

表2　分析対象の旅行満足度、再訪意向、紹介意向の構成

		頻度	割合(%)
全　体		1,444	100.0
旅行満足度	1. 満足とは言えない[1)]	67	4.6
	2. やや満足	125	8.7
	3. 満足	744	51.5
	4. 大変満足	508	35.2
再訪意向	1. 来たいとは言えない[2)]	117	8.1
	2. やや来たい	165	11.4
	3. 来たい	605	41.9
	4. 必ず来たい	557	38.6
紹介意向	1. 紹介したいとは言えない[3)]	70	4.8
	2. やや紹介したい	128	8.9
	3. 紹介したい	633	43.8
	4. 必ず紹介したい	613	42.5

註：1）旅行満足度の「1. 満足とは言えない」は、普通、やや不満、不満、非常に不満を含む。
2）再訪意向の「1. 再訪したいとは言えない」は、何とも言えない、あまり来たくない、来たくない、絶対来たくないを含む。
3）紹介意向の「1. 紹介したいとは言えない」は、何とも言えない、あまり紹介したくない、紹介したくない、絶対紹介したくないを含む。
出所：兪（2021）表3より引用。

「今回の沖縄訪問全体の満足度をお答えください」との問いを「旅行満足度」、「また沖縄に来たいと思いますか」との問いを「再訪意向」、「親しい友人・知人に沖縄を紹介したいと思いますか」との問いを「紹介意向」とした。被説明変数に関する回答結果は表2で示した通りである。

旅行満足度、再訪意向および紹介意向について、順序プロビット・モデルおよび順序ロジット・モデルを用いた分析結果より、統計的に有意な変数を抽出してまとめたのが表3である。[(4)]なお、表中の△、▽はそれぞれ有意に正、負の影響を及ぼすことを示している。

表3　旅行満足度、再訪・紹介意向の影響要因

変数		旅行満足度	再訪意向	紹介意向
国・地域（ref.中国）				
台湾		△	△	△
韓国		▽		▽
男性（ref.女性）				▽
沖縄泊数				△
沖縄訪問回数		△	△	△
体験数				△
体験	自然観光	△		
	都市観光			▽
	保養休養		▽	▽
	海水浴		▽	
	沖縄料理	▽	▽	▽
満足	都市観光	△		
	保養休養	△	△	△
	海水浴	△	△	
	沖縄料理	△	△	△
	日本食		△	

註：△、▽はそれぞれ有意に正、負の影響を及ぼすことを示す。
出所：俞（2021）表7～9より作成。

これにより、旅行満足度の影響要因については、中国と比べて台湾の旅行者の方が高く、韓国の旅行者の方が低くなる傾向が認められた。また「沖縄訪問回数」の多さ、「自然観光」の体験、「都市観光」「保養休養」「海水浴」「沖縄料理」への満足が、旅行満足度を高める要因である。一方、「沖縄料理」への不満が、旅行満足度に負の影響を及ぼす要因である。「沖縄料理」への満足や不満が、旅行満足度に有意に影響を及ぼしていることから、沖縄の食文化が旅行満足度の影響要因となっていることが確認できた。

また、再訪意向の影響要因につ

いては、中国と比べて台湾の旅行者ほど再訪意向が強く、沖縄訪問経験が多いほど再訪意向が強くなることが認められた。「保養休養」、「海水浴」や「沖縄料理」への満足が、再訪意向を高める要因であり、一方、これらへの不満が再訪意向を低下させる要因でもある。再訪意向を高めるには、これらへの不満の解消が重要である。また「沖縄料理」と並んで、「日本食」への満足が再訪意向を高める要因であり、沖縄ないし日本の食文化が再訪意向を促す優位性があることが示された。

そして、紹介意向の影響要因については、中国と比べて台湾の旅行者の方が強く、韓国の旅行者の方が弱く、女性と比べて男性の方が低くなる。また「沖縄泊数」、「沖縄訪問回数」や「体験数」が多いほど、紹介意向が強くなることが認められた。個別項目では、「保養休養」や「沖縄料理」への満足は紹介意向を高める影響要因となっている。一方、「保養休養」、「沖縄料理」や「都市観光」への体験で満足できたかった場合には紹介意向を低下させる要因であり、それらの項目への不満解消が重要であることが示された。

以上の分析結果から、「日本食」は再訪意向に有意に影響を及ぼしており、特に「沖縄料理」は旅行満足度およびロイヤルティ（再訪意向、紹介意向）に有意に影響を及ぼしていることが認められた。「沖縄の食」はインバウンド観光消費の拡大において競争優位性を有していることが確認でき、インバウンド観光において「沖縄の食」を活用することが有効であることが示唆された。

五　おわりに

以上、人口減少・少子高齢化社会の到来において、国内消費回復を図るうえでインバウンド観光が重要である。一方、観光消費額の単価が伸び悩んでおり、また訪日観光客数が大都市圏と地方圏との格差は著しいといった課題がある。したがって、一人当たり消費額の拡大、地方誘致の促進および持続可能なインバウンド観光の推進が求められている。

インバウンドの「旅マエ」（訪日前期待していたこと、最も期待しいていたこと、体験したいこと）、「旅ナカ」（今回したこと）、「旅アト」（次回体験したいこと）において、「日本の食」体験のニーズが高く、しかもコロナ前より高まっている。インバウンド観光における「日本の食」の魅力や体験価値の潜在力が高いといえる。

またインバウンド観光において、「地域の食」である「日本の食」（日本料理など）や「沖縄の食」（沖縄料理など）は、観光資源としての潜在力や魅力度の高さが検証できた。さらに「地域の食」である「沖縄料理」の体験満足度は、旅行満足度や観光地ロイヤルティ（再訪意向、紹介意向）に有意に影響することが認められた。

今後、「地域の食」をインバウンド観光に活かし、地域活性化につなげていくには、「地域の食」の体験を如何に促し、その体験価値を如何に高めるか、すなわち「地域の食」の体験・経験価値化が重要な課題である。そのための具体的な方策として、旅行動機として「地域の食」に対する関心度の高いツーリズム、例えば、グルメツーリズム（食通の旅、グルメの旅）、ガストロノミーツーリズム（美食・高級料理の旅）、カリナリーツーリズム（料理の旅、食べ歩き、ワインツーリズムなど）などのフードツーリズムの振興などが挙げられよう。

また「地域の食」の体験・経験価値化には、「地域の食」のブランド化、「本物感」や「真正性」の確保が重要な課題となる。そのため、地域におけるインバウンド観光の「旅マエ」「旅ナカ」「旅アト」の「地域の食」に関する情報の発信・収集・分析が重要である。そして、地域内の生産者・料理人・観光事業者など関係主体の連携とネットワークの確立、「地域の食」を活用するためのコーディネート組織が必要である。

註

(1) 観光地ロイヤルティについて、山田ら(二〇一四)は、観光地に対する旅行者の「再訪意向」を「行動的ロイヤルティ」、「紹介意向」を「態度的ロイヤルティ」、両者を「ロイヤルティ」と総称している。

(2) https://www.maff.go.jp/j/press/shokusan/service/pdf/150828-01.pdf, https://www.maff.go.jp/j/shokusan/eat/attach/pdf/160328_shokub-13.pdfより作成。二〇二三年九月三〇日アクセス。

(3) 本項は、兪(二〇二一)を基に取りまとめたものである。

(4) 詳しくは、兪(二〇二一)の表七〜九を参照。

参考文献

・岩崎邦彦(二〇二二)「「食」による観光のブランドづくり」『食品と科学』Vol.六四 No.九、一六―一九。
・池上重輔編著(二〇二一)『インバウンド・ルネッサンス日本再生』日本経済新聞出版。
・尾家建生ほか(二〇二三)『ガストロノミーツーリズム 食文化と観光地域づくり』学芸出版社。
・沖縄県(二〇二〇)『令和元年度外国人観光客実態調査』。
・金丸弘美(二〇一八)『地域の食をブランドにする!―食のテキストを作ろう!』岩波書店。
・観光庁(二〇二一a)『旅行・観光産業の経済効果に関する調査研究』。
・観光庁(二〇二一b)『観光を取り巻く現状及び課題等について』。
・鈴木美穂子・片上敏喜(二〇二二)「フードツーリズムの可能性―食と農と観光の新たな連携のあり方―」『フードシステム研究』第二八巻第四号、二一九―二二一。
・中村忠司編著(二〇二二)『人はなぜ食を求めて旅にでるのか フードツーリズム入門』晃洋書房。
・日本交通公社(二〇二二)『旅行年報二〇二二』。
・安田亘宏(二〇一三)『フードツーリズム論―食を活かした観光まちづくり』古今書院。
・八木浩平・菊島良介(二〇一九)「訪日外国人における旅行満足と再来日の意向の規定要因―『訪日外国人消費動向調査』の個票データを用いて―」『農業経済研究』第九一巻第二号、二五七―二六二。
・山田雄一・外山昌樹(二〇一四)「我が国観光地に適したロイヤルティ構成モデルの検討―既往の構成モデルを基盤として―」『観光研究』Vol.二五 No.二、一五―二三。

・兪炳強（二〇二一）「沖縄における外国人旅行者の満足度とロイヤルティの影響要因に関する計量分析」『地域産業論叢』第一六集、二五―四三。

【付記】

本稿は、沖縄国際大学特別研究「「地域の食」と観光型島嶼地域の持続的発展に関する研究（令和四～六年度）、研究代表者兪炳強」による研究成果の一部である。また本稿は、二〇二三年度沖縄国際大学うまんちゅ定例講座―おきなわ県民カレッジ連携講座／大学コンソーシアム沖縄県民向け公開講座―「ＤＸ時代における地域活性化」第一〇回「インバウンド観光と「地域の食」」の講演内容を基に、紙幅の制限で一部の内容を割愛して執筆したものである。

刊行のことば

沖縄国際大学
学長職務代行者（副学長）安　里　肇

　このたび、二〇二三年六月～一〇月の間に一〇回開催された沖縄国際大学公開講座の「うまんちゅ定例講座」をまとめ、『DX時代における地域活性化』と題して刊行致しました。

　大学は高等教育機関として社会に有用な人材の育成を目指すことを第一の使命としています。本学は、「沖縄の伝統文化と自然を大切にし、人類の平和と共生を支える学術文化を創造する。そして豊かな心で個性に富む人間を育み、地域の自立と国際社会の発展に寄与する。」ことを教育理念として、人材育成に努めております。また、大学は人材育成を目指す教育機関としてだけではなく、教育活動の成果を地域社会に還元し、地域社会の発展に寄与することも使命の一つとしております。

　本学では地域社会で暮らす皆様に向けて、うまんちゅ定例講座、学外講座、大学入門講座、大学正規科目の公開、そして講演会の五つの公開講座を提供しております。その中で、「うまんちゅ定例講座」シリーズの刊行は、第一巻の『琉球王国の時代』から始まり、今回で三十三巻目にあたります。

　今年度は、産業情報学部一〇名の教員により講座を開講致しました。一昨年、沖縄は復帰五〇年を迎え、これまでの回顧は沖縄のこれからを考える重要な契機となっています。現在、ポストコロナにおける社会・生活様式の変化、生成ＡＩ(Artificial Intelligence)の急速な発展と普及、およびインバウンド観光の拡大など取り組むべき課題が数多くあります。また、少子高齢化、都市部・地方の人口および経済格差に関する諸問題は、喫緊の課題であります。今回の講座は、「ＤＸ（Digital Transformation）」や「地域活性化」を論点として共有し、専門分野の知見に基づいて課題を紐解き、これらの課題をともに考え、解決するその先に、より明るい将来を展望できるよう開講しました。

沖縄国際大学は、日本復帰直前の一九七二年二月に創立して以来、建学の精神に則り、前述の教育理念に基づき、地域に根ざし、世界に開かれた大学を目指して参りました。今後さらに力強く発展するために、地域と連携・協力し、地域を世界につなげる人材育成に邁進してまいります。万国津梁の沖縄に寄与することのできる人材育成を目指し、未来を展望するためにも、「うまんちゅ定例講座」シリーズの刊行がその役割の一つを担っているものと考えております。老若男女を問わず、多くの皆さまが「うまんちゅ定例講座」に参加し、活発な議論を交わして頂くことができれば、本講座の大きな目的がかなえられたと言えるでしょう。皆様の人生をより豊かなものにして頂く一助となりますよう、これからも「うまんちゅ定例講座」をよろしくお願い致します。

沖縄国際大学公開講座33

DX時代における地域活性化

発　行――二〇二四年三月二九日
編　集――沖縄国際大学公開講座委員会
発行者――城間　康文
発行所――沖縄国際大学公開講座委員会
〒九〇一―二七〇一
沖縄県宜野湾市宜野湾二丁目六番一号
電話　〇九八―八九二―一一一一（代表）
印刷所――株式会社　東洋企画印刷
発売元――編集工房　東洋企画
〒九〇一―〇三〇六
沖縄県糸満市西崎町四丁目二一―五
電話　〇九八―九九五―四四四四

ISBN978-4-909647-62-7 C0060 ¥1700E

乱丁・落丁はお取り替えいたします。

この印刷物は個人情報保護マネジメントシステム（プライバシーマーク）を認証された事業者が印刷しています。

地域を映す
沖縄国際大学公開講座

沖縄国際大学公開講座シリーズ　四六版

1 琉球王国の時代

一九九六年発行　発売元・ボーダーインク　本体価格　一四五六円

琉球王国以前の沖縄　高宮廣衛／琉球の歴史と民衆　仲地哲夫／琉球王国の英雄群像　遠藤庄治／琉球王国と言語　高橋俊三／琉球王国の通訳者　伊波和正／琉球王国と武芸　新里勝彦

2 環境問題と地域社会―沖縄学探訪―

一九九七年発行　発売元・ボーダーインク　本体価格　一四五六円

地形図をとおしてみた沖縄―沖縄の自然と文化　小川護／沖縄の土壌―ジャーガル・島尻マージ・国頭マージの特性　名城敏／沖縄の自然とその保全―やんばるの森はいま！　宮城邦治／沖縄の信仰と祈り―民間信仰の担い手たち　稲福みき子／沖縄の地域共同体の諸相―ユイ・郷友会・高齢者など　玉城隆雄／沖縄から見た世界のスポーツ　宮城勇

3 女性研究の展望と期待

一九九七年発行　発売元・那覇出版社　本体価格　一四五六円

ノーベル文学賞と女性　喜久川宏／英米文学史の中の女性像　伊波和正／アメリカ南部の女性像　ウィリアム・ランドール／近代女性作家の戦略と戦術　黒澤亜里子／沖縄県における女子労働の実態と展望　比嘉輝幸／教科書に見られる女性労働と女性像　カレン・ルパーダス

4 沖縄の基地問題

一九九七発行　発売元・ボーダーインク　本体価格　一四五六円

沖縄の基地問題の現在　阿波連正一／米軍の犯罪と人権　福地曠昭／反戦地主、「おもい」を語る　新崎盛暉・真栄城玄徳／米軍基地と平和的生存権　井端正幸／地方分権と機関委任事務　前津榮健／沖縄社会と軍用地料　来間泰男／国内政治の変遷と沖縄基地　高嶺朝一／日米安保体制と沖縄　長元朝浩／国際都市形成構想の意義　府本禮司／基地転用と国際都市形成構想の課題　野崎四郎

5 アジアのダイナミズムと沖縄

一九九七年発行　発売元・ボーダーインク　本体価格　一五〇〇円

アジアの経済的ダイナミズム　富川盛武／華南経済圏と沖縄　富川盛武／中国本土における経営管理　天野敦央／台湾の政治と経済の発展　湧上敦夫／沖縄・福建圏域の構想と実現化―中国との共生を目指して　吉川博也／岐路に立つ韓国経済　呉錫畢／タイの経済発展　新垣勝弘／シンガポールの社会経済の発展と課題　大城保／国境地域の経済　野崎四郎／華僑のネットワーク　小熊誠／外来語にみる日本語と中国語　兼本敏／タイに学ぶ共生の社会　鈴木規之／韓国の文化と社会　稲福みき子

沖縄国際大学公開講座委員会刊

地域を映す
沖縄国際大学公開講座

6 沖縄経済の課題と展望

一九九八年発行　発売元・那覇出版社　本体価格　一五〇〇円

沖縄経済の現状と課題　湧上敦夫／国際都市形成構想　宮城正治／規制緩和と沖縄の経済発展—フリー・トレード・ゾーン（ＦＴＺ）を中心に　富川盛武／米軍基地と沖縄経済　眞栄城守定／地方財政の動向と地域振興　前村昌健／軍事基地と自治体財政　仲地博／沖縄の経済開発政策　野崎四郎／沖縄の政策金融　譜久山當則／内発的発展による沖縄の経済発展と自立化—沖縄と済州島の比較　呉錫畢／沖縄のアグリビジネス—主として薬草産業（健康食品産業）を中心に　比嘉堅／沖縄の雇用問題—次世代の主役たちのための社会的資源の適正配置を考える　喜屋武臣市／マルチメディア・アイランドの形成に向けて　金森邦雄／返還跡地と業態立地—北谷町の事例を中心に　金城宏／国際都市と自由貿易構想の検討—主として流通論を中心に　新城俊雄／沖縄の産業と規制緩和　宮城弘岩

7 南島文化への誘い

一九九八年発行　発売元・那覇出版社　本体価格　一五〇〇円

南島文化への誘い—南島文化とは何か・模合から見た沖縄とアジア—　波平勇夫／南島現代社会論への誘い—現代沖縄の郷友会社会—　石原昌家／南島考古学への誘い—沖縄のルーツ—　當眞嗣一／南島近世史への誘い—日本の中の異国—　仲地哲夫／南島民俗宗教への誘い—南島の祖先祭祀—　平敷令治／南島文化人類学への誘い—中国から来た風水思想—　小熊誠／民俗社会における「正当性」を巡る考察　李鎭榮／琉球方言への誘い—琉球方言の地域性—　加治工真市／琉球・社会方言学への誘い—沖縄の若者言葉考—　野原三義／沖縄民話への誘い—キジムナーとカッパ—　遠藤庄治／琉球文学への誘い—『おもろさうし』の魅力　嘉手苅千鶴子／沖縄民俗音楽への誘い—神歌からオキナワン・ポップスまで—　比嘉悦子／南島民俗芸能への誘い—祭りや村遊びに出現する踊り神・来訪神　宜保榮治郎

8 異文化接触と変容

一九九九年発行　発売元・編集工房東洋企画　本体価格　一五〇〇円

源氏物語と異文化—「辺境」からの創造—　葛綿正一／中世神話と異文化—養蚕をめぐる貴女の物語—　濱中修／大城立裕—内包される異文化—　大野隆之／イスラムとユダヤの出会い　須永和之／ことばと異文化接触　兼本敏／沖縄の異文化家族—エスニシティーへの理解と言語習得・教育の諸問題—　ダグラス・ドライスタット／アフリカ系アメリカ人の文学と沖縄文学—二重意識の問題を中心に—　追立祐嗣／大学における国際化と文化的交流　西平功／バルザックの世界と異文化—アジアの国々をめぐる想像の産物—　大下祥枝／日本とドイツ—人の交流—　漆谷克秀／文学における異文化接触　米須興文

9 転換期の法と政治

二〇〇〇年発行　発売元・編集工房東洋企画　本体価格　一五〇〇円

転換期における国際政治と外交　松永大介／転換期における医療保険の現状と未来　伊達隆英／生命保険契約法の改正について—その社会的背景と展望—　脇阪明紀／人権の国際的保護　緑間榮／日本の外交政策—転換期の環境問題—　赤阪清隆／安楽死是非論　高良阮二／転換期における東欧と民族紛争—コソボ危機を中心に—　伊藤知義／転換期の国家法一元論　徳永賢治／消費者法の展開—製造物責任法と消費者契約法—　阿波連正一／企業再編時代の到来—会社法の現在、そして未来—　山城将美／二一世紀に向けた国際政治の潮流と沖縄　江上能義／変わりゆく家族—国際的な状況の変化と家族法のゆくえ—　熊谷久世／変貌する少年法制　小西由浩／地方分権と行政課題—情報公開を中心として—　前津榮健／遺伝子鑑定の現実と社会的環境　新屋敷文春

沖縄国際大学公開講座委員会刊

地域を映す
沖縄国際大学公開講座

10 情報革命の時代と地域
二〇〇一年発行　発売元・ボーダーインク　本体価格一五〇〇円

マルチメディア社会とは何か　稲垣純一／沖縄県にソフトウェア産業は根付くか　又吉光邦／産業ネットワークと沖縄経済の振興　富川盛武／情報技術革新下の課題と方途―情報管理の視点から情報化の本質を考える―　砂川徹夫／情報技術の商業的な利用法について　安里肇／情報通信による地域振興　古閑純一／デジタルコンテンツビジネス産業の可能性について　稲泉誠／情報化と行政の対応　前村昌健／ＩＴ（情報技術）とマーケティング　宮森正樹／沖縄県におけるコールセンターの展望　玉城昇

11 沖縄における教育の課題
二〇〇二年発行　発売元・編集工房東洋企画　本体価格　一五〇〇円

教育崩壊の克服のために―教育による人間化を―　遠藤庄治／日本語教育から見たパラダイム・シフト―より豊かな「つながり」を目ざして―　大城朋子／学校教育とカウンセリング　逸見敏郎／教育課程改革の動向と教育の課題―「総合的な学習の時間」導入の背景と意義―　三村和則／現代沖縄と教育基本法の精神―人権・平和・教育の課題への問い―　森田満夫／教師に求められる新たな人間観・教育観　玉城康雄／「生きる力」を培う開かれた教育　津留健二／総合学習と地理教育の役割―環境論的視点から―　小川護／沖縄の国語教育―作文教育の成果と課題―　渡辺春美／教育情報化への対応　吉田肇吾／情報教育の課題―有害情報問題をめぐって―　山口真也／平和教育の課題　安仁屋政昭／大学の現状と課題―大学の危機とポスト学歴主義―　阿波連正一／憲法・教育基本法の根本理念　垣花豊順／八重山の民話と教育　遠藤庄治／学校教育と地域社会教育の連携と教育の再興　大城保

12 自治の挑戦　これからの地域と行政
二〇〇三年発行　発売元・編集工房東洋企画　本体価格　一五〇〇円

地方分権と自治体の行政課題　前津榮健／国際政治のなかの沖縄　吉次公介／地方議会の現状と課題　照屋寛之／沖縄の基地問題　屋良朝博／市民によるまちづくり・ＮＰＯの挑戦　横山芳春／アメリカの自治に学ぶ　佐藤学／地方財政の現状と課題　前村昌健／沖縄の地方性と政治　西原森茂／政策評価とこれからの地方自治　佐藤学／八重山の自然環境と行政　西原森茂／今なぜ市町村合併か　照屋寛之／政治の中の自治と分権　井端正幸

13 様々な視点から学ぶ経済・経営・環境・情報
―新しい時代を生きるために―
二〇〇四年発行　発売元・編集工房東洋企画　本体価格　一五〇〇円

テーゲー経済学序説―環境・経済・豊かさを語る―　呉錫畢／キャッシュ・フロー情報の利用　鵜池幸雄／ＩＴ時代の情報管理モデル　砂川徹夫／食糧生産と地理学―米と小麦生産を中心に―　小川護／日本社会経済の再生―地域分権化・地域活性化・全国ネットワーク化―　大城保／長期不況と日本経済のゆくえ―構造改革路線を考える―　鎌田隆／タイの観光産業の現状とマーケティング活動　モンコンノラキット・モンコン／久米島の環境　名城敏／ヨーロッパ公企業論―タバコ産業の場合―　村上了太／マーケティングの心とビジネス　宮森正樹／自動車システムから学ぶ人間の生き方　比嘉堅

沖縄国際大学公開講座委員会刊

地域を映す
沖縄国際大学公開講座

14 沖縄芸能の可能性

二〇〇五年発行　発売元・編集工房東洋企画　本体価格　一五〇〇円

国立劇場と沖縄芸能の可能性　大城學／琉球舞踊と玉城盛義　玉城節子／沖縄の民話と芸能　遠藤庄治／琉球芸能の可能性　狩俣恵一／沖縄芝居と沖縄方言　八木政男／琉歌を語る、歌う　島袋正雄／祭祀芸能の地理的基盤―本部町村落の景観変化―　崎浜靖／本土芸能と琉球芸能――覚書　葛綿正一／琉球舞踊と初代宮城能造　宮城能造／創作組踊の可能性―大城立裕の「新五番」　大野隆之／組踊、いまむかし　島袋光晴

15 基地をめぐる法と政治

二〇〇六年発行　発売元・編集工房東洋企画　本体価格　一五〇〇円

なぜ米軍は沖縄にとどまるのか　我部政明／米軍基地と日米地位協定　新垣勉／戦後沖縄の「保守」に関する基礎的考察　吉次公介／米軍再編と沖縄基地、普天間の行方は？　伊波洋一／米国の保守支配を考える　佐藤学／普天間飛行場跡地利用を考える　上江洲純子／軍事基地と環境問題　砂川かおり／基地と情報公開　前津榮健／米軍再編と沖縄　問われる発信力　松元剛／基地問題と報道　三上智恵／刑事法から見る「日米地位協定」　小西由浩／基地所在市町村における公共投資支出　平剛

16 グローバル時代における地域経済

二〇〇七年発行　発売元・編集工房東洋企画　本体価格　一五〇〇円

ベトナムに進出したウチナーンチュ企業　鎌田隆／二一世紀沖縄の社会経済の自立に向けて―道州制を展望する―　大城保／変革の時代における働き方―希望格差の拡大と働く意欲―　名嘉座元一／エジプトの観光経済―沖縄から考える―　村上了太／成長する中国の開発戦略　新垣勝弘／消費社会と政策―大量消費社会を展望する―　名城敏／フラワービジネスと企業戦略―わが国と中国を事例として―　小川護／ケルトの虎、アイルランド―アイルランドの経済・文化より沖縄の夢を語る―　呉錫畢／グローバル時代における地域経済―フラット化する世界とローカルな世界―　野崎四郎

17 生活目線のネットワーク社会「ゆんたく」de ＩＴとくらし

二〇〇八年発行　発売元・編集工房東洋企画　本体価格　一五〇〇円

ユビキタス社会における地域資源を活用した産業づくり　上地哲／情報化・ＩＴ化とディスクロージャー　清村英之／情報関連産業の集積と人的資源開発　兪炳強／建設業における原価企画の展開　木下和久／メディアとしてのブログ　大井肇／ウチナー社会にも押し寄せる情報化の波　伊波貢／ＩＴによる意思決定支援　平良直之／沖縄産マンゴーのブランド力強化と栽培履歴情報システムの普及要件　廣瀬牧人

沖縄国際大学公開講座委員会刊

地域を映す
沖縄国際大学公開講座

18 なかゆくい講座　元気が出るワークショップ

二〇〇九年発行　発売元・編集工房東洋企画　本体価格　一五〇〇円

逆ギレを防ぐ―相手を挑発をしないコツ―　山入端津由／フライングディスクで新たな感動と興奮のスポーツ発見！　宮城勇／落ち着かない子ども達への対応ワークショップ～発達障害児をもつ保護者への心理教育アプローチから～　知名孝／沖縄県におけるスクールソーシャルワーカー活用事業の実態―〝スクールソーシャルワーク元年〟にアンケート調査から見えてくるもの―　比嘉昌哉／子どもの社会性を育む遊びワークショップ―子どもＳＳＴへの招待―　栄孝之／感覚であそぼ―知覚と錯覚の不思議体験―　前堂志乃／解決志向のセルフケア―不幸の渦に巻き込まれないコツ―　牛田洋一／心とからだとストレス―生活習慣病の予防としてのストレス管理―　上田幸彦／ユニバーサルスポーツ体験講座―車いすサッカーの魅力―　下地隆之／こころとからだのリラックス～動作法入門～　平山篤史

19 うまんちゅ法律講座

二〇一〇年発行　発売元・編集工房東洋企画　本体価格　一五〇〇円

日本国憲法の原点を考える　井端正幸／裁判員制度について　吉井広幸・渡邉康年／刑事裁判の変貌　小西由浩／不況と派遣労働者　大山盛義／個人情報保護法制定の意義と概要　前津榮健／グレーゾーン金利廃止と多重債務問題　田中稔／会社法の課題　―企業グループの運営における支配会社の責任　坂本達也／歴代那覇地裁・那覇家裁所長から裁判所行政を考える　西川伸一／日本の立法過程：政治学の観点から　芝田秀幹／郷土の法学者　佐喜眞興英の生涯　稲福日出夫

20 地域と環境ありんくりん

二〇一一年発行　発売元・編集工房東洋企画　本体価格　一五〇〇円

新エネルギーとして導入が進む太陽光発電　新垣武／持続可能な観光と環境保全　上江洲薫／沖縄県における「基地外基地」問題について　友知政樹／沖縄ジュゴン訴訟　砂川かおり／地域の環境保全に活かされる金融　永田伊津子／島嶼型低炭素社会を探る　野崎四郎／沖縄本島と沖永良部島におけるキク類生産の現状と課題　小川護／観光を楽しむための情報技術　根路銘もえ子／沖縄の自然環境と環境問題　名城敏／コモンズ（入会）と持続可能な地域発展　呉錫畢

21 産業を取り巻く情報

二〇一二年発行　発売元・編集工房東洋企画　本体価格　一五〇〇円

銀行ＡＴＭの「こちら」と「むこう」　池宮城尚也／情報化と行政について　前村昌健／観光調査の情報分析と政策への提言　宮森正樹／パソコンや家電が身振り手振りで操作できる！　小渡悟／情報を知識に変えるマネジメント　岩橋建治／海外市場における日本製娯楽ソフトの不正利用状況と消費メカニズム　原田優也／オリオンビールの新製品開発と原価企画　木下和久／県内企業と決算情報　河田賢一

沖縄国際大学公開講座委員会刊

地域を映す
沖縄国際大学公開講座

22 世変わりの後で復帰40年を考える
二〇一三年発行　発売元・編集工房東洋企画　本体価格　一五〇〇円

島津侵入～近世琉球への模索～　田名真之／琉球処分　赤嶺守／沖縄戦　―　壊滅から復興へ　吉浜忍／占領という「世変わり」と自治の模索　鳥山淳／沖縄の開発と環境保護　宮城邦治／文化財行政、世界遺産　上原靜／沖縄の生殖・家族とジェンダー　澤田佳世／民俗宗教と地域社会　信仰世界の変容　稲福みき子／記憶と継承　記憶・保存・活用　藤波潔／先住民族運動と琉球・沖縄　石垣直

23 自治体改革の今　沖縄の事例を中心にして
二〇一四年発行　発売元・編集工房東洋企画　本体価格　一五〇〇円

沖縄の発展可能性と戦略　富川盛武／琉球政府と沖縄県―権力移行期における「議会」の比較―　黒柳保則／市町村合併と自治体改革　古謝景春／那覇市繁多川公民館の試みから　大城喜江子・南信乃介／中核市・那覇の未来を拓く　翁長雄志／地方制度改革の現状　佐藤学／議会改革の現状と課題―アンケート調査結果を中心に―　前津榮健／行政評価と自治体財政　平剛／国と地方のあり方～地方分権改革の視点から～　照屋寛之

24 沖縄を取り巻く経済状況
二〇一五年発行　発売元・編集工房東洋企画　本体価格　一五〇〇円

横断的問題解決手法　浦本寛史／沖縄経済論―二つの陥穽について―　宮城和宏／沖縄の雇用労働問題―中小企業イコールブラック企業か―　名嘉座元一／沖縄経済と観光　湧上敦夫／沖縄の基地経済～課題と展望～　前泊博盛／大学の社会的責任―経済性と社会性に関する非営利組織論的アプローチ―　村上了太／アブダクションを用いた製品設計のための方法論の検討―沖縄における創造性―　金城敬太／地域資産としての沖縄の文化的景観　崎浜靖／沖縄における金融状況　安藤由美／沖縄における交通産業の生成と発展　梅井道生

25 産業情報学への招待
二〇一六年発行　発売元・編集工房東洋企画　本体価格　一五〇〇円

観光資源未開発地域の活性化に関する一考察　宮森正樹／沖縄県財政の特徴―類似県との比較を通じて―　仲地健／沖縄県におけるスポーツの果たす可能性を探る　慶田花英太／沖縄県におけるIT人材育成の課題と方途　砂川徹夫／クルーズ客船の経済学　田口順等／アジア新中間層における日本エンターテインメントの消費行動　原田優也／沖縄県における六次産業化の現状について　高嶺直／地域経済からみる中国国際貿易市場　佐久本朝一／人工知能見聞録　曺真

沖縄国際大学公開講座委員会刊

地域を映す
沖縄国際大学公開講座

26 しまくとぅばルネサンス

二〇一七年発行　発売元・編集工房東洋企画　本体価格　一五〇〇円

琉球文とシマ言葉　狩俣恵一／しまくとぅばと学校教育　田場裕規／ベッテルハイムと『英琉辞書』漢語　兼本敏／沖縄を描く言葉の探求　村上陽子／崎山多美の文体戦略　黒澤亜里子／香港における言語状況　李イニッド／琉球語の表記について　仲原穣／琉球民謡に見るしまくとぅばの表現　西岡敏／「しまくとぅば」の現状と保存・継承の取り組み　中本謙／南琉球におけるしまくとぅばの現状　下地賀代子／「うちなーやまとぅぐち」から「しまくとぅばルネッサンス」を考える　大城朋子／現代台湾における原住民族語復興への取り組み　石垣直／なぜ琉球方言を研究するか　狩俣繁久

27 法と政治の諸相

二〇一八年発行　発売元・編集工房東洋企画　本体価格　一五〇〇円

子どもの人権と沖縄の子どもの現状　横江崇／労働者に関する法と手続～よりよい労働紛争の解決システムを考える～　上江洲純子／外国軍事基地の国際法と人権　新倉修／学校と人権―校則と人権のこれまでとこれから―　安原陽平／高校生の「政治活動の自由」の現在　城野一憲／沖縄の経済政策と法　伊達竜太郎／弁護士費用補償特約について　清水太郎／消費者と法　山下良／子ども食堂の現状と課題（講演録）　スミス美咲／海兵隊の沖縄駐留の史的展開―一九五〇年代と一九七〇年代を中心に―　野添文彬／市町村合併の自治体財政への影響―沖縄県内の合併を事例に―　平剛

28 変わる沖縄

二〇一九年発行　発売元・編集工房東洋企画　本体価格　一五〇〇円

沖縄経済と米軍基地～基地経済の政府の沖縄振興の検証　前泊博盛／島嶼村落における時間割引率による環境配慮行動の違い　渡久地朝央／観光地の活性化と観光関連税　上江洲薫／沖縄から全ての「基地」と「補助金」が無くなったら沖縄経済はどうなるのか？―全基地撤去及び全補助金撤廃後の沖縄経済に関する一考察―　友知政樹／フランスの沖縄?!～ブルターニュ地方が喚起させるもの～　上江洲律子／AR活用による地域活性化の可能性　根路銘もえ子／沖縄農業におけるマンゴー生産の地域特性とその認識度―豊見城市を事例として―　小川護／遺伝子配列から解き明かす沖縄の生物多様性　齋藤星耕／金融で変える地域経済　島袋伊津子／あんやたん！沖縄の貝～貝類利用の移り変わり～　山川彩子／湿地の保全とワイズユースについて―沖縄市泡瀬干潟と香港湿地公園を事例として―　砂川かおり／干潟における環境と地域発展～沖縄、日本、韓国を事例として～　呉錫畢

29 産業と情報の科学

二〇二〇年発行　発売元・編集工房東洋企画　本体価格　一五〇〇円

ゲームを活用した観光振興―eスポーツ・位置情報ゲーム―　小渡悟／沖縄県における中心市街地活性化の現状と課題―商業と観光の両面から―　髭白晃宜／タイの近代的小売業の発展におけるセブンイレブンのビジネス展開　原田優也／初等教育におけるプログラミング教育の動向　平良直之／観光産業における観光ブランド構築の意味　李相典／沖縄県におけるスポーツツーリズム再考　慶田花英太／ウェブテクノロジーとビッグデータが未来を変える　安里肇／ハワイの観光促進戦略「HTA戦略プラン二〇一六―二〇二〇」から学ぶ沖縄観光の進む道　宮森正樹／沖縄県内主要企業の盛衰　岩橋建治／コンピュータ技術の発展と可能性　大山健治

沖縄国際大学公開講座委員会刊

地域を映す
沖縄国際大学公開講座

30 ボーダレス・ダイバーシティ社会に向けて

二〇二一年発行　発売元・編集工房東洋企画　本体価格　一五〇〇円

多言語景観から見るマルチリンガリズムの包括性と排他性　李イニッド／多文化共生社会における持続可能なコミュニティ通訳翻訳に向けて―沖縄の現状と課題―　井上泉／「世界は舞台」―シェイクスピア作品に描かれる流動化社会の様態―　西原幹子／しまくとぅばがオンラインで学べるために　西岡敏／西欧と日本における〈日本〉のイメージ―〈とざされた世界〉をめぐる近代から現代の議論―　岡野薫／多文化化する沖縄社会　崎濱佳代／ダイバーシティ社会に向けて～ろう者の手話言語獲得の歩から考える～　岩田直子／日本語教師の専門性はどこにあるのか―多文化共生の推進に向けて考える―　奥山貴之／琉球諸語の語学教育―ポリノミックモデルを応用して―　ハイス・ファン＝デル＝ルベ

31 人権2021

二〇二二年発行　発売元・編集工房東洋企画　本体価格　一五〇〇円

生存権保障の今日的意義―生活保護の保護基準引き下げをめぐる裁判例の検討　井村真己／学習権の保障と教育の自由―教育施策の歴史的変遷を辿って―　野見　収／SDGs／ESG時代における企業法と沖縄経済特区　伊達竜太郎／同性パートナーシップ制度・同性婚と生命保険　清水太郎／チビチリガマと子どもの人権の〝間〟　小西由浩／新型コロナウイルス禍と人権　西迫大祐／人権の国際的な保障　比屋定泰治／屋良朝苗と復帰運動　野添文彬／司法へのアクセス権の保障と人権―民事裁判のIT化がもたらすもの―　上江洲純子／動物倫理をめぐる三つの立場―種差別批判とその問題点―　村井忠康

32 「復帰」50年と沖縄経済

二〇二三年発行　発売元・編集工房東洋企画　本体価格　一七〇〇円

沖縄振興の50年　宮城和宏／復帰後50年　県民は幸せになったのか―県民生活の変化、幸福度、経済の自立化―　名嘉座元一／沖縄振興予算の経済効果　比嘉正茂／沖縄経済における観光産業の貢献と課題　鹿毛理恵／沖縄県における株式の変遷　安藤由美／沖縄財政の50年　高哲央／データサイエンスで見た復帰50年　大城絢子／沖縄の学校教育―これまでの50年、これからの50年―　照屋翔大／賃金を経済思想史から考える―沖縄県の賃金の推移―　吉原千鶴／歴史を学ぶこと・問うこと―琉球・沖縄史の展望―　小濱武

33 DX時代における地域活性化

二〇二四年発行　発売元・編集工房東洋企画　本体価格　一七〇〇円

地域活性化に向けた観光資源の活用方法―グリーンツーリズムにおける観光と教育の融合―　中野謙／データで見る日本・沖縄・アジア地域　比嘉一仁／スポーツによる地域活性化　慶田花英太／地域経済のデジタル化と金融―コロナ後の行方―　池宮城尚也／域学連携の実践から考える地域活性化の方向性　髭白晃宜／DX時代における行政の対応　前村昌健／DX時代における沖縄観光ビジネスの課題　李相典／中国企業のマーケティング管理　天野敦央／Z世代のデジタル観光消費行動―DXとSNSマーケティングの影響―　原田優也／インバウンド観光と「地域の食」　兪炳強

沖縄国際大学公開講座委員会刊

地域を映す
沖縄国際大学公開講座

沖国大ブックレット　A5版

1 アメリカの大学と少数民族そして沖縄
ハワイ国際大学学長　崎原貢　著
一九九六年発行　発売元・那覇出版社　本体価格四八五円

2 21世紀への私立大学の課題
早稲田大学総長　奥島孝康　著
一九九六年発行　発売元・ボーダーインク　本体価格四八五円

3 琉球王国と蝦夷地
札幌学院大学法学部教授　山畠正男　著
一九九八年発行　発売元・編集工房東洋企画　本体価格四八五円

4 多数派と少数派、民主主義の意味
インド・政策研究センター教授　桜美林大学客員教授　ラジモハン・ガンディー　著
一九九八年発行　発売元・編集工房東洋企画　本体価格五〇〇円

5 思考方法としての写真
写真家／プランナー　勇崎哲史　著
一九九九年発行　発売元・編集工房東洋企画　本体価格五〇〇円

6 東アジアにおける沖縄民俗の地位
創価大学文学部特任教授　竹田旦　著
二〇〇〇年発行　発売元・ボーダーインク　本体価格五〇〇円

7 21世紀・社会福祉の展望
日本社会事業大学教授・日本社会福祉学会会長　大橋謙策　著
二〇〇一年発行　発売元・ボーダーインク　本体価格五〇〇円

8 タクラマカン砂漠と住民生活
立正大学副学長・立正大学地球環境科学部教授・文学博士　澤田裕之　著
二〇〇一年発行　発売元・編集工房東洋企画　本体価格五〇〇円

沖縄国際大学公開講座委員会刊

地域を映す
沖縄国際大学公開講座

9 沖縄と世界の海の神話／西洋の海の神話
学習院大学教授・同大学文学部長　吉田敦彦　著／フランス・グルノーブル第三大学教授・同大学想像性研究所所長　フィリップ・ワルテル　著
二〇〇二年発行　発売元・編集工房東洋企画　本体価格五〇〇円

10 21世紀における大学教育
札幌学院大学教務部長 廣川和市、名城大学学長 網中政機、京都学園大学人間文化学部長（次期学長）海原　徹
桜美林大学学長 佐藤東洋士、熊本学園大学理事・事務局長 目黒純一、沖縄国際大学理事長・学長 波平勇夫　著
二〇〇三年発行　発売元・編集工房東洋企画　本体価格五〇〇円

11 個人のライフスタイルとコミュニティーの自立
心理学者　ジル・ジョーダン　著
二〇〇三年発行　発売元・編集工房東洋企画　本体価格五〇〇円

12 グローバリゼーションの中の沖縄
沖縄国際大学理事長・学長 波平勇夫、イリノイ大学名誉教授 コージ・タイラ、静岡県立大学教授 伊豆見 元、宜野湾市長 伊波洋一、フランス国立科学研究センター研究主任・社会科学高等研究院日本研究所所長 パトリック・ベイヴェール、翰林大学校教授・日本学研究所所長 池 明観　著
二〇〇四年発行　発売元・編集工房東洋企画　本体価格五〇〇円

13 元米海兵隊員の語る戦争と平和
アレン・ネルソン　著
二〇〇六年発行　発売元・編集工房東洋企画　本体価格五〇〇円

14 インドの生命科学　アーユルヴェーダに学ぶ、真の沖縄の健康づくり
クリシュナ・ウパディヤヤ・カリンジェ　著
二〇〇九年発行　発売元・編集工房東洋企画　本体価格五〇〇円

15 「復帰」50年とこれからの沖縄経済—地域とともに沖縄の未来を考える—
沖縄国際大学経済学部教授 宮城和宏、比嘉正茂、名嘉座元一、那覇空港ビルディング株式会社代表取締役社長 安里昌利、沖縄国際大学経済学部長・教授 村上了太　著
二〇二三年発行　発売元・編集工房東洋企画　本体価格七〇〇円

沖縄国際大学公開講座委員会刊